W9-DBT-254

Marie d'Agoult
George Sand
Correspondance

Juif

p. 39 & other refs to H. Cohen (Pozzi)
p 134, 137
p 141 (HC)

MARIE D'AGOULT
GEORGE SAND

Correspondance

Édition établie, présentée et annotée par
Charles F. DUPÊCHEZ

3e édition revue et corrigée

BARTILLAT
21, rue Servandoni 75006 Paris

Charles F. Dupêchez a publié une biographie de Marie d'Agoult (Plon, 1994) ainsi que ses *Mémoires et souvenirs* (deux volumes, Mercure de France, 1990) et son roman *Nélida* (Calmann-Lévy, 1987), qu'il a présentés et annotés. Il travaille actuellement sur la correspondance générale de madame d'Agoult.

Tous droits réservés pour tous pays.
© 2001, Éditions Bartillat, pour la présente édition.

Présentation

Célèbre en son temps, l'amitié de George Sand et de la comtesse d'Agoult, qui n'était pas encore devenue l'écrivain Daniel Stern, fut aussi bruyante que brève. Sa fulgurante ascension et sa fin nauséeuse agitèrent un microcosme parisien d'artistes et d'écrivains. Quelques-uns s'y trouvèrent englués malgré eux. Balzac en fit son miel, les liens fraternels de Chopin et de Liszt en reçurent des coups mortels. Cette amitié féminine, loin de la placide sollicitude de Germaine de Staël et de Juliette Récamier, ou de la tendresse de George Sand et de Marie Dorval, fut-elle un leurre ou, au contraire, une occasion de soutien mutuel pour deux fortes personnalités qui, déroutées dans leur vie sentimentale, tâtonnaient alors pour réorienter leur vie sur une voie plus paisible ?

Nées à dix-sept mois d'intervalle, les deux demoiselles reçoivent à Paris une éducation à peu près similaire : Aurore Dupin au couvent des Augustines anglaises, Marie de Flavigny, à celui du Sacré-Cœur. Elles bénéficient même en commun, sans se connaître encore, des leçons d'un professeur désuet, M. Abraham, qui enseigna la danse à la reine Marie-Antoinette. Un jour, après des rebondissements dans la négociation des contrats au point de suspendre temporairement les pourparlers, les jeunes femmes, au goût marqué pour la littérature, se retrouvent unies par leur famille à de grands chasseurs. L'un est un baron bâtard, l'autre, un comte boiteux. Ils sont tous deux désargentés. Elles ne les aimeront jamais. Cependant, dans les premiers mois de leur mariage, telles de dociles élèves, disposées à faire de leur mieux, elles concentrent leur énergie pour se persuader qu'avec le temps, elles parviendront à les aimer. Chez l'un et l'autre couple qui se trouvent bientôt nantis de deux enfants, on n'a rien à se dire, tant les centres d'intérêt divergent. L'ennui s'incruste. Pour le tromper, on voyage. Les Dudevant dans les Pyrénées, les d'Agoult en Suisse. Rien n'y fait. En désespoir de cause, l'une prend un amant, l'autre ouvre un salon. Mais la mélancolie est la plus forte, qu'elles déchargent sur leur confesseur, l'abbé de Prémord pour Aurore, l'abbé Deguerry pour Marie.

Physiquement, tout les sépare. Aurore est petite et brune. Marie est élancée et blonde. Le vêtement masculin les attire. George va l'adopter, Marie, trop timorée, l'essaie une fois dans l'intimité.

Lorsqu'elles se rencontrent au printemps 1835 [1], Aurore Dupin, qui vit le moins possible avec son mari et mieux en compagnie de ses amants, est un écrivain

1. La date à laquelle les deux femmes se sont rencontrées pour la première fois est incertaine, bien qu'il s'agisse probablement de mai 1835. Recoupons leurs témoignages. Dans ses mémoires, Mme d'Agoult écrit de George Sand : « Elle avait appris (...) que j'étais à la veille de quitter la France et pourquoi (...). Franz nous fit dîner ensemble chez sa mère. Notre entrevue fut très singulière. » C'est le 28 mai que, se séparant définitivement de son mari, Marie partit pour Bâle rejoindre Liszt dont elle était enceinte. Elle ajoute plus loin que George la pria de venir chez elle. De son côté, à la fin du mois de septembre 1835, la romancière écrit à la comtesse, installée depuis peu à Genève : « Je ne vous connais pas personnellement, mais j'ai entendu Franz parler de vous et je vous ai vue. » Dans la septième *Lettre d'un voyageur* adressée à Liszt et publiée le

à la notoriété en pleine ascension. Sous le nom de George Sand, elle a déjà signé, entre autres, deux chefs-d'œuvre, *Indiana* et *Lélia*. La comtesse d'Agoult a dévoré ses romans, elle a même eu l'idée étrange d'écrire à sa mère, le 8 août 1833 : « Si vous n'avez pas lu *Indiana*, je v[ou]s le recommande pour vos lectures du soir. Il y a un caractère d'homme très remarquable et une femme pour laquelle on prétend que j'ai dû poser. » Affabulation, bien sûr, puisque George n'a probablement jamais entendu parler de Mme d'Agoult qui s'installe à peine, à cette époque, dans sa liaison secrète avec Liszt. Quant à l'amitié entre la romancière et le musicien, elle ne commence qu'en 1834 et, comme il s'en est imposé le devoir, Liszt se montre

1er septembre 1835 par la *Revue des Deux Mondes*, elle relate en termes voilés leur seconde rencontre : « Vous souvenez-vous de cette blonde péri à la robe d'azur, aimable et noble créature, qui descendit, un soir, du ciel dans le grenier du poète, et s'assit entre nous deux (...) ». La péri, c'est Mme d'Agoult et George Sand fait allusion à la mansarde qu'elle occupait alors, au 19, quai Malaquais. Elle écrit encore à la comtesse, au début de janvier 1836 : « Je vous ai vue, la 1ère fois, je vous ai trouvée jolie ; mais vous étiez froide et moi aussi. La seconde fois, je vous ai dit que je détestais la noblesse, je ne savais pas que vous en étiez ». Les témoignages se recoupent donc ainsi : un premier dîner chez madame Liszt, où les deux femmes, circonspectes, échangent des banalités, la comtesse d'Agoult ayant probablement demandé à son amant de ne pas dévoiler son identité. Ensuite, une visite de la comtesse d'Agoult à George Sand, qui ignore toujours qui est sa visiteuse. Liszt, quant à lui, écrit à George Sand, le 27 juin 1835 dans les Alpes : « Je vous engage sérieusement à ne pas manquer de venir nous voir d'abord car je connais certaine personne avec laquelle vous avez dîné deux fois qui pourra vous donner d'excellens (sic) renseignements (...) ». La date de ces deux rencontres ? Soit entre le 2 janvier et le 6 mars, soit entre le 5 et le 28 mai 1835 : ce furent les seuls moments où les deux femmes se trouvèrent ensemble à Paris. La seconde période est, de loin, la plus plausible puisque, au premier trimestre, la comtesse d'Agoult vécut loin du monde, meurtrie par la mort de sa fille Louise, décédée en décembre 1834, et ne voyant plus Liszt pendant plusieurs semaines. Pas encore enceinte de lui, elle était donc loin de songer à un départ pour la Suisse. On a dit encore que les deux femmes se virent pour la première fois au théâtre, mais sans donner la source de cette hypothèse.

d'une discrétion totale sur ses rapports avec celle qu'on surnomme, du nom de l'héroïne de Mme de Staël, la Corinne du quai Malaquais.

Quant à Marie, au printemps 1835, elle s'apprête à quitter sa famille pour suivre Liszt, son cadet de six ans, qu'elle aime en secret depuis deux ans et dont elle est enceinte. Renoncer à tout, à son rang élevé, à sa fortune, à la considération sociale est un acte courageux qui fascine George.

Fortes de deux entrevues où elles se sont simplement jaugées, les deux femmes commencent à lier amitié par correspondance, au mois de septembre suivant. Marie est installée à Genève avec Liszt, George habite à Paris. Par l'intermédiaire de leurs plumes, elles s'enflamment vite. Marie, plus crispée et, de toute évidence, forçant un peu un ton badin qui ne lui est pas naturel, avoue ses velléités d'écriture, George, qui se pose en blasée des vicissitudes de la vie, l'encourage à passer à l'acte. Elles concoctent même un contrat destiné à protéger leur amitié. Craindraient-elles de mauvaises surprises à leur insu ? Un an plus tard, George rejoint en Suisse le couple idéal, parce que libre de toute tutelle, que forment à ses yeux Franz et Marie. Dès lors, les amies vont presque cohabiter pendant une dizaine de mois, d'abord dans les Alpes, au cours d'une excursion, puis pour quelques jours à Genève, ensuite à Paris où elles ouvrent un salon commun, enfin à Nohant, où George accueille Marie comme une sœur, pendant deux longs séjours.

Les deux femmes se jettent dans les bras l'une de l'autre, pleines d'illusions. George croit voir s'incarner l'une de ses héroïnes. Marie, qui noircit depuis toujours force papiers, a l'espérance de puiser chez George le courage de publier. L'une et l'autre traversent des moments difficiles. Elles ont franchi la trentaine, âge alors fatidique que scrute à l'époque Balzac. Surtout George qui, blessée de sa rupture avec l'avocat Michel, dit de Bourges, est éprouvée par une douloureuse crise morale. Sujette à des accès de dépression, elle prend des amants qui ne lui correspondent pas. Marie la chaste, un peu effarée malgré ses idées larges, assiste à la valse des malheureux qui s'épient les uns les autres. Elle se met à en consoler un, qui n'est pas le moins bavard, avec trop de zèle. George en prend ombrage. Malgré l'air tonique de Nohant, les baignades matinales en rivière et l'atmosphère joyeuse, quoique relâchée parfois, qui règne autour de la table, Marie n'a guère l'humeur solide. Toujours encline à succomber au sté-rile démon de l'introspection, elle vient d'achever sa première année de paria. Ayant abandonné la société mondaine de Paris, qui l'ennuyait, elle ne sait guère où elle est en train de s'acheminer. Les premières tensions au sein de son couple ont surgi, que George, avec son regard aigu de romancière, a captées. De Liszt, Marie a déjà une fille qu'elle a laissée en nourrice près de Genève et, lorsqu'elle quitte Nohant, elle est enceinte de Cosima.

Avec la vie commune et les petites faiblesses du quotidien, les illusions des deux femmes s'effritent, la réalité se fait jour et dissipe l'ombre des caractères. George est moins stable qu'elle n'a paru. Elle se dévoile parfois à Marie sous un jour qui n'est pas flatteur et qu'elle aurait préféré dissimuler. Marie, qui, malgré ses chimères de femme libérée, reste aristocrate jusqu'au bout des ongles, sent son amie déçue qui s'éloigne. L'amertume s'instille. Plutôt que de feindre d'oublier ce qu'elle a vu, elle a la maladresse de mettre avec insistance George en face de ses palinodies. Enfin, peut-être – rien n'est moins sûr –, George lance-t-elle quelques œillades trop marquées à Franz. Marie, dure dans ses jugements aussi bien à l'égard d'elle-même que des autres, d'une lucidité effrayante que ne tempère aucune indulgence, ne sait pas composer. Quand elle est blessée, elle devient cassante et met en apparence les torts de son côté. George, plus féline, avec des subtilités où la franchise a tendance à se dérober, ne prise guère les affrontements et les explications. Tant que cela lui est possible, elle préfère atermoyer. Hélas, une «bonne» amie s'immisce entre les deux et attise de part et d'autre les ressentiments jusqu'à rendre inévitable un duel. Sans cette Charlotte Marliani, qui proteste de son dévouement à chacune, colporte des lettres et se répand auprès d'autrui, la rupture aurait peut-être cédé la place au pardon. Mais, de quelques persiflages dans des lettres, lus à des tiers qui n'auraient pas dû en avoir connaissance, vont s'ouvrir de larges plaies. Il est affligeant de voir combien la brouille de ces deux femmes remarquables grossit, comme à la loupe, ce qu'il y a de moins bon en elles ; chacune, au contact de l'autre, succombe sans retenue à ses mauvais penchants.

Après la fâcherie et la haine, viendra le temps de la paix. Ou plutôt de l'indifférence chez George et de la nostalgie chez Marie. Pour la première, très entourée d'amis, auréolée de gloire, une page est tournée. Pourquoi reviendrait-elle sur une période de son passé qui n'a pas été heureuse ? Auprès de Chopin, elle a retrouvé une harmonie. Pour la seconde, l'échec est difficile à admettre car le bonheur s'enfuit. Elle va longtemps mâchonner sa rancune pour avoir été abandonnée et montrer de la jalousie devant un succès littéraire qu'elle aurait aimé recueillir. En outre, les articles de presse, lorsque paraissent les livres de Daniel Stern, ne manquent pas de faire un parallèle avec ceux de George Sand. Parfois, à son avantage. A celle qui fait donc référence et dont la production est intense, impossible d'échapper, on y revient toujours. Marie, plus exigeante dans ses écrits, s'y résigne peu à peu. Aujourd'hui, les livres de Daniel Stern n'intéressent que les historiens ; ils savent qu'ils vont y puiser des informations rigoureuses, impartiales et mesurées à l'aune de la tolérance. L'importance de Marie est ailleurs : en apparaissant en filigrane dans l'histoire de la politique et des arts, au XIXᵉ siècle, elle a accompagné, elle a illustré son siècle. Ingres, Lehmann, Chassériau, Devéria, Calamatta et Bartolini ont fait son portrait. Balzac s'en est inspiré pour un grand personnage. Berlioz et Chopin lui ont dédié des œuvres. Vigny, Sue, Girardin et Sainte-Beuve ont soupiré à ses pieds. Hugo l'a méprisée, Barbey d'Aurevilly l'a ridiculisée. Lamartine et Lamennais se sont réunis dans son salon, en pleine révolution de 1848, pour délibérer. Elle accueillit encore Michelet, Renan, le prince Napoléon, Ollivier, Mazzini, Kossuth, Manin et une foule d'hommes politiques, français et européens. Enfin, Liszt l'a adorée, et George Sand l'a aimée.

Correspondance

Sans Georges Lubin, qui a consacré sa vie à publier la correspondance de George Sand (Paris, Garnier, 25 volumes), ce volume n'aurait pu paraître. Nous lui témoignons notre profonde gratitude.

Charles F. Dupêchez

Note préliminaire :
Une partie des lettres de Marie d'Agoult n'est actuellement connue que par des copies (cf. p. 295). Nous avons respecté l'orthographe de ces copies, ne sachant s'il fallait imputer certaines erreurs à la distraction du copiste ou à une méconnaissance de la comtesse. Rappelons toutefois que celle-ci utilisait volontiers l'orthographe ancienne (tems, poëte, cigarre, etc.), que le copiste a tantôt respectée, tantôt modernisée. D'où des incohérences qu'on retrouvera au long de ses lettres. Les mots soulignés ont été reproduits en italiques, ainsi que les titres d'œuvres ou de journaux. Enfin nous avons dû rétablir parfois une ponctuation, souvent absente dans les copies, ainsi que des traits d'union pour éviter l'accumulation des [sic].

LETTRE N° 1

À *George Sand*

Before my have seen met

1835

Genève 24 sept[embre]

Depuis bien longtemps déjà je songeais à vous écrire
(*quoique* je *ne* sache *pas* écrire, *moi* !) car j'avais
emporté de vous un de ces souvenirs que chaque jour
fait pénétrer plus avant en dedans de nous mais
l'illustre Puzzi [1] et son illustrissime maître ayant des
droits plus anciens à faire valoir auprès de vous j'ai
cru ne pas devoir vous assassiner coup sur coup de
trois épîtres que vous eussiez probablement trouvées
fort *instruisantes* et même passablement *ennuyantes*
comme dit ce mélancolique enfant qui me rappèle [sic]
parfois Mignon de Gœthe et que vous avez si gracieu-
sement et si poëtiquement [sic] dépeint dans votre lettre
de la *Revue* [2]. Et à ce propos que vous dirai-je ? Que j'ai

---

1. Puzzi, sobriquet de Hermann Cohen (1821-1871), enfant prodige et
sans gêne, élève de Liszt qui se dévoua beaucoup pour lui, non sans sus-
citer la réprobation de la comtesse d'Agoult qui dut le supporter à plusieurs reprises dans l'intimité de son couple. George Sand l'avait aussi en
grande affection. Il mena une vie très dissipée avant d'avoir une vision
de la Vierge à Rome. Il se fit alors baptiser et devint carme déchaussé en
1851 (père Augustin-Marie du Très-Saint-Sacrement). Il mourut en odeur
de sainteté en Allemagne, où il soignait des blessés français.
2. *Lettre d'un voyageur*, *Revue des Deux Mondes*, 1er septembre
1835. George Sand avait commencé à publier cette série de longues
lettres dans la *Revue des Deux Mondes*, le 15 mai 1834. Elle l'arrêta le
15 novembre 1836.

été bien agréablement surprise en voyant que vous vous êtes souvenue, non pas de moi car il y aurait étrange présomption à me reconnaître sous forme de Péri, mais au moins de certaine robe bleue qui va me devenir chère en mémoire de vous. Je vous remercie de m'associer quelquefois dans votre pensée à un être dont je ne voudrais être séparée nulle part : c'est en lui que j'ai abdiqué la vie. Je n'ai conservé du passé que le souvenir d'une tombe [3] et je ne suis plus aujourd'hui qu'un écho de ses sentiments, de ses désirs, de ses espérances, de ses joies et de ses peines. Cet écho redit bien souvent votre nom qui du reste a pénétré victorieusement même la lourde et épaisse atmosphère de Genève où l'on dirait que toute lumière doit s'éteindre, l'envie et la jalousie ont renoncé à l'étouffer sous leurs clameurs. Vous saurez, soit dit en passant, que parmi les mille et une bêtises qui font le charme de notre intimité il en est une de convention qui revient encore plus souvent que toutes les autres : il est établi que je brûle de vous disputer la palme littéraire et lorsque je m'éveille le matin, après un sommeil de plomb de sept ou huit heures, Franz ne manque pas de me dire : « Les lauriers de Miltiade empêchaient Thémistocle de dormir » ce qui est régulièrement le signal d'un de ces fous rire [sic] archi-bêtes qui font tant de bien ! Ne viendrez-vous point changer notre trio en quatuor et nous *repoëtiser* [sic] un peu le Mont blanc [sic] et le lac *limpide* et azuré que nous commençons à regarder comme vous regardez la butte Montmartre ou le bassin des Tuileries ?

Nous pourrions encore faire dans le Jura ou dans les Alpes quelques promenades botaniques et vous triompheriez aisément de la haine éternelle que Franz a juré

---

3. Allusion au décès, en décembre 1834, de Louise d'Agoult, née en 1828, fille aînée de la comtesse.

[sic] aux monocotilédones [sic] et aux siliques des *crucifères* depuis qu'un tout petit professeur louche vient me cracher au nez toute sa science genevoise. Je vous le dis bien prosaïquement nous serions tous heureux de vous voir et je crois vous connaître assez pour penser que vous avez toujours beaucoup plus songé aux autres qu'à vous-même ; c'est là-dessus que se fonde mon espoir. En attendant adieu Lélia, Geneviève, Sylvia, Juliette [4] ; je n'en retranche aucune dans ma sincère admiration et dans ma vive et profonde sympathie.

Genève 24 7bre 1835.

[Adresse :]
Madame Sand
19 Quai Malaquais
Paris.

Réponse immédiate et généreuse de George qui adresse à Marie tous ses encouragements à écrire. Ne la considère-t-elle pas comme l'incarnation de Valentine de Raimbault, l'héroïne de son deuxième roman, publié en 1832 ? Elle était blonde et blanche comme la comtesse d'Agoult. Dans ce livre, George Sand, condamnant le mariage de convention, vide de sentiment et ferment de l'inégalité des sexes, entonnait l'un de ses thèmes les plus chers, celui de l'amour libre.

4. Ce sont toutes des héroïnes de George Sand : Lélia de *Lélia* (1833), Geneviève (*André*, 1835), Sylvia (*Jacques*, 1834), Juliette (*Leone Leoni*, 1834).

LETTRE N° 2

À Marie d'Agoult

[Paris, fin septembre 1835]

Ma belle comtesse aux beaux cheveux blonds,

Je ne vous connais pas personnellement, mais j'ai entendu Frantz [sic] parler de vous et je vous ai vue. Je crois que d'après cela je puis sans folie, et sans familiarité déplacée, vous dire que je vous aime, que vous me semblez la seule chose belle, estimable et vraiment noble que j'aie vue briller dans la sphère patricienne. Il faut que vous soyez en effet bien puissante pour que j'aie oublié que vous étiez comtesse. Mais à présent vous êtes pour moi, le véritable type de la princesse fantastique, artiste, aimante, et noble de manières, de langage et d'ajustements, comme les filles de rois aux temps poétiques. Je vous vois comme cela, et je veux vous aimer comme vous êtes, et pour ce que vous êtes. Noble, soit, puisqu'en étant noble selon les mots, vous avez réussi à l'être suivant les idées, et puisque comtesse, vous m'êtes apparue aimable et belle, douce comme la Valentine que j'ai rêvée autrefois, et plus intelligente, car vous l'êtes diablement trop et c'est le seul reproche que je trouve à vous faire. C'est celui que j'adresse à Frantz, à tous ceux que j'aime. C'est un grand mal que le nombre et l'activité des idées. Il n'en faudrait qu'une dans toute une vie, on aurait trouvé le secret du bonheur.

Je me nourris de l'espérance d'aller vous voir, comme d'un des plus riants projets que j'aie caressé[s] dans ma vie. Je me figure que nous nous aimerons réellement vous et moi, quand nous nous serons vues davantage. Vous valez mille fois mieux que moi, mais vous verrez que j'ai le sentiment de tout ce qui est beau, de tout ce que vous possédez. Ce n'est pas ma faute, j'en atteste le ciel et j'ai manqué ma vie, j'étais un bon blé, la terre m'a manqué, les cailloux m'ont reçu et les vents m'ont dispersé. Peu importe, le bonheur des autres ne me donne nulle aigreur. Tant s'en faut. Il remplace le mien, il me réconcilie avec la providence et me prouve qu'elle ne maltraite ses enfants que par distraction. Je comprends encore les langues que je ne parle plus, et si je gardais souvent le silence près de vous, aucune de vos paroles ne tomberait cependant dans une oreille indifférente ou dans un cœur stérile.

Vous avez envie d'écrire, pardieu, écrivez. Quand vous voudrez enterrer la gloire de Miltiade, ce ne sera pas difficile. Vous êtes jeune, vous êtes dans toute la force de votre intelligence, dans toute la pureté de votre jugement, écrivez vite, avant d'avoir pensé beaucoup, car quand vous aurez réfléchi à tout, vous n'aurez plus de goût à rien en particulier et vous écrirez par habitude. Écrivez pendant que vous avez du génie, pendant que c'est Dieu qui vous dicte, et non la mémoire. Je vous prédis un grand succès. Dieu vous épargne les ronces qui gardent les fleurs sacrées du couronnement ; et pourquoi les ronces s'attacheraient-elles à vous ? Vous êtes de diamant, vous à qui les passions haineuses et vindicatives ne sont pas plus entrées dans le cœur qu'à moi, et qui en outre, n'avez pas marché dans le désert. Vous êtes toute fraîche et toute brillante, montrez-vous. S'il faut des articles de journaux pour faire lire votre premier livre, j'en remplirai les journaux, mais quand on l'aura lu, vous n'aurez plus besoin de personne.

Adieu, parlez de moi au coin du feu. Je pense à vous tous les jours et je me réjouis de vous savoir aimée et comprise comme vous méritez de l'être. Écrivez-moi quand vous en aurez le temps. Ce sera un rayon de votre bonheur dans ma solitude, si je suis triste, il me ranimera, si je suis heureuse il me rendra plus heureuse encore, si je suis calme, comme c'est l'état où l'on me trouve le plus habituellement désormais, il me rendra plus religieux l'aspect de la vie. Oui, tout ce que Dieu a donné à l'homme lui est bon suivant le temps, quand il sait l'accepter. Son âme se transforme sous la main d'un grand artiste qui sait en tirer tout le parti possible, quand l'argile ne résiste pas à la main du potier. Adieu chère Marie. *Ave Maria gratia plena.*

George.

Dans ses lettres, Liszt presse George de venir les rejoindre. Il lui propose de partir ensemble pour une grande randonnée à Chamonix. Il ajoute : « La blonde péri vous le demande aussi instamment que moi ; dans quelques jours vous recevrez de ses nouvelles. » *Plongée dans d'innombrables lectures, Marie se cloître, de temps à autre, tout le jour pour écrire. Mais George la désespère.* « Si notre ami n'eut encore rien fait imprimer, *dit-elle parfois à Liszt en parlant de la romancière,* peut-être me hasarderai-je à mettre mon nez au vent de la publicité (...) ». *Aussi le musicien, compréhensif, va-t-il demander des encouragements pour sa compagne. Il écrit à George :* « Il y a dans ses feuilles volantes des choses excellentes et je voudrais que vous puissiez l'encourager un peu, car elle se laisse trop aller à l'abattement. » *George lui répond :* « Sans plaisanterie, mes chers enfants, si j'avais eu cent écus, je partais et j'arrivais à l'heure dite. » *Mais ses démêlés conjugaux la privent de toute ressource financière. Un drame éclate, le 19 octobre, lorsque Casimir Dudevant, son époux, s'élance vers elle, la main levée ; retenu par des amis, il revient quelques instants plus tard dans la pièce en brandissant un fusil. George profite de l'éclat, devant témoins, pour cesser toute vie commune. Elle quitte Nohant alors qu'elle mène d'âpres négociations pour la publication de son nouveau roman,* Simon. *Dans ces conditions, comment lui serait-il possible de rejoindre ses amis en Suisse ?*

Dans sa nouvelle lettre, encore ignorante de ces épisodes, Marie réfute le jugement trop systématique que George porte sur l'aristocratie. Et elle ne doute pas de la gagner à ses vues.

LETTRE N° 3

À *George Sand*

D'Agoult refuse to condemn [...handwritten note...] *of society.*

Genève 22 nov[embre]

Et [sic] bien soit! Nous nous aimerons *quoique* et *à parce que* n'est-il pas vrai? Il y a longtemps déjà que j'ai fait un auto-da-fé [sic] de mes préventions contre vous au feu pétillant de votre mansarde bleue. Venez bien vite brûler les vôtres contre moi à l'âtre de ma mansarde verte. Car je me donne les airs d'une femme de génie en me juchant au quatrième étage où j'aurai le plaisir de vous offrir aux *clartés douteuses* d'une *lampe pâlissante* le plus mauvais et le plus poëtique [sic] de tous les dînés [sic]! Nous causerons de tout et d'un peu plus que tout et peut-être vous ferai-je adoucir l'anathème que vous lancez si impitoyablement contre cette partie de la société que l'on appèle [sic] l'aristocratie. Pendant longtemps aussi, y trouvant tant d'ignorance, de vanité, d'égoïsme et de vertu pharisiaque [sic], je la croyais sous le poids d'une malédiction particulière, j'imaginais que dans d'autres régions plus favorisées du ciel devaient se rencontrer la charité, la vérité, l'intelligence du cœur et de l'esprit. Je croyais qu'on trouvait la simplicité et la droiture dans la bourgeoisie, l'élévation d'idées et de sentiments parmi les poètes, la franche gaieté, la véritable philosophie chez les artistes, la pureté des mœurs et la naïveté des croyances sous le toit du laboureur... Les observations les plus superficielles m'ont suffi pour reconnaître mon erreur et ce n'est pas *vous qui avez sondé* d'une main si sûre et si ferme les plus profondes plaies de la société, les plus honteuses misères du cœur humain, ce n'est pas vous qui pouvez croire que l'atmosphère de la région aristocratique est plus viciée, plus corrompue que l'atmosphère des autres régions sociales ; c'est l'humanité toute entière qu'il faut accuser ou plaindre ; il y a des exceptions individuelles. On rencontre parfois sur son chemin de hautes et nobles natures mais les plus belles âmes ne sont pas sans taches et les meilleurs d'entre nous sont ceux qui regrettent dans la seconde moitié de leur vie de n'avoir pas mieux employé la première.

Ne prenez jamais au sérieux ce que Franz pourra vous dire de mes velléités d'ambition littéraire il faut pour se mêler d'écrire aujourd'hui ou le génie que le ciel vous a donné ou la laborieuse, l'infatigable persévérance, l'exclusive opiniâtreté de travail qui fait qu'on arrive à une spécialité d'érudition qui vous place hors ligne. Or le génie n'est pas venu me trouver et je suis trop paresseuse pour poursuivre le talent. Quoique jeune encore je suis déjà bien fatiguée car mon âme porte le double poids d'une douleur inguérissable et d'une félicité qui n'est pas de la terre aussi j'ai besoin d'ombre et de silence et c'est, je vous le jure, sans le moindre sentiment d'envie que je bats des mains aux triomphes de Miltiade quoique je comprenne à merveille ce qu'il doit y avoir de noble satisfaction dans la conscience d'une supériorité réelle et d'ennivrant [sic] dans une célébrité qui ne se fait point attendre et qui par un privilège bien rare vous a tendu la main dès vos premiers pas dans la carrière.

Franz voudrait vous écrire. Ce n'est pas moi qui l'en empêche mais bien les séductions d'une douzaine de *jeunes demoiselles* dont il a entrepris l'éducation ! On vient d'établir ici un conservatoire de musique et l'enseignement du piano lui a été *confié*. Il a fait nommer Puzzi *professeur* de l'une des classes et s'est presque exclusivement occupé depuis quelque temps d'organiser cette machine harmonique et d'enrégimenter suivant leur degré d'intelligence ou d'application les intéressantes jeunes filles que l'on place sous sa haute direction.

Honny soit qui mal y pense !

Nous attendons avec une vive impatience le nouveau roman annoncé à Puzzi j'espère encore que vous viendrez nous en faire la lecture et dans cet espoir je vous embrasse mille fois de tout cœur.

George Sand a introduit une requête aux fins de séparation judiciaire auprès du tribunal de La Châtre, commune à laquelle est rattaché Nohant. Elle a demandé une séparation immédiate et les époux ont passé une convention sous seing privé qu'ils se sont engagés à appliquer à l'issue du jugement. Elle y a accepté de verser une pension à son époux si celui-ci ne plaide pas et laisse prononcer la séparation. Ainsi, sans plaidoiries, donc sans publicité, le scandale public serait évité. L'enquête se tient en janvier, le juge écoute les témoins, et George attend le verdict, sûre de sa victoire.

De Marie, dont elle ignore l'accouchement, le 18 décembre, elle tient à se faire une amie. A cette intention, elle lui adresse un long autoportrait. Ne brûle-t-elle pas les étapes en lui ouvrant trop vite son cœur ?

L<small>ETTRE</small> N° 4

À Marie d'Agoult

[Nohant, début de janvier 1836]

M. Franz et M. Puzzi sont des jeunes gens affreux : ils ne m'ont pas répondu, et je les livre à votre colère. Vous, vous êtes bonne comme un ange et je vous remercie ; mais ne soyez pas bonne pour eux et vengez-moi de leur oubli, en ne donnant pas un sourire à l'un, pas un bonbon à l'autre pendant tout un jour.

Genève est donc habitable en hiver, que vous y restez ? Comme votre vie est belle et enviable ! Aussi pourquoi le ciel ne m'a-t-il pas fait naître avec de beaux cheveux blonds, de grands yeux bleus bien calmes, une expression toute céleste et l'âme à l'avenant. Au lieu de cela, la bile me ronge et me confine dans une cellule où je n'ai d'autre société qu'une tête de mort et une pipe turque. Je tiens là comme un Lapon à la croûte de glace qu'il appelle sa patrie, et je ne saurais me figurer pour le moment un autre Éden. Vous êtes sous les myrtes et sous les orangers, vous, belle et bonne Marie. Eh bien, priez-y pour moi, afin que je ne quitte pas mes glaces ; car c'est là mon élément et le soleil ne luit pas sur moi. Je ne vous jalouse donc pas, mais je vous admire et vous estime ; car je sais que l'amour durable est un diamant auquel il faut une boîte d'or pur, et votre âme est ce tabernacle précieux.

Tout ce que vous dites sur la non-supériorité des diverses classes sociales les unes sur les autres est bien dit, bien pensé. C'est vrai et j'y crois, parce que c'est vous qui le dites. Mais je ne permettrai à nul autre de me dire que les derniers ne sont pas les premiers, et que l'opprimé ne vaut pas mieux que l'oppresseur, le dépouillé mieux que le spoliateur, l'esclave que le tyran. C'est une vieille haine que j'ai contre tout ce qui va s'élevant sur des degrés d'argile. Mais ce n'est pas avec vous que je puis disputer là-dessus. Votre rang est élevé et je le salue et je le reconnais. Il consiste à être bonne, intelligente et belle. Abandonnez-moi votre couronne de comtesse et laissez-moi la briser, je vous en donne une d'étoiles qui vous va mieux.

Pardonnez-moi si je suis métaphorique aujourd'hui et ne vous moquez pas de moi, je vous en prie, pour l'amour de Dieu. Vous savez que je n'ai pas d'emphase ordinairement, et, si je me mets à prendre le ton pédant, c'est que j'ai ma pauvre tête malade de ce brouillard qu'on appelle poésie. D'ailleurs les manières raisonnables sont bonnes avec cette fourmilière ennemie qu'on appelle les indifférents. Avec ceux qu'on aime, on peut être ridicule à son aise. Et je veux ne pas plus me gêner pour vous dire des choses de mauvais goût que pour vous envoyer une lettre toute barbouillée. Imaginez-vous, ma pauvre amie, que mon plus grand supplice, c'est la timidité. Vous ne vous en douteriez guère, n'est-ce pas ? Tout le monde me croit l'esprit et le caractère fort audacieux. Mais on se trompe. J'ai l'esprit indifférent et le caractère *quinteux*. Je ne crains pas, je me méfie, et ma vie est un malaise affreux quand je ne suis pas seule, ou avec des gens avec lesquels je me gêne aussi peu qu'avec mes chiens. Il ne faut pas espérer que vous me guérirez de sitôt de certains moments de raideur qui ne s'expriment que par des réticences. Si nous nous lions davantage, comme j'y compte, comme je le veux, il faudra que vous preniez de l'empire sur moi, autrement je serai toujours désagréable. Mais si vous me traitez comme un enfant, je deviendrai bonne, parce que je serai à l'aise, parce que je ne craindrai pas de tirer à conséquence, parce que je pourrai dire tout ce qu'il y a de plus bête, de plus fou, de plus faux, de plus déplacé, sans avoir honte. Je saurai que vous m'avez *acceptée* et si j'ai de mauvais moments, j'en aurai aussi de bons. Autrement, je ne serai ni bien ni mal. Je vous ennuierai et je m'ennuierai avec vous, quelque parfaite que vous soyez. Voyez-vous, l'espèce humaine est mon ennemie, laissez-moi vous le dire. J'aime mes amis avec tendresse, avec engouement, avec aveuglement. J'ai détesté profondément tout le reste. Je n'ai plus de furie pour la haine aujourd'hui, mais il y a un froid de mort pour tout ce que je ne connais pas. J'ai bien peur que ce ne soit là ce qu'on appelle l'égoïsme de la vieillesse. Je me ferais maintenant hacher pour des idées qui ne se réaliseront sans doute pas de mon vivant. Je rendrais service au dernier des goujats, par obstination pour les espérances de toute ma vie, qui n'est peut-être plus qu'un long rêve. Mais pour mon plaisir, je ne retirerais pas de l'eau, l'enfant de mon voisin. J'ai donc quelque chose en moi qui serait odieux, si ce n'était pure infirmité, reste d'une maladie aiguë. Il faut vous arranger bien vite pour que je vous aime comme je m'aime moi-même. Ce sera bien facile. D'abord, j'aime Franz, c'est une portion de mon propre sang. Il m'a dit de vous aimer. Il m'a répondu de vous comme de lui. Je vous ai vue, la 1re fois, je vous ai trouvée jolie ; mais vous étiez froide et moi aussi. La seconde fois, je vous ai dit que je détestais la noblesse, je ne savais pas que vous en étiez. Au lieu de me donner un soufflet, comme je le méritais, vous m'avez parlé de votre âme, comme si vous me connaissiez depuis 10 ans. C'est bien, et j'ai eu tout de suite envie de vous aimer ; mais je ne vous aime pas encore. Ce n'est pas parce que je ne vous connais pas assez. Je vous connais autant que je vous connaîtrai dans 20 ans, mais c'est vous qui ne me connaissez pas assez, et ne sachant si vous pourrez m'aimer, telle que je suis en réalité, je ne veux pas trop vous aimer encore. C'est une chose trop sérieuse et trop absolue pour moi qu'une amitié. Si vous voulez que je vous aime, il faut donc que vous commenciez par m'aimer ; cela est tout simple, je vais vous le prouver. Une main douce et blanche rencontre le dos agréable d'un porc-épic, le charmant animal sait bien que la main blanche ne lui fera aucun mal, mais il sait qu'il est peu mignon à caresser, lui le pauvre malheureux et il attend, pour répondre aux caresses, qu'on se soit habitué à ses piquants. Car si la main qu'il aime le quitte, il n'y a pas de raison pour qu'elle y revienne, le porc-épic aura beau se dire que ce n'est pas sa faute, cela ne le consolera pas du tout.

Ainsi voyez si vous pouvez accorder votre cœur à un porc-épic. Je suis capable de tout. Je vous ferai mille sottises, je vous marcherai sur les pieds. Je vous répondrai une grossièreté à propos de rien, je vous reprocherai un défaut que vous n'avez pas. Je vous supposerai une intention que vous n'avez jamais eue. Je vous tournerai le dos, en un mot, je serai insupportable jusqu'à ce que je sois bien sûre que je ne peux pas vous fâcher et vous dégoûter de moi. Oh ! alors, je vous porterai sur mon dos, je vous ferai la cuisine, je laverai vos assiettes, tout ce que vous me direz me semblera divin. Si vous marchez dans quelque chose de sale, je trouverai que cela sent bon, je vous verrai avec les mêmes yeux que j'ai pour moi-même quand je me porte bien et que je suis de bonne humeur ; c'est-à-dire que je me considère comme une perfection et que tout ce qui n'est pas de mon avis est l'objet de mon profond mépris. Arrangez-vous donc pour que je vous fasse entrer dans mes yeux, dans mes oreilles, dans mes veines, dans tout mon être et vous saurez alors que personne sur la terre n'aime plus que moi, parce que j'aime avec cynisme, c'est-à-dire sans rougir de la raison qui me fait aimer et cette raison, c'est la reconnaissance que j'ai pour ceux qui m'adoptent. Voilà mon résumé, il n'est pas modeste, mais il est très sincère et je considère comme un amphigouri de paroles toute amitié qui ne convient pas de sa partialité, de son impudence, de sa camaraderie, de tout ce qui fait que le monde se moque et dit : Ils s'adorent entre eux, *asinus asinum*. S'il en est autrement, dites-moi qui m'aimera sur la terre ? qui est semblable à un autre ? qui n'est pas choqué et blessé cent fois par jour par son meilleur ami, s'il veut l'examiner des sommets *planchiques* de l'analyse, de la philosophie, de la critique, de l'esthétique et de tout ce qui rime en *ique* ? Il faut toujours trouver que notre ami a raison, même dans les choses où nous aurions tort de l'imiter, et pour cela, il faut être sûr que l'être à qui l'on confère ce grand droit et ce grand titre d'ami ne fera jamais que des choses bonnes ou excusables, ou dignes de miséricorde, à cause de qualités faisant contre-poids.

Songez-y donc bien, et voyez si vous pouvez être ainsi pour moi. J'aimerais mieux terminer tout de suite nos relations et m'en tenir avec vous à des froideurs gauches, seule chose dont je sois capable quand je n'aime pas, que de vous tromper sur les aspérités de mon charmant caractère. Mais je serais bien malheureuse pourtant de rencontrer une femme comme vous et de ne pas engrainer le rouage de ma vie au sien.

Bonsoir mon amie, répondez-moi tout de suite, et longuement. Si vous ne sentez rien pour moi, dites-le-moi. Je ne vous en voudrai pas. Je vous estimerai pour votre franchise. Si vous vous méfiez, dites-le-moi encore, cela me laissera l'espérance car, les défauts que j'ai, sont de nature à être tolérés, et peut-être adoucis par vous. Bonsoir. Embrassez ces deux enfants pour moi. Je me suis permis de vous dédier *Simon*, conte assez gros qui va paraître dans la Revue. Comme je ne sais pas quelle est la position extérieure que vous avez adoptée à Genève, j'ai fait cette dédicace excessivement mystérieuse, et telle qu'on ne vous devinera pas, à moins que vous ne m'autorisiez à m'expliquer davantage.

Je ne vous disais rien de ma vie. Il faut que vous sachiez que je suis toujours à la campagne, chez moi, plaidant en séparation contre mon époux, qui ne plaide pas, et qui a déguerpi, me laissant maîtresse du champ de bataille. J'attends la décision du tribunal, elle est non douteuse en ma faveur. Je suis donc toute seule dans cette grande maison isolée ; il n'y a pas un domestique qui couche sous mon toit, pas même un chien. Le silence est si profond la nuit (vous ne voudrez pas me croire, et pourtant c'est très certain), que quand j'ouvre ma fenêtre et que le vent n'est pas contraire, j'entends distinctement sonner l'horloge de la ville, qui est à une grande lieue de chez moi à vol d'oiseau. Je ne reçois personne, à cause des *convenances*. Oh ! oh ! oui, parole d'honneur, je fais de l'hypocrisie, je mène une vie monacale, outrée de sagesse, afin de conquérir l'admiration de trois imbéciles de qui dépend le pain de mes vieux jours, car vous pensez bien que je n'amasserai jamais un denier pour payer l'hôpital où la tendresse d'un mari me laisserait mourir. Mais voyez ! Il a eu l'heureuse idée de vouloir me tuer un soir qu'il était ivre, vous savez la scène de l'huissier recevant un soufflet dans les *Plaideurs* ? En attendant que cette ⌐benoîte⌐ fantaisie de meurtre conjugal me rende mon pays, ma vieille maison et cinq ou six champs de blé qui me nourriront quand mes longues veilles m'auront jetée dans l'idiotisme, je fais le *Sixte-Quint*. Mon cheval est rentré sous le hangar et on n'entend pas voler une mouche autour de mon cloître désert. Le jardinier et sa femme qui sont mes factotums m'ont suppliée de ne pas les faire demeurer dans la maison. J'ai voulu en savoir la raison. Enfin le mari baissant les yeux d'un air modeste, m'a dit : C'est que madame a une tête si laide que ma femme étant enceinte, pourrait être malade de peur. Or c'est de la tête de mort qui est sur ma table, dont il voulait parler, du moins à ce qu'il m'a juré ensuite, car je trouvais la plaisanterie de très mauvais goût et je me fâchai. Ensuite j'ai songé que cette tête si laide ferait grand effet sur mes juges, et j'ai permis à mon jardinier de s'éloigner et de garder la pensée que cette tête était un signe de pénitence et de dévotion. Ainsi, à l'heure qu'il est, à une lieue d'ici, quatre mille bêtes me croient à genoux dans le sac et dans la cendre, pleurant mes péchés comme Magdeleine. Le réveil sera terrible. Le lendemain de ma victoire, je jette ma béquille, je mets le feu aux 4 coins de la ville, je passe au galop de mon cheval, sur le ventre du président et des juges. Si vous entendez dire que je suis convertie, à la raison, à la morale publique, à l'amour des lois d'exception, à Louis-Philippe le père tout puissant – et à son fils Poulot-Rosolin [1], et à la sainte chambre catholique, ne vous étonnez de rien. Je

1. Surnom du fils aîné de Louis-Philippe 1er, Ferdinand, duc d'Orléans, qui mourut prématurément en 1842.

suis capable de faire une ode au roi, ou un sonnet à
M. Jacqueminot [2] pour gagner mon procès.

Je vous écris tout ce qu'il y a de plus bête. Tâchez
d'en faire autant pour vous mettre à mon niveau. Il n'y
a pas à dire, vous y êtes forcée.

Bonsoir. A vous.

George.

*Réponse immédiate de Marie. Elle aussi se jette dans
l'autoportrait. Mais elle n'a pas lieu de se plaindre,
comme George, de son époux. Le comte d'Agoult,
homme simple qui l'aimait sincèrement, s'est toujours
montré très compréhensif. Il n'a jamais usé de violence
à son égard, manifestant seulement sa profonde tristesse
de ne pouvoir la rendre heureuse. En se séparant de lui,
Marie lui a promis :* « Votre nom ne sortira jamais de ma
bouche que prononcé avec le respect et l'estime qui
sont dus à votre caractère. »

2. Jean-François, vicomte Jacqueminot (1787-1865), général français,
contribua de tous ses efforts à l'établissement de la monarchie de Juillet.
Il devint chef d'état-major de la garde nationale de Paris en 1830, après la
retraite de La Fayette.

LETTRE N° 5

À *George Sand*

[Genève, 15 janvier 1836]

Vous m'avez écrit une lettre ravissante : une lettre qui me semble *vous* dans ce que vous avez de plus inimitable – Merci je vous réponds *subito* et je v[ou]s préviens que je vais être extraordinairement bête. Heureusement que mon écriture se lit vite. Ce sera l'affaire de trois minutes au plus. – L'un de ces deux affreux jeunes gens qui ne vous répondent pas m'a donné pour mes étrennes une magnifique perle montée en forme de tortue, symbole, suivant lui, de la *rapidité* et de la *mobilité* de mes idées ! Et [sic] bien ne vous laissez pas rebuter par les écailles de la tortue qui ne s'effraye [sic] nullement des piquants du porc-épic (un *épique* disait Ém[ile] Deschamps [1] à propos du fameux cochon que Mr Perceval se vantait d'avoir nommé dans son poème). Sous ces écailles il y a encore de la vie ; sous ces dehors formels et compassés qui doivent vous être antipathiques et qu'une longue contrainte d'esprit, un long étouffement du cœur m'ont fait revêtir, il y a encore de la spontanéité, de la sympathie – il y a quelque chose, croyez-le, qu'il vous faudra chercher un peu avant parfois, mais qui ne vous

---

1. Émile Deschamps (1791-1871), poète français très prolifique et, à l'époque, très populaire.

trompera jamais. Je ne v[ou]s ferai point de promesses :
je n'en demanderai pas de vous ; en amitié comme
en amour la seule chose que n[ou]s devions exiger et
que nous puissions réellement promettre c'est une
constante sincérité, une franchise qui prévient le mal
ou qui le répare : or cette sincérité, cette ouverture du
cœur je me sens irrésistiblement entraînée à l'avoir
pour vous. Pourquoi ? Je ne sais. Peut-être parce que le
pôle nord attire le pôle sud dans l'aiguille aimantée,
parce que le nuage électrisé en plus se décharge dans
celui qui est électrisé en moins ; ou tout simplement,
métaphore à part, parce que dès la première heure où
je vous ai vue j'ai senti que ce qu'il y a de si bizarrement contrastant entre nos deux natures pouvait et
devait s'harmoniser un jour ; car la souffrance humaine,
quelque forme qu'elle prenne, est la même dans toutes
les âmes et quand le génie ou l'amour l'ont ennoblie
ou divinisée elle établit un lien puissant entre ceux
qu'elle a marqué [sic] de son sceau. Vous voyez que je
ne suis pas modeste ; mais la modestie est la sœur
cadette de l'hypocrisie et comme je n'ai point ainsi que
vous de procès à poursuivre et des juges à séduire,
attendu que j'ai le malheur de ne pouvoir me plaindre
de personne en ce monde, je n'ai encore admis sous
mon toit ni l'une ni l'autre de ces vertus sociales. Mais
revenons au porc-épic. – Supposons que chacune de
vos belles boucles brunes ne soit qu'une déception,
une illusion d'optique, et qu'en réalité il n'y ait là que
piquants hérissés auxquels doivent se blesser tous ceux
qui vous approchent : supposons que vous soyez mal
élevée, fantasque, capricieuse, insupportable en un
mot, croyez-vous que le plaisir de vous lire ne satisfera
pas pleinement à ce mauvais instinct qui crie toujours
au dedans de nous *œil pour œil et dent pour dent* ? Si
v[ou]s me connaissiez vous sauriez en outre que la case

de l'analyse manque à mon cerveau et que je suis comme dit un de mes amis, la créature la plus sérieusement illogique qui se puisse rencontrer. *Donc*, d'après tout ce qui vient d'être dit je conclus qu'un traité d'alliance offensive et défensive doit être signé entre George Sand et Marie trois étoiles (ou sept ou douze suivant qu'il vous plaira).

Traité dont la teneur suit :

Art. 1er. Il a été reconnu que George Sand est un enfant indiscipliné, taquin, mutin, hargneux, sournois, etc., auquel il sera donné force férules et *pensum* pour lui apprendre à parler et écrire correctement.

Art. II. Que Marie trois étoiles est un diamant, un cygne, un luth, une Péri, etc., et généralement tout ce qui constitue la créature idéale que l'on ne saurait trop louer, chanter, vanter, encenser en prose et en vers dans toutes les langues connues depuis le sanscrit jusqu'au bas breton inclusivement.

Art. III. Ladite Marie concède à George que tous les aristocrates sont bons à pendre, sous la condition que le dit [sic] George lui accordera que tous les républicains sont bons à noyer ; *item* que S. M. Louis-Philippe est un embryon de tyran, le prototype de l'escamoteur ; qu'il est à Guillaume III ce que la taupe est au mineur ; à Robespierre ce que la puce est au tigre ; à Napoléon ce que le canif est à l'épée, etc.

Art. IV. Il a été convenu que la morale publique est un mot qui sonne creux ; qu'elle se compose de quelques millions d'immoralités individuelles formant une morale publique d'après le même principe qui veut que deux négations valent une affirmation. Convenu que l'on protestera en pensées, paroles et actions contre ladite morale publique.

Art. V. Convenu que si George Sand venait à manquer de chemise Marie trois étoiles ferait une quête européenne au profit d'un *pauvre écrivain*, d'un *auteur indigent* de même que si ladite Marie se trouvait *fatalement* réduite à ne pouvoir payer sa cuisinière le dit George écrirait au profit d'icelle un livre tendant à prouver que *tout va mal* dans *le plus mauvais des mondes possibles* et qu'il n'est pas bien certain qu'il y ait un monde meilleur.

Voici les principaux articles du traité, j'y ajouterai encore une petite clause restrictive : c'est qu'il faut v[ou]s mettre en tête qu'alors même que je vous aimerai le plus entièrement, le plus absolument, si quelqu'un que je ne nomme pas (car *il vaut bien de n'être pas nommé*, comme dit Obermann [2]) vient me dire de v[ou]s tourner le dos je v[ou]s tournerai le dos ; s'il me demande de v[ou]s dire des injures je v[ou]s dirai des injures ; s'il veut que je v[ou]s empoisonne je vous donnerai avec une grâce ineffable, en guise de café, de l'acide prussique dans la plus jolie tasse de vieux Sèvres que je pourrai trouver. Voyez si cette *légère* restriction ne vous effarouche pas ; c'est la seule qu'il y aura jamais de moi à vous.

Vous êtes bonne de me dédier *Simon*. Vous me faites un bien grand plaisir. Je m'en remets absolument à vous pour le format de la dédicace. Je ne me cache point je suis ici sous mon véritable nom ; je ne vais pas dans le monde mais je vois quelques personnes chez moi ; cependant, par égard pour ma famille où je n'ai trouvé que tendresse et affection je désire que mon nom soit prononcé le moins souvent et le moins haut possible mais encore une fois je m'en rapporte à vous

---

2. Le roman *Obermann* de Senancour (1804, réédité en 1833), dans lequel le héros se retire du monde, a beaucoup influencé les romantiques. Liszt lui-même l'annota avec passion et pria la comtesse d'Agoult d'en faire de même. « Ce livre-là engourdit toutes mes souffrances », disait-il.

pour le plus ou moins de transparence du voile que vous jeterez [sic] dessus. On est très occupé de vous et de vos ouvrages ici ; quand je veux faire enrager Puzzi qui est fort *recherché* dans le monde élégant, je lui dis qu'on ne lui donne à dîner que pour savoir des détails sur la *vie privée* de George Sand et de François Liszt les deux personnages les plus curieux de l'époque. Les journaux nous racontent que v[ou]s êtes en procès avec votre libraire pour des mémoires qui devaient être *d'outre tombe*. Il paraît au contraire que loin de songer à mourir vous voulez vivre et le plus longtemps et le plus confortablement possible. Mandez-moi quand votre cause sera gagnée ; nous dirons quatre ou cinq bêtises de plus (si faire se peut) en votre honneur. La recommandation de ne point donner de bonbons à Puzzi (qui s'appèle [sic] à présent *rat, ratto* ou ratissimo) est arrivée fort à propos car il est tout malingre des suites du jour de l'an. Rat grignotte [sic] maintenant les friandises philosophiques et métaphysiques de Beautin [sic], Jouffroy, Doney, etc. [3] ; il serait assez tenté, les voyant tour à tour nier la raison individuelle,

3. Sans doute l'abbé Louis-Eugène-Marie Bautain (1796-1867), philosophe et théologien français. Professeur à la faculté de Strasbourg, il eut des démêlés avec son archevêque, en 1834, à propos des limites de la raison et de la foi. Il soutenait, en effet, que la raison ne pouvait que conduire à un scepticisme incurable. Il dut se rétracter et admettre que le raisonnement pouvait prouver avec certitude l'existence de Dieu.

Théodore-Simon Jouffroy (1796-1842), philosophe français, membre de l'Académie des sciences morales en 1833. Il a raconté comment, ayant perdu soudain la foi lors de son séjour à l'École normale, et détestant cette incrédulité qui l'anéantissait, il voulut s'en remettre à la seule raison pour éclairer l'énigme de la destinée humaine. Pierre Larousse, tout en louant ses qualités d'écrivain, écrit à propos de son œuvre : « Comme philosophe, Jouffroy a soulevé beaucoup de problèmes, mais n'en a résolu aucun. »

Jean-Marie Doney (1794-1871) fut ordonné prêtre en 1818. Professeur au collège de philosophie de Montauban, il avait alors publié *Nouveaux élémens de philosophie, d'après la méthode d'observation et la règle du* le témoignage universel, le rapport des sens et les idées innées, de conclure au scepticisme de Marphyrius [sic] [4], il a cependant les plus belles tendances spiritualistes car il lui a fallu toute sa confiance en nous pour admettre que l'homme pense au moyen de son cerveau. Il a été aussi stupéfait de cette découverte que feu Mr Jourdain en apprenant qu'il faisait de la prose.

Genève est habitable hyver [sic] à la condition pour moi au moins qui suis frileuse comme une lorette, de ne pas mettre le nez dehors. Voilà six semaines que je ne sors pas et que je rêve Italie pour échauffer mon imagination engourdie par les neiges du Jurat [sic] et du Mont blanc [sic]. Nous resterons ici une partie de l'été. Vers la fin de l'été j'irai à Paris pour un mois puis nous nous embarquerons pour Naples. Faites que je [sic] nous nous voyons avant. De tous mes désirs *réalisables* c'est le plus vif et le plus constant. Adieu, cher, très cher George, je vais attendre *Simon* avec impatience et vous remercie encore du fond du cœur d'avoir associé mon souvenir à vos grandes et belles inspirations.

[Adresse :]   [Poste :]
France   Genève 15 Janv. 36.
Madame Sand   La Châtre 19.1.36.
Nohant par *La Châtre*
Indre.

sens commun, Paris, Bilin-Mondar et Devaux, 1829, 2 volumes, et *Supplément aux vies des pères, martyrs et autres principaux saints... de l'abbé Godescard*, Paris, Gauthier Frères, 1834. Il luttait contre le protestantisme et le rationalisme sous toutes ses formes. Il devint, en 1843, évêque de Montauban où il mourut.
    4. Sans doute Marphurius, personnage du *Mariage forcé* de Molière, qui déclare : «Notre philosophie ordonne de ne point énoncer de proposition décisive ; de parler de tout avec incertitude ; de suspendre toujours son jugement (...).» (Acte 1er, scène V.)

Simon, *le roman tant attendu de George, arrive enfin.*
Marie découvre la dédicace :

A MADAME LA COMTESSE DE ***

Mystérieuse amie, soyez la patronne de ce pauvre petit conte.
Patricienne, excusez les antipathies du conteur rustique
Madame, ne dites à personne que vous êtes sa sœur.
Cœur trois fois noble, descendez jusqu'à lui et rendez-le fier.
Comtesse, soyez pardonnée.
Étoile cachée, reconnaissez-vous à ces litanies.

LETTRE N° 6

À *George Sand*

Genève, 20 fév[rier] 1836

J'achève à l'instant *mon roman*, chère George, et j'ai hâte de vous dire combien j'ai trouvé d'attraits dans la peinture de cette vie de province qui m'a rappelé comme si c'était hier les scènes de mon enfance dans le département d'Indre-et-Loire. Rien de plus vrai, de plus animé, de plus original que les caractères et les mœurs de vos départementaux. J'ai connu M. Parquet. Je voudrais n'avoir pas connu M. de Fougères [1] et j'ai plusieurs fois subi, hélas, les harangues, les pétards et les goupillons qui figurent si plaisamment dans votre poétique villageoise. Vous contez comme quelqu'un qui peut toujours dire *j'y étais*. Rien de cherché, rien d'apprêté dans votre manière. On sent chez vous abondance et surabondance, même quand l'oiseau marche, on sent qu'il a des ailes.

Vous écrivez comme on respire quand on a la poitrine libre et forte et qu'on vit dans une atmosphère pure et toute cette vie qui est en vous, vous la donnez à l'arbre, à la mousse, à la pierre, on devient panthéiste

---

1. Maître Parquet, personnage de *Simon*, est un brave bourgeois, débonnaire, rustique et bienveillant. Le comte de Fougères, autre personnage de *Simon*, revient d'exil, où il a été négociant, pour rentrer en possession des terres de ses aïeux. On apprend par sa fille Fiamma qu'il a autrefois vendu l'honneur de sa femme...

avec vous sans le savoir et sans le vouloir. Oh, vous êtes un grand poète, Madame ! Il y a dans *Simon* une bonne odeur d'encens catholique qui m'a singulièrement plu et j'ai versé quelques pieuses larmes sur la bible de la bonne mère Félicie et sur les dalles de l'humble église où Simon s'agenouille auprès de Fiamma. Quels nobles types vous avez toujours au dedans de vous ! Je vous admire George et du fond de mon cœur, je vous adresse des *litanies* que vous écoutrez [sic], j'espère.

Franz *croit* toujours que vous viendrez nous voir il veut vous emmener à Naples et de là en Grèce et à Constantinople. Est-ce que cela ne vous tenterait pas un peu ? Si votre bourse est vide la mienne se trouve en ce moment assez pleine pour que je puisse me charger de tous vos frais de route. Quand je n'aurai plus rien Franz donnera des concerts pour payer notre dîné [sic]. Vous me donnerez hypothèque sur vos romans que vous écrirez chemin faisant et nous réglerons nos comptes au retour.

Méditez ceci. C'est *sérieux*, je ne sais pas si c'est *convenable* j'ai oublié tout ce que j'ai su des *convenances, bienséances,* etc., etc. Je ne sais pas s'il m'est permis de vous dire : mon cœur et ma bourse vous sont ouverts. Si c'est une sottise pardonnez-la moi.

Adieu je suis toute malade ce matin. Puzzy donne lundi un grand concert il a trouvé ici une dame qui vous ressemble et dont il est prodigieusement épris.

Adieu encore, écrivez-moi *donc* !

George a gagné son procès. Le jugement prononçant la séparation des époux Dudevant est rendu le 16 février. Elle recouvre Nohant et obtient la garde de ses enfants.

LETTRE N° 7

À Marie d'Agoult

[Bourges, 26 (?) février 1836]

Je ne vous écris qu'un mot à la hâte, chère bonne et belle Marie. Je suis accablée d'affaires, de travail et de courses. Je vous écris d'une chambre d'auberge, ne sachant quand je retrouverai un quart d'heure de loisir. Ainsi prenez que ceci n'est rien, qu'un signe et un regard de tendresse jeté en courant à quelqu'un qu'on voudrait embrasser, mais dont le galop de votre cheval vous éloigne.

Votre grande lettre est charmante et bonne comme celle d'un ange. Votre seconde lettre est encore mieux, sauf qu'il s'y trouve un *madame*, dont je ne veux pas. Vous me parlez de cœur et de bourse. Non, cela n'est pas inconvenant, l'offrir ou l'accepter est le plus saint privilège de l'amitié, la plus sûre marque de l'antique loyauté. Si j'avais besoin de pain, j'en recevrais de vous, et vous seriez encore la plus obligée de nous deux ; car vous êtes capable d'offrir au premier mendiant venu, et moi je ne suis capable d'accepter que de bien peu de mains.

Je n'irais pas en Chine avec vous, quoique je le fisse de bien bon cœur, si je le pouvais. Mais j'ai mes enfants qui m'attachent à ce sol de France, si laid, si bête et si froid. Je ne pourrai plus m'absenter que pour quelques semaines, car grâce à Dieu, j'ai gagné mon procès et j'ai mes deux enfants à moi. Je ne sais si c'est fini. Mon adversaire peut en appeler ce qui ne ferait que retarder sa défaite et prolonger mes ennuis. Mais je serai toujours libre au printemps et, si vous n'êtes pas partie, j'irai vous voir en Suisse. Écrivez donc. Écrivez sur le sort des femmes et sur leurs droits ; écrivez hardiment et modestement, comme vous sauriez le faire, vous. Mme Allart [1] vient de faire une brochure où il y a réellement des choses fortes, belles et vraies. Mais elle est pédante et ne plaît point. Moi je suis trop ignare pour écrire autre chose que des contes, et je n'ai pas la force de m'instruire. Vous me parlez de Beautin, de Marphyrius et de Jouffroy. Je n'ai jamais entendu parler de ces gens-là. Je n'ai rien lu de ma vie, je ne sais que ce que j'ai vu matériellement. En lisant votre lettre, je m'*étonnais* (le mot est modeste) de votre incommensurable supériorité sur moi. Faites-en donc profiter le monde ; vous le devez. Franz doit

---

1. Hortense Allart (1801-1879), femme de lettres, auteur de très nombreux romans et de textes en faveur de la libération des femmes. Elle mena une vie très libre, compta de très nombreux amants (Chateaubriand, Sainte-Beuve, Henry Bulwer-Lytton pour les plus connus), et eut deux fils naturels. Elle revendiquait le droit des femmes à avoir autant d'amants que les hommes peuvent avoir de maîtresses. Elle fit la connaissance de la comtesse d'Agoult à Florence, en 1838, et resta liée avec elle jusqu'à la mort de celle-ci. Elle admirait George Sand, qu'elle appelait « la Reine », et resta en relation avec elle toute sa vie. Dans son journal, au 7 janvier 1841, cette dernière écrit : « Mme [Allart] m'a été longtemps antipathique, mais j'ai toujours estimé en elle de grands côtés de caractère [...]. Elle est petite, maigre, mal mise et mal faite ; jolie pourtant. [...] Elle avait de superbes cheveux blond cendré il y a six ans. En Italie, ils sont devenus bruns, ce qui ne lui va pas plus mal. Elle ne les teint pas, car elle n'a pas l'apparence de coquetterie. [...] C'est un être très singulier, doué de grandes vertus à coup sûr et rempli de contrastes, d'inconséquences. Perfide sans méchanceté, pédante sans vanité, érudite sans vrai savoir, sérieuse sans profondeur et restant superficielle en voulant toujours aller au fond de tout. » Ajoutons que, généreuse, prodigue et courageuse, Hortense Allart, qui était incapable de ressentiment prolongé, est une figure féminine très attachante.

vous y engager; moi, je vous en supplie. Bonjour, ma douce et belle cénobite. Je vous écrirai une longue lettre bien bête, et bien bonne enfant, à la première nuit de repos et de liberté que j'aurai. Je vous aime tendrement, quoique vous soyez capable de m'empoisonner. Heureusement que je n'ai pas peur de M. Franz Liszt, et que s'il avait une pareille idée, je le tuerais d'une chiquenaude. Il est vrai que vous me tueriez après, et que je n'en serais pas plus avancée. Espérons que la Destinée nous préservera de ces catastrophes étranges, que Ballanche appellerait... Ah ma foi, je ne me souviens plus du mot. Dites à Franz que j'ai lu *Orphée* ces jours-ci, et que je suis tombée dans des extases incroyables. C'est le premier ouvrage de Ballanche [2] que je lis. Je ne comprends pas tout. Mais ce que je comprends m'enchante. On prétend ici que cela me rendra tout à fait imbécile. Je ne demande pas mieux, pourvu que vous ne m'abandonniez pas dans le malheur.

Mille tendresses à mon cher Puzzi qui m'oublie, et qui sera cause qu'un désespoir amoureux me conduira au rocher de Leucade.

Ici manque une lettre de Marie, où elle annonce à George un prochain départ pour l'Italie. Lorsqu'elle l'écrit, elle est seule et a, pour cette raison, décacheté la lettre que George a adressée à Franz, dix jours plus tôt. Car celui-ci a quitté Genève pour se rendre à Lyon où il a donné trois concerts au début de mai. Il monte ensuite à Paris où deux apparitions triomphales, l'une

---

2. Pierre-Simon Ballanche (1776-1847), écrivain et philosophe français, ami de Chateaubriand et de Mme Récamier, pilier de l'Abbaye-aux-Bois.

à la salle Pleyel, l'autre à la salle Erard, font le plein de ses amis. C'est qu'un virtuose autrichien, Sigismond Thalberg (1812-1871), a surgi au début de l'année, qui menace sa suprématie. Or il a tenu à relever le défi et à rappeler qu'il restait le plus grand. À quelques jours près, Franz et George se manquent dans la capitale.

Marie interroge sa correspondante sur la Confession d'un enfant du siècle, *qui a paru en février et où Musset évoque sa liaison déchirante avec George. Elle revient sur Hortense Allart, dont son amie lui a parlé dans sa précédente lettre («*Une bavarde assez méchante et à moitié folle*», a écrit George à Franz, le 15 mai), elle lui demande un avis sur Sainte-Beuve, lié à Liszt, qu'elle a rencontré dans les salons parisiens, et la questionne sur l'abbé de Lamennais, père spirituel du musicien (Liszt avait effectué, un an et demi plus tôt, un long séjour dans sa thébaïde bretonne).*

Quant à George, elle a appris, peu après le jugement du tribunal, que son mari faisait appel. Une énorme déception. Cependant le volumineux dossier que présente le baron Dudevant apparaît aux juges comme diffamatoire et absolument de nature à pousser à la séparation. Une nouvelle fois, le 11 mai, celle-ci est accordée. Malgré son combat pour sa liberté et sa dignité, George n'en continue pas moins à prendre le temps de vivre pleinement, même si sa lettre la montre plus retirée du monde qu'elle n'est. En mars, elle commence une liaison avec l'écrivain Charles Didier, chez lequel elle emménage, à Paris, avant de redescendre à La Châtre pour son procès; elle publie d'autres Lettres d'un voyageur, *travaille à une nouvelle version de* Lélia...

LETTRE N° 8

À Marie d'Agoult

[La Châtre, 25 mai 1836]

Vous avez bien fait de décacheter ma lettre, c'est une bonne action dont je vous remercie, puisqu'elle me vaut une si bonne et si affectueuse réponse. La seule chose qui me peine véritablement, c'est votre départ si prochain pour l'Italie. J'aurais beau faire, je ne serai pas libre avant les vacances ; alors je le serai certainement, mais il ne me sera plus aussi facile d'aller vous joindre, car où vous trouverai-je ? Quoi que vous fassiez, ne quittez aucune ville sans m'écrire, ne fût-ce que deux lignes pour me dire où vous allez et combien de temps vous y resterez. Rien ne me fera renoncer à l'espérance d'aller vivre quelques semaines près de vous, c'est un des plus doux rêves de ma vie, et comme sans en avoir l'air, je suis très persévérante dans mes projets soyez sûre que malgré les *destins et les flots*, je les réaliserai. Pour le moment, je crois que je ferais mal de m'absenter du pays. Mes ennemis battus au grand jour, cherchent à me nuire dans les ténèbres. Ils entassent calomnies sur absurdités pour m'aliéner d'avance l'opinion de mes juges. Je m'en soucie assez peu ; mais je veux pouvoir rendre compte jour par jour de toutes mes démarches et si j'allais à Genève maintenant, on ne manquerait pas de dire que j'y vais voir Franz seulement et de trouver la chose très criminelle. Ne pouvant dire qu'entre Franz et moi il y a un bon ange dont la présence sanctifie notre amitié, je resterais sous le poids d'un soupçon qui servirait de prétexte entre mille pour me refuser la direction de mes enfants pour peu qu'on fût mal disposé. Tout cela peut être chimérique. S'il ne s'agissait que de ma fortune, je ne voudrais pas y sacrifier un jour de la vie du cœur ; mais il s'agit de ma progéniture, mes seules amours, et à laquelle je sacrifierais les sept plus belles étoiles du firmament si je les avais. – Ne quittez toujours pas Genève sans me dire où vous allez. Cet hiver je serai libre, j'aurai quelque argent (bien que je n'aie pas hérité de 25 sous, c'est un ragot de journalistes en disette de nouvelles oiseuses), et j'irai certainement courir après vous, loin des huissiers, des avoués et des rhumatismes.

Je n'ai pas besoin de vous charger de dire à Franz tout le regret que j'ai de ne pas l'avoir vu et il s'en est fallu de si peu ! Il sait bien au reste que c'est un vrai chagrin de cœur pour moi. Il n'y a qu'une chose au monde qui me console un peu de toutes mes mauvaises fortunes, c'est que vous me semblez heureux tous deux, et que le bonheur de ceux que j'aime m'est plus précieux que celui que je pourrais avoir en propre ; moi j'ai pris si bien l'habitude de m'en passer, que je ne songe jamais à me plaindre, même seule, la nuit, sous l'œil de Dieu. Et pourtant je passe de longues heures tête à tête avec dame *Fancy* [1]. Je ne me couche jamais avant 7 h du matin ; je vois coucher et lever le soleil, sans que ma solitude soit troublée par un seul être de mon espèce. Eh bien je vous jure que je n'ai jamais moins souffert. Quand je me sens disposée à la tristesse, ce qui est fort rare, je me commande le

---

1. Mot anglais : imagination, fantaisie.

travail et je m'y oublie. Quand je suis dans mon assiette
je travaille et je rêve alternativement. Une heure est
donnée à la corvée d'écrire, l'autre au plaisir de vivre.
Ce plaisir est si pur dans ce temps-ci, avec tous ces
chants d'oiseaux et toutes ces fleurs ! Vous êtes trop
jeunes, vous autres pour savoir combien il est doux de
ne pas penser et de ne pas sentir. Vous n'avez jamais
envié le sort de ces belles pierres blanches qu'on voit
au clair de lune et qui sont si froides, si calmes, si
mortes ? Moi, je les salue toujours quand je passe auprès
d'elles la nuit dans les chemins. Elles sont l'image de la
force et de la pureté. Rien ne prouve qu'elles soient
insensibles au plaisir de ne rien faire. Elles contem-
plent, elles vivent d'une vie qui leur est propre. Les
paysans sont convaincus que la lune a une action sur
elles, *que le clair de lune casse les pierres et dégrade les
murs.* Moi je le crois. La lune est une planète toute de
glaces et de marbres blancs. Elle est pleine de sympathie pour ce qui lui ressemble, et quand les âmes soli-
taires se placent sous son regard, elle les favorise d'une
influence toute particulière. Voilà pourquoi on appelle
les poètes, lunatiques. Si vous n'êtes pas contente de
cette dissertation, vous êtes bien difficile.

Si vous voulez que je vous parle *histoire ancienne*, je
vous dirai que cette *Confession d'un enfant du siècle*
m'a beaucoup émue en effet. Les moindres détails d'une
intimité malheureuse y sont si fidèlement, si minutieu-
sement rapportés depuis la première heure jusqu'à la
dernière, depuis *la sœur de charité* jusqu'à *l'orgueilleuse
insensée* que je me suis mise à pleurer comme une
bête en fermant le livre. Puis j'ai écrit quelques lignes à
l'auteur pour lui dire je ne sais quoi : que je l'avais
beaucoup aimé, que je lui avais tout pardonné, et que
je ne voulais jamais le revoir. Ces trois choses sont
vraies et immuables. Le pardon va chez moi jusqu'à ne
jamais concevoir une pensée d'amertume contre le

meurtrier de mon amour, mais il n'ira jamais jusqu'à regretter la torture. Je sens toujours pour lui je vous l'avouerai bien, une profonde tendresse de mère au fond du cœur. Il m'est impossible d'entendre dire du mal de lui sans colère, et c'est pourquoi quelques-uns de mes amis s'imaginent que je ne suis pas bien guérie. Je suis aussi bien guérie cependant de lui que l'empereur Charlemagne du mal de dents. Le souvenir de ses douleurs me remue profondément quand je me retrace ces scènes orageuses. Si je les voyais se renouveler, elles ne me feraient plus le moindre effet. Je n'ai plus la foi.

Ne me plaignez donc pas, belle et bonne fille de Dieu. Chacun goûte un bonheur fait selon son âme. J'ai longtemps cru que la passion était mon idéal. Je me trompais, ou bien j'ai mal choisi. Je crois à la vôtre et suis convaincu[e] que l'ayant connue si complète et si belle vous ne pourriez survivre à sa perte. Si vous aviez mon passé à la place de votre présent, je crois que vous mettriez comme moi le calme au-dessus de tout. Ce calme n'est pas le *non-aimer*. Mon cœur est encore jeune pour les affections désintéressées. Il sait même trouver sa joie dans des dévouements assez singuliers, assez enthousiastes et dont je vous dirai le mystère quelque jour en causant avec vous à Naples ou à Constantinople. Je vous expliquerai quelque chose que vous ne connaissez pas, un sentiment qui n'a pas de nom dans les langues actuelles et qui n'existe peut-être encore que chez moi sous la forme que je lui ai donnée : sentiment chaste, durable, paisible, dont un vieillard est l'objet [2] et qui a fait de moi un jeune

---

2. Comme le souligne Georges Lubin dans son édition des lettres de George Sand (Garnier, tome III, p. 399), ce vieillard est l'avocat Michel de Bourges et il a trente-huit ans. « N'insistons pas sur la chasteté du sentiment qu'il inspire », ajoute-t-il avec malice.

homme dans toute l'acception du mot (fort incapable par conséquent de se prendre d'amour pour aucun des jeunes gens qui sont ses frères et ses amis). (Vous voyez que j'emploie la parenthèse sans scrupule, vous êtes bonne à imiter en tout). Ainsi *Madame !* gare à vous, ou plutôt Mr Franz soyez parfait, car c'est un jeune homme qui est en ce moment aux genoux de Marie. Cependant qu'on se rassure. Le jeune homme est tout à fait tranquille auprès du beau sexe [3]. Un *baiser de femme* comme on dit en style moderne, l'émeut aussi peu que Puzzi ou Maurice (mon cher fils). Qu'on me laisse donc traverser le monde sans prendre ombrage de moi. Mon bonheur consiste à ne troubler celui de personne. Décidément, disait un jour *Buloz* en parlant de moi, elle est très orgueilleuse en amour et très bonne en amitié. Demandez à Franz la description de Buloz, qu'il vous joue sur le piano un morceau intitulé *Buloz* [4].

Je vous dirai de Mme Allart, que je n'ai jamais eu de sympathie pour elle. J'ai eu beaucoup d'estime pour son caractère ; mais un beau jour, elle m'a fait une méchanceté, la chose du monde que je comprends le moins et que je puis le moins excuser. Depuis que je vous ai écrit, elle m'a fait amende honorable. Est-ce bonté ? Est-ce légèreté de tête et de cœur ? Je n'y ai plus guère confiance, et sans la maltraiter (car à vrai

3. De son amitié très intense avec la comédienne Marie Dorval, George Sand avait acquis la réputation de n'être pas indifférente aux plaisirs saphiques. Sa prédilection pour le vêtement masculin n'arrangeait rien... Aussi, par prudence, remet-elle les choses en place auprès de Marie que la déclaration qui précède aurait pu surprendre. D'ailleurs, plus tard, dans une lettre à Liszt du 21 janvier 1840, Marie écrira, en parlant de leur ami Bernard Potocki : « Il n'avait pas douté qu'il n'y eût entre George et moi quelque amitié à la Dorval. »
4. François Buloz (1803-1877), directeur de la puissante *Revue des Deux Mondes* et éditeur de George Sand.

dire d'après cette conduite fantasque, je m'aperçois
que je ne la connais pas du tout), je m'éloignerai d'elle
avec soin. Je ne veux pas la juger, mais il y a sur la
figure de quelqu'un à qui l'on a surpris un mauvais
sentiment, quelque chose qui ne s'efface plus et qui
vous glace à jamais. Je suis toute d'instinct et de premier mouvement. N'êtes-vous pas de même ? Il m'a
semblé que si.

Je ne dis pas que je n'aime pas S[aint]e-Beuve [5]. J'ai
eu beaucoup trop d'affection pour lui pour qu'il me
soit possible de passer à l'indifférence ou à l'antipathie,
à moins d'un tort grave. Je ne lui ai point vu de
méchanceté, à lui, mais de la sécheresse, de la perfidie
non raisonnée, non volontaire, non intéressée, mais
partant d'un grand *crescendo* d'égoïsme. Je crois que je
le juge mieux que vous. Demandez à Franz qui le
connaît davantage.

L'abbé de Lamennais se fixe dit-on à Paris. Pour moi
ce n'est pas certain. Il y va je crois avec l'intention de
fonder un journal. Le pourra-t-il ? Voilà la question ?
Il lui faut une école, des Disciples. En morale et en
politique il en aura, et de dignes de lui. En religion il
n'en aura pas s'il ne fait d'énormes concessions à notre
époque et à nos lumières. Il y a encore en lui, d'après
ce qui m'est rapporté par ses intimes amis, beaucoup
plus du *prêtre* que je ne croyais. On espérait l'amener
plus avant dans le cercle qu'on n'a pu encore le faire.
Il résiste. On se dispute et on s'embrasse. On ne
conclut rien encore. Je voudrais bien que l'on s'enten-
dît. Tout l'espoir de *l'intelligence vertueuse* est là.

---

5. «Je ne comprends rien à M. de Sainte-Beuve. Je l'ai beaucoup aimé
fraternellement. Il a passé sa vie à me vexer, à me grogner, à m'épiloguer
et à me soupçonner. Si bien que j'ai fini par l'envoyer au diable», a écrit
George à Liszt, le 15 mai.

Lamennais ne peut marcher seul. Si abdiquant le rôle de prophète et de poète apocalyptique, il se jette dans l'action progressive, il faut qu'il ait une armée. Le plus grand général du monde ne fait rien sans soldats. Mais il faut des soldats éprouvés, et croyants. Il trouvera facilement à diriger une populace d'écrivassiers sans conviction qui se serviront de lui comme d'un drapeau et qui le renieront ou le trahiront à la première occasion. S'il veut être secondé véritablement, qu'il se méfie des gens qui ne disputeront pas avec lui avant d'accepter sa direction. En réfléchissant aux conséquences d'un tel engagement, je vous avoue que je suis moi-même très indécise. Je m'entendrais aisément avec lui sur tout ce qui n'est pas le dogme. Mais là, je réclamerais une certaine liberté de conscience, et il ne me l'accorderait pas. S'il quitte Paris sans s'être entendu avec deux ou trois personnes qui sont dans les mêmes proportions de dévouement et de résistance que moi, j'éprouverai une grande consternation de cœur et d'esprit. Les éléments de lumière et d'éducation des peuples s'en iront encore épars, flottant sur une mer capricieuse, échouant sur tous les rivages, s'y brisant avec douleur, sans avoir pu rien produire. Le seul pilote qui eût pu les rassembler leur aura retiré son appui et les laissera plus tristes, plus désunis et plus découragés que jamais. Si Franz a sur lui de l'influence, qu'il le conjure de bien connaître et de bien apprécier l'étendue du mandat que Dieu lui a confié. Les hommes comme lui font les religions et ne les acceptent pas. C'est là leur devoir. Ils n'appartiennent point au passé. Ils ont un pas à faire faire à l'humanité. L'humilité d'esprit, le scrupule, l'orthodoxie sont des vertus de moine que Dieu défend aux réformateurs. Si l'œuvre que je rêve pour lui peut s'accomplir, c'est *vous* qui serez obligée de vous joindre à son bataillon sacré.

Vous avez l'intelligence plus mâle que bien des hommes, vous pouvez être un flambeau pur et brillant. J'ai écrit à Paris qu'on vous envoyât le n[umér]o du *Droit*. Je suis toujours dans le *statu quo* pour mon procès. L'acte d'appel est fait. L'ennemi s'y montre assez poltron. J'attends que la cause soit fixée. Ce sera je pense dans le courant de juillet. Je suis toujours à La Châtre chez mes amis, qui me gâtent comme une enfant de 5 ans. J'habite un faubourg en terrasse sur des rochers. A mes pieds, j'ai une vallée admirablement jolie. Un jardin de 4 toises carrées, plein de roses, et une terrasse assez spacieuse pour y faire dix pas en long, me servent de salon, de cabinet de travail et de galerie. Ma chambre à coucher est assez vaste ; elle est décorée d'un lit à rideaux de cotonnade rouge, vrai lit de paysan, dur et plat, de deux chaises de paille et d'une table de bois blanc. Ma fenêtre est située à dix pieds au-dessus de la terrasse. Par le treillage de l'espalier, je sors et je rentre la nuit pour me promener dans les quatre toises de fleurs sans ouvrir de portes et sans éveiller personne. Quelquefois je vais me promener seule à cheval, à la brune. Je rentre sur le minuit. Mon manteau, mon chapeau d'écorce et le trot mélancolique de ma monture me font prendre dans l'obscurité pour un marchand forain ou pour un garçon de ferme. Un de mes grands amusements, c'est de voir le passage de la nuit au jour ; cela s'opère de mille manières différentes et cette révolution si uniforme en apparence a tous les jours un caractère particulier. Avez-vous eu le loisir d'observer cela. Non ! vous travaillez, vous ! Vous éclairez votre âme. Vous n'en êtes pas à végéter comme une plante. Allons, vivez et aimez-moi. Puzzi vous suit-il en Italie ? Ne partez pas sans m'écrire. Que les vents vous soient favorables et les cieux sereins ! Tout prospère aux amants. Ce sont les enfants gâtés de la providence. Ils jouissent de tout, tandis que leurs amis vont toujours s'inquiétant. Je vous avertis que je serai souvent en peine de vous si vous m'oubliez. Je vous ferai arranger une belle chambre *chez moi.* Je fais un nouveau volume à *Lélia.* Cela m'occupe plus que tout autre roman n'a encore fait. Lélia, n'est pas moi. Je suis meilleure enfant que cela ; mais c'est mon idéal. C'est ainsi que je conçois ma muse, si toutefois je puis me permettre d'avoir une muse...

Adieu, adieu ! le jour se lève sans moi. – *Per la scala del balcone, presto andiamo via di qua...* [6]

[Adresse :]
Marie.

Liszt, revenant de Paris, arrive à Genève le 6 juin. C'est pourquoi nous proposons de dater du vendredi 10 juin la lettre suivante de Marie, qui répond explicitement à celle de George.

---

6. Traduction : « Par l'échelle du balcon, vite, allons, hors d'ici ! » (*Le Barbier de Séville* de Rossini, 2e acte).

LETTRE N° 9

À George Sand

[10 juin 1836]

Genève vendredi

Mr Mallefille [1] m'arrive à l'instant et me crie à tue-tête : Victoire, victoire ! George Sand a gagné son procès ! Je n'ose encore m'abandonner toute entière à ma joie je reste suspendue entre la crainte de me réjouir trop tôt et celle de ne pas me réjouir assez. Cependant la *Revue des Deux Mondes* confirme la lettre particulière (de Mr Fortoul [2]) mais je me dis encore que peut-être ils entendent parler de votre première victoire et non pas du gain définitif. Il y a ici toute une petite colonie de gens qui vous sont acquis c'est une condition première pour pénétrer jusqu'à mon donjon que

---

1. Jean-Pierre-*Félicien* Mallefille (1813-1868). Il commence une carrière d'auteur dramatique lorsque la comtesse d'Agoult fait sa connaissance en Suisse. Un peu plus tard, elle le recommandera fortement à George qui cherche un précepteur pour son fils Maurice. Il devient l'amant de la romancière puis il se retrouve évincé au profit de Chopin, ce qu'il prend assez mal..., comme on le verra par la suite.
Auteur de nombreuses pièces, doté d'un caractère loyal et honnête, il meurt dans la pauvreté.
2. *Hippolyte*-Nicolas-Honoré Fortoul (1811-1856), littérateur puis homme politique, futur ministre de Napoléon III. Il est, à cette époque, un grand admirateur de George Sand, dont il défend la cause dans la presse.

d'aimer *passionnément* George. C'est le mot d'ordre, le : *montrez la patte blanche* de l'histoire de la chèvre et du loup et quand je vais fouiller dans les motifs de mon antipathie pour S[ain]te-Beuve j'y trouve qu'il m'a parlé de vous et de l'abbé de la M[ennais] avec une sorte d'appréciation trop rigoureusement impartiale. Que voulez-vous ? Je suis ainsi faite et j'aime si peu de gens que je n'ai pas de mesure dans mon affection pour eux. Je vous trouve admirablement bonne de m'écrire tout et de si excellentes choses de cœur, au milieu de vos graves préoccupations, d'un travail aussi étonnamment fécond et des nombreuses *antériorités* qui vous réclament avant moi. J'en suis profondément touchée et je vous le jure vous pouvez compter sur moi entièrement et à toujours. Une seule chose me fait de la peine vous me croyez une haute intelligence je n'en ai aucune je n'ai que de bons instincts. Le beau m'attire puissamment du plus loin que je l'aperçois mais je suis une nature toute passive et ma pensée ne réagit sur rien. L'expression chez moi reste toujours au dessous du sentiment et je suis non seulement incapable d'écrire mais aujourd'hui, fatiguée, comprimée comme je l'ai été durant tant d'années, je suis incapable de causer ni de discuter quoi que ce soit. Mais je ne suppose pas que vous ayez besoin de cela et il se peut au contraire qu'une amitié franche, loyale, douce, vous soit donnée. Je ne pense pas que vous ayez dû ni que vous deviez rencontrer chez une femme la *sécurité* d'intimité que vous trouverez chez moi. Toutes celles que j'ai connues étaient plus ou moins vaniteuses, envieuses par conséquent et d'une légèreté capable d'enfanter autant de mal que la pure méchanceté. Et [sic] bien sous tous ces rapports je vous réponds de moi mais acceptez-moi comme une *bonne* femme, une espèce de folle tranquille comme dit Franz, qui vit au

soleil et s'amuse des journées entières à regarder le
cours d'un ruisseau et à y jeter des feuilles de saule,
rêvant, souriant, pleurant sans qu'on sache pourquoi,
mais s'éveillant parfois comme une lionne quand vient
le jour du danger, quand l'amour ou l'amitié font
entendre leur voix et qu'il s'agit de mourir ou de vivre
pour ce qu'on aime.

Je crois que vous et surtout vos amis êtes dans
l'erreur en ce qui concerne Mr de la M[ennais] mais
Franz vous répondra là-dessus, il veut vous écrire une
longue, très longue lettre et pour cela il lui faut un jour
de paix et de calme chose rare depuis son retour. Les
rages de dents et le conservatoire lui ont pris toutes ses
journées. Vous savez ou vous ne savez pas que son
séjour à Paris a été un étourdissant triomphe, il a joué
plusieurs fois ses compositions chez Erard et sans que
personne autre qu'une douzaine d'amis aient été pré-
venus la salle s'est trouvée toujours comble et il m'a
avoué n'avoir jamais *imaginé* un enthousiasme pareil.
Pends-toi brave George ou plutôt venez. Votre cœur de
mère trouvera ici qui le comprenne, votre cri de liberté
aura un écho pour lui répondre liberté. Ai-je besoin de
vous dire que votre *Lettre* à Nisard est superbe d'une
convenance plus que parfaite et d'une ravissante
moquerie. Celle *d'un voyageur* a eu un grand succès [3].
Ces lettres intimes ont cela de bon que non seulement

---

3. Il s'agit d'une *Lettre à M. Nisard*, publiée dans *la Revue de Paris* du
29 mai 1836, qui répond à un article de Désiré Nisard, publié dans la
même revue, numéro du 11 mai. George Sand y réfute l'accusation d'atta-
quer dans ses romans l'institution du mariage. C'est le despotisme dans le
mariage qu'elle combat.
   Jean-Marie-Napoléon-*Désiré* Nisard (1806-1888), littérateur français et
brillant polémiste, futur membre de l'Institut. Conservateur, il attaqua les
drames de Victor Hugo et d'Alexandre Dumas.
   Quant à la *Lettre d'un voyageur*, il s'agit de celle publiée dans *la Revue
des Deux Mondes* du 1er juin, intitulée *Au Malgache*.

elles ajoutent un diamant à votre couronne d'auteur mais encore qu'elles attachent à votre personne – et font aimer en vous la femme. Votre définition du poëte [sic] restera. Tout le monde sentait cela mais personne ne l'avait dit encore. Vous avez bien raison de continuer *Lélia*. De l'avis des *Sages* ce n'est pas votre chef-d'œuvres [sic] mais il y aura toujours un nombre suffisant de *sublimes fous* pour l'aimer passionnément. Ou je me trompe bien ou vous faites des pas de géants dans l'opinion. Bientôt vos infâmes détracteurs auront disparus [sic]. Vous les lapidez à coup de chef-d'œuvres [sic] et de belles et bonnes actions ils en ont déjà jusqu'aux oreilles, encore une sœur à Lélia ou un frère à Jacques et ils étouffent.

Depuis que vous m'avez parlé du *passage de la nuit au jour* je n'ai eu ni paix ni trêve que je n'aie arrangé une partie de montagne à cette intention. Ce soir nous allons coucher sur le Salève avec le cher Puzzi (son voyage en Italie n'est pas encore décidé mais probable), un jeune poëte de 19 ans [4] et Mr Mallefille que vous trouverez encore ici et dont vous serez contente. C'est un bon garçon distingué qui me dit des sottises toute la journée parce que j'ai le malheur d'être une *aristocrate* destinée quelque jour à une belle et bonne *lanterne*. Nous attendions *presque* Mr de Musset que Franz a beaucoup vu à Paris et dont il a été fort content. Vous savez qu'il y avait bien entre eux [sic] à quelques paraphrases d'un texte qui n'avait pas été bien exactement traduit. Mr de M[usset] n'avait guère à dire que mea culpa et y a mis une bonne grâce, une

---

4. C'est Louis de Ronchaud (1816-1887) qui va devenir le soupirant de Marie d'Agoult jusqu'à son dernier souffle, puis son exécuteur testamentaire. Il publia des recueils de poésie, des études d'art et d'histoire, devint directeur du Louvre puis des musées nationaux. Il ne se maria jamais.

simplicité et une convenance parfaite. Il paraît avoir un oui à son voyage. Je suis pressée par l'heure car j'aurais encore mille choses à vous dire mais j'ai hâte de savoir si je dois vous espérer, vous attendre et me réjouir en vous.
Adieu je vous embrasse du fond du cœur.

George attend toujours le règlement de sa situation matrimoniale puisque, le 1ᵉʳ juin, son époux a fait à nouveau appel, cette fois devant le tribunal de Bourges. Les audiences vont se dérouler les 25 et 26 juillet. En attendant leur issue, elle rêve à son prochain séjour à Genève, qui semble bel et bien décidé.

LETTRE N° 10

À Marie d'Agoult

[La Châtre, 10 juillet 1836]

Hélas, mon amie, je n'ai point encore plaidé en cour royale, par conséquent, je n'ai ni gagné ni perdu. Il était question de mon dernier jugement sans doute quand on vous a annoncé ma victoire. C'est le 25 juillet seulement que je plaide. Si vous êtes à Genève le 1er août, vous saurez mon sort, et peut-être le saurez-vous par moi-même si j'ai la certitude de vous y trouver. Mais je n'ose l'espérer. Cependant, je rêve mon oasis près de vous et de Frantz [sic]. Après tant de sables traversés, après avoir affronté tant d'orages, j'ai besoin de la source pure et de l'ombrage des deux beaux palmiers du désert. Les trouverai-je? Si vous ne devez pas y être, je n'irai pas. J'irai à Paris voir l'abbé de Lamennais et deux ou trois amis véritables que je compte, entre mille *superficies* d'amitié, dans la Babylone moderne.

Avez-vous vu pour parler comme Obermann, la lune monter sur le Vélan? Que vous êtes heureux, chers enfants, d'avoir la Suisse à vos pieds pour observer toutes les merveilles de la nature! Il me faudrait cela pour écrire deux ou trois chapitres de *Lélia*, car je refais *Lélia*, vous l'ai-je dit? Le poison qui m'a rendu[e] malade est maintenant un remède qui me guérit... Ce livre m'avait précipitée dans le scepticisme; maintenant, il m'en retire ; car vous savez que la maladie fait le livre, que le livre empire la maladie, et de même pour la guérison. Faire accorder cet œuvre de colère avec un œuvre de mansuétude et maintenir la plastique ne semble guère facile au premier abord. Cependant les caractères donnés, si vous en avez gardé souvenance, vous comprendrez que la sagesse ressort de celui de Trenmor, et l'amour divin de celui de Lélia. Le prêtre borné et fanatique, la courtisane et le jeune homme faible et orgueilleux seront sacrifiés. Le tout à l'honneur de *la morale* ; non pas de la morale des épiciers, ni de celle de nos salons, ma belle amie (je suis sûre que vous n'en êtes pas dupe), mais d'une morale que je voudrais faire à la taille des êtres qui vous ressemblent, et vous savez que j'ai l'ambition d'une certaine parenté avec vous à cet égard.

Se jeter dans le sein de la mère Nature ; la prendre réellement pour *mère* et pour *sœur* ; retrancher stoïquement et religieusement de sa vie tout ce qui est vanité satisfaite ; résister opiniâtrement aux orgueilleux et aux méchants ; se faire humble et petit avec les infortunés ; pleurer avec la misère du pauvre et ne pas vouloir d'autre consolation que la chute du riche ; ne pas croire à d'autre Dieu que celui qui ordonne aux hommes la justice, l'égalité ; vénérer ce qui est *bon* ; juger sévèrement ce qui n'est que *fort* ; vivre de presque rien, donner presque tout, afin de rétablir l'égalité primitive et de faire revivre l'institution divine : voilà la religion que je proclamerai dans mon petit coin et que j'aspire à prêcher à mes douze apôtres sous le tilleul de mon jardin. Quant à l'amour, on en fera un livre et un cours à part. Lélia s'expliquera sous ce rapport d'une manière générale assez concise et se rangera dans les exceptions. Elle est de la famille des Esséniens, compagne des *palmiers, gens solitaria*, dont parle Pline. Ce beau passage sera l'épigraphe de mon troisième volume, c'est celle de l'automne de ma vie. – Approuvez-vous mon plan de livre ? Quant au plan de vie, vous n'êtes pas compétente, vous êtes trop heureuse et trop jeune pour aller aux rives salubres de la mer Morte (toujours Pline le Jeune), et pour entrer dans cette famille, *où personne ne naît, où personne ne meurt*, etc.

Si je vous trouve à Genève, je vous lirai ce que j'ai fait, et vous m'aiderez à refaire mes levers de soleil ; car vous les avez vus sur vos montagnes cent fois plus beaux que moi dans mon petit vallon. Ce que vous me dites de Frantz me donne une envie vraiment maladive et furieuse de l'entendre. Vous savez que je me mets sous le piano quand il en joue. J'ai la fibre très forte et je ne trouve jamais les instruments assez puissants. Il est au reste, le seul artiste du monde qui sache donner l'âme et la vie à un piano. J'ai entendu Thalberg à Paris. Il m'a fait l'effet d'un bon petit enfant bien gentil et bien sage. Il y a des instants où Frantz, pour s'amuser, badine comme lui sur quelques notes pour déchaîner ensuite les éléments furieux sur cette petite brise.

Attendez-moi, pour l'amour de Dieu... et pourtant je n'ose pas vous en prier, car l'Italie vaut mieux que moi. Et je suis un triste personnage à mettre dans la balance pour faire contrepoids à Rome et au soleil. J'espère un peu que l'excessive chaleur vous effrayera cependant et que vous attendrez l'automne. Êtes-vous bien accablée de cette canicule ? Peut-être ne menez-vous pas une vie qui vous y expose souvent. Moi, je n'ai pas l'esprit de m'en préserver. Je pars à pied à trois heures du matin, avec le ferme propos de rentrer à 8. Mais je me perds dans les traînes, je m'oublie au bord des ruisseaux, je cours après les insectes et je rentre à midi dans un état de torréfaction impossible à décrire. L'autre jour, j'étais si accablée, que j'entrai dans la rivière tout habillée. Je n'avais pas prévu ce bain, de sorte que je n'avais pas de vêtement *ad hoc*. J'en sortis mouillée de pied en cap. Un peu plus loin, comme mes vêtements étaient déjà secs et que j'étais encore baignée de sueur, je me replongeai de nouveau dans l'Indre. Toute ma précaution fut d'accrocher ma robe à un buisson et de me baigner en peignoir. Je remis ma robe par-dessus, et les *rares* passants ne s'aperçurent pas de la singularité de mes *draperies*. Moyennant trois ou quatre bains par promenade, je fais encore trois ou quatre lieues à pied, par trente degrés de chaleur, et quelles lieues ! Il ne passe pas un hanneton que je ne coure après. Quelquefois, toute mouillée et vêtue, je me jette sur l'herbe d'un pré au sortir de la rivière et je fais la sieste. Admirable saison qui permet tout le bien-être de la vie primitive. Vous n'avez pas d'idée de tous les rêves que je fais dans mes courses au soleil. Je me figure être aux beaux jours de la Grèce. Dans cet heureux pays que j'habite, on fait souvent 2 lieues sans rencontrer une face humaine. Les troupeaux restent seuls dans les pâturages bien clos de haies magnifiques. L'illusion peut donc durer longtemps. C'est un de mes grands amusements, quand je me promène un peu au loin dans des sentiers que je ne connais presque pas, de m'imaginer que je parcours un autre pays avec lequel je trouve de l'analogie. Je me souviens d'avoir erré dans les Alpes et de m'être cru[e] en Amérique durant des heures entières. Maintenant, je me figure l'Arcadie en Berry. Il n'est pas une prairie, pas un bouquet d'arbres qui, sous un si beau soleil, ne me semble arcadien tout à fait.

Je vous enseigne tous mes secrets de bonheur. Si quelque jour, ce que je ne vous souhaite pas (et ce à quoi je ne crois pas pour vous), vous êtes *seule*, vous vous souviendrez de mes promenades *esséniennes* et peut-être trouverez-vous qu'il vaut mieux s'amuser à cela qu'à se brûler la cervelle, comme j'ai été souvent tentée de le faire en entrant au *désert*. Avez-vous de la force physique ? C'est un grand point. Malgré cela, j'ai de grands accès de spleen, n'en doutez pas ; mais je résiste et je prie. Il y a manière de prier. Prier est une chose difficile, importante. C'est la fin de l'homme moral. Vous ne pouvez pas prier, vous. Je vous en défie, et, si vous prétendiez que vous le pouvez, je ne vous croirais pas. Mais j'en suis au premier degré, au plus faible, au plus imparfait, au plus misérable échelon de l'escalier de Jacob. Aussi je prie rarement et fort mal. Mais, si peu et si mal que ce soit, je sens un avant-goût d'extases infinies et de ravissements semblables à ceux de mon enfance quand je croyais voir la Vierge comme une tache blanche dans un soleil qui passait au-dessus de moi. Maintenant, je n'ai que des visions d'étoiles, mais je commence à faire des rêves singuliers.

A propos, savez-vous le nom de toutes les étoiles de notre hémisphère ? Vous devriez bien apprendre l'astronomie pour me faire comprendre une foule de choses que je ne peux pas transporter de notre sphère à la voûte de l'immensité. Je parie que vous le savez à merveille, ou que, si vous voulez, vous le saurez dans huit jours.

Je suis désespérée du manque total d'intelligence que je découvre en moi pour une foule de choses, et précisément pour des choses que je meurs d'envie d'apprendre. Je suis venue à bout de bien connaître la carte céleste sans avoir recours à la sphère. Mais, quand je porte les yeux sur cette malheureuse boule peinte, et que je veux bien m'expliquer le grand mécanisme universel, je n'y comprends plus goutte. Je ne sais que des noms d'étoiles et de constellations. C'est toujours une très bonne chose que cela pour le sens poétique. On apprend à comprendre la beauté des astres par la comparaison. Aucune étoile ne ressemble à une autre quand on y fait bien attention. Je ne m'étais jamais doutée de cela avant cet été. Regardez, pour vous en convaincre, Antarès au sud, de 9 à 10 h du soir, et comparez-le avec Arcturus, que vous connaissez. Comparez Wega si blanche, si tranquille toute la nuit, avec la Chèvre, qui s'élance dans le ciel vers minuit et qui est rouge, étincelante, *brûlante* en quelque sorte. A propos d'Antarès, qui est le cœur du Scorpion, regardez la courbe gracieuse de cette constellation ; il y a de quoi se prosterner. Regardez aussi, si vous avez de bons yeux, la blancheur des pléiades et la délicatesse de leur petit groupe au point du jour, et précisément au beau milieu de l'aube naissante. Vous connaissez tout cela, mais peut-être n'y avez-vous pas fait depuis longtemps une attention particulière. Je voudrais mettre un plaisir de plus dans votre heureuse vie. Vous voyez que je ne suis point avare de mes découvertes. C'est que Dieu est le maître de mes trésors.

Adieu. Écrivez-moi toujours à La Châtre, poste restante. On me fera passer vos lettres à Bourges. Hélas ! je quitte les nuits étoilées, et les prés de l'Arcadie pour la puanteur et l'ordure d'un procès scandaleux. Plaignez-moi, et aimez-moi. Je vous embrasse de cœur tous deux et je salue respectueusement l'illustre docteur *Ratissimo*. – Vous m'avez fait de vous un portrait dont je n'avais pas besoin. En ce qu'il a de trop modeste, je sais mieux que vous à quoi m'en tenir. En ce qu'il a de vrai, ne sais-je pas votre vie, sans que personne me l'ait racontée ? La fin n'explique-t-elle pas les antécédents ? Oui, vous êtes une grande âme, un noble caractère et un *bon cœur*, c'est plus que tout le reste, c'est rare au dernier point, bien que tout le monde y prétende. Plus j'avance en âge, plus je me prosterne devant la bonté, parce que je vois que c'est le bienfait dont Dieu nous est le plus avare. Là où il n'y a pas d'intelligence, ce qu'on appelle bonté est tout bonnement ineptie. Là où il n'y a pas de force, cette prétendue bonté est apathie. Là où il y a force et lumière la bonté est presque introuvable ; parce que l'expérience et l'observation ont fait naître la méfiance et la haine. Les âmes vouées aux plus nobles principes sont souvent les plus rudes et les plus âcres, parce qu'elles sont devenues malades à force de déceptions. On les estime, on les admire encore, mais on ne peut plus les aimer. Pour avoir été malheureux sans cesser d'être intelligent et bon, il faut supposer une organisation bien puissante, et ce sont celles-là que je cherche et que j'embrasse. J'ai des *grands hommes* plein le dos (passez-moi l'expression). Je voudrais les voir tous dans Plutarque. Là, ils ne me font pas souffrir du côté humain. Qu'on les taille en marbre, qu'on les coule en bronze, et qu'on n'en parle plus. Tant qu'ils vivent, ils sont méchants, persécutants, fantasques, despotiques, amers, soupçonneux. Ils confondent dans le même mépris orgueilleux les boucs et les brebis. Ils sont pires à leurs amis qu'à leurs ennemis. Dieu nous en garde ! Restez bonne, *bête* même si vous voulez. Franz pourra vous dire que je ne trouve jamais les gens que j'aime assez niais à mon gré. Que de fois je lui ai reproché d'avoir trop d'esprit ! Heureusement que ce trop n'est pas grand-chose, et que je puis l'aimer beaucoup.

Adieu, chère, écrivez-moi. Puissiez-vous ne pas partir ! Il fait trop chaud. Soyez sûre que vous souffrirez. On ne peut pas voyager la nuit en Italie. Si vous passez le Simplon (qui est bien la plus belle chose de l'univers), il faudra aller à pied pour bien voir, pour grimper. Vous mourrez à la peine !

Je voudrais trouver je ne sais quel épouvantail pour vous retarder.

(Oh mais) écoutez. Ce serait à condition que je ne rencontre pas à Genève Mr de Musset. Je n'en ai nulle envie. J'espère que vous m'avertiriez s'il y était ou s'il y devait venir à cette époque afin de ne pas me procurer le plaisir d'une rencontre.

Pour fuir les chaleurs estivales, Franz et Marie se sont installés hors de Genève, à flanc de montagne.

LETTRE N° 11

À George Sand

[19 juillet 1836]

Je ne sais pas comment vous pouvez imaginer que je ne vous attendrai pas ! Que sont donc pour moi toutes les ruines de Rome auprès d'un noble cœur, d'une main loyale qui m'est tendue ? Que sont les rayons du soleil de Naples auprès du regard d'un ami ? Que sont tous les chefs d'œuvres [sic] des arts auprès d'une parole sympathique et vivifiante ? Nous resterons, George, mais à mon tour je vous [dis] : pour Dieu, ne manquez pas à mon espérance !

Votre lettre m'a trouvée établie dans un petit village savoyard situé à l'ombre des deux plus hauts sommets du g[ran]d et du petit Salève. En faisant trente pas d'un côté j'ai la vue du lac de Genève et du Jura et en faisant cent pas de l'autre un admirable bassin formé par les montagnes qui servent d'avant-garde au Mont blanc [sic] dont on apperçoit [sic] la cime éternellement resplendissante. Ma chambre est *blanchie à neuf.* Une table de bois, trois chaises de paille, un lit sans rideaux et un miroir à barbe assez considérable en composent tout l'ameublement ; un chien attaché au pied de mon escalier (espèce d'échelle perfectionnée) me garde la nuit et le jour quand je vais courir à travers les blés les bons Savoyards me disent : « Il fait bien chaud, Mademoiselle. » Oh ! quel beau pays, et les braves gens !...

Je suis venue faire provision de santé et me ramine à cet air purifiant car la force physique me manque depuis quelque tems [sic], et je trouve comme vous qu'il en faut pour se cramponner aux jouissances terrestres. Les rêveries nous usent si vite et lorsqu'elles ne mènent pas à écrire Lélia, à quoi sont-elles bonnes ? À propos je vous dirai que je vous approuve fort de continuer *Lélia, si vous réussissez*, mais il ne s'agit ni plus ni moins que de faire un chef-d'œuvre, sans quoi vous aurez l'air de faire une amende honorable qui serait passablement gauche. Pardon (mais il est bien convenu que de nous deux c'est moi qui serai le docteur, n'est-ce pas ?). D'après votre plan vous répondriez victorieusement aux gens sensés qui vous ont toujours reproché de n'avoir pas *conclu* mais je vous le répète cela me paraît une œuvre d'une difficulté immense et je craindrais presque qu'en voulant à toute force faire entrer vos personnages dans des moules convenus vous ne les mutiliez et ne les brisiez par place. Ce sera un grand bonheur pour moi de lire avec vous ce que vous aurez fait et de relire vos anciens livres qui sont tous mes amis plus ou moins chers. Je crois que nous nous arrangerions très bien ensemble car j'ai les mêmes goûts d'instruction que vous. Les sciences naturelles surtout auraient pour moi un attrait infini. Tout ce qui éloigne des hommes et de leur bruit, tout ce qui ramène à la grande et paisible harmonie de la nature m'attire et me captive j'ai étudié la botanique, vous achèverez mon cours de plantes alpines ; je ne sais pas un mot d'astronomie, mais j'apprendrai vite ce que vous m'enseignerez. Je prévois aussi que nous parlerons beaucoup religion et prière. Vous êtes dans la ligne ascendante et j'ai bien peur d'être sur une mauvaise pente inclinant de plus en plus vers un doute qui me ronge car je le sens, ma patrie n'est point ici et je ne sais où la chercher. La foi de mes premiers ans a disparu sans retour, je ne puis croire aux vains systèmes des philosophes, et les vagues élans des poëtes [sic] ne me suffisent pas. Je ne saurais comme eux m'en tenir à l'interjection et je ne crois pas que [sic] quand j'ai dit *ô mon Dieu !* avoir rempli tous les devoirs de la créature envers son créateur.

Franz est à Lausanne en ce moment il y donne un concert, il revient à Genève pour le Conservatoire et monte presque journellement ma montagne. Nous avions projeté avant de savoir votre voyage probable, une excursion de 15 jours ou trois semaines dans la vallée de Chamonix et l'Oberland bernois, j'espère que cela vous conviendra. Si vous ne connaissez pas ces belles solitudes que pourriez-vous faire de mieux que de les parcourir avec des *gens comme nous* (au diable, la modestie !). Le docteur Sottissimo [1] s'engage à vous dire vingt-cinq bêtises par heure : moi je vous demande de me donner la représentation de vos plongeons dans l'eau froide. Il faut que vous soyez fameusement robuste et légèrement folle pour vous en aller ainsi courir après les hannetons en draperies *collantes* et j'en ris là toute seule dans mon coin, à la lueur de ma rustique chandelle. Franz a reçu une charmante lettre de M. de Musset d'autant plus charmante qu'il lui annonce qu'il ne viendra point. Vous lisez ou vous allez lire Chateaubriand. Il paraît qu'il y a des énormités vaniteuses à propos de Byron qui dépassent toute prévision. Oh n'est-ce pas, vous resterez toujours simple et bonne femme et vous ne vous laisserez pas prendre à cette maladie pestilentielle de vos illustres contemporains ? Vous me citez Pline que j'ai depuis longtemps

1. C'est-à-dire Hermann Cohen.

envie de lire. Je vous avoue que je ne vous vois pas encore bien solidement établie sur ces rives de la *mer morte*. Un beau jour quelque brise lointaine vous apportera le parfum d'un palmier du Sud et vous me direz des nouvelles de votre philosophie essénienne cependant les hommes sont si misérables et vos lions sont si beaux que je vous conçois d'abandonner les uns pour les autres. Ce que vous me dites de Thalberg est ravissant. Les gens qui disent Thalberg et Liszt me font l'effet de ceux qui disent Balzac et George Sand. Si les sots voulaient bien se garder des comparaisons on respirerait plus à l'aise –

J'avais donc raison de ne pas me réjouir encore ! Pauvre femme que je vous plains, mais on n'enlèvera pas à la lionne ses lionceaux, le *fort armé* n'entrera pas dans la demeure du juste et je veux le croire vous avez épuisé la coupe des douleurs terrestres...

« *Quoiqu'il en soit* [sic] Dieu est bon », dit le Psalmiste. Son soleil luira encore sur vous, vos ennemis rentreront dans l'ombre et ceux qui vous aiment pourront se réjouir en vous !

Adieu je griffonne comme une cuisinière, c'est l'heureux effet de ma vie d'auberge –

Je vous embrasse, maintenant j'attendrai que vous me fixiez le jour de votre arrivée. Tâchez de ne pas perdre un moment parce que nous allons en Italie par la France où nous serons obligés de faire plusieurs stations ce qui nous mettrait au mauvais tems pour la traversée de Marseille à Naples.

A vous.

P. S. Voici le *Droit* qui m'arrive. Merci. Combien vous avez été noble, loyale, désintéressée et *bonne* ! Combien je vous aime de tout cela. Michel me semble bien lourd dans ce plaidoyer, mais c'est tant mieux. Ce sont les *faits* et non l'éloquence de l'avocat qui doivent vous conquérir et vos juges et quiconque lira ce simple résumé de votre vie. Encore une fois venez. Écrivez-moi ce qu'il vous convient de faire et nous le ferons. Je suis comme je vous l'ai dit établie dans un village. Voulez-vous y passer q[uel]q[ue]s jours ? Vous convient-il mieux de rester à Genève ? Franz y a un pied à terre [sic] bien épouvantable mais qu'il vous offre hardiment comme à un philosophe stoïque. Serez-vous disposée à partir pour Chamony ? Dès le 6 d'août nous sommes prêts à nous mettre en campagne (dites-moi quel est votre costume de voyage afin que j'en aye un pareil). Voyez-vous nous sommes les gens les plus joyeux de la Terre de vous à revoir ! Savez-vous que votre procès se juge le jour de S[ain]t-Joyeux ? Comment voulez-vous ne pas gagner le jour de la *S[ain]t-Joyeux !*

Il paraît que Lerminier [2] a écrit de bien ridicules phrases sur vous dans son *Au delà du Rhin* (fort au delà du bon sens à ce qu'on dit). Les avez-vous lus [sic] ? et que faites-vous de *Chynodie* [sic] [3] et de l'ami *Sot*sthène [4] ?

Au Haut du Salève,
mardi soir 19 juillet.

2. Eugène Lerminier (1803-1857), publiciste, collaborateur à la *Revue des Deux Mondes*.
3. *Cynodie*, Paris, Urbain Canel, 2 volumes in-8° (Bibliographie de la France, samedi 13 avril 1833, n° 1941). Ce roman fut écrit par Antoinette Rebut, épouse d'Antoine-Marie Dupin, libraire à Lyon. Née à Lyon en 1801 dans une famille modeste, elle publia des livres d'éducation et des romans, et fut reçue chez Chateaubriand et Mme Récamier. Elle mourut en 1843.
4. C'est-à-dire Sosthènes, vicomte de la Rochefoucauld, duc de Doudeauville (1785-1864), directeur des Beaux-Arts en 1824. Extrêmement conservateur, il fit cacher par des feuilles de vigne en papier les nudités des œuvres d'art, lors d'une exposition au Louvre.

Il manque ici une lettre de George qui annonce l'issue de son procès, comme l'atteste la comtesse d'Agoult dans son agenda. Celle-ci y écrit en effet, le 6 août : «Lettre de George qui a gagné son procès. George copie les vers de Mallefille. [...] Nous sommes la postérité de *Jacques* et d'*Indiana*». *George est enfin libre, puisqu'elle a signé avec le baron Dudevant, le 29 juillet, un traité qui met fin à la procédure. Celui-ci a préféré ne pas attendre l'arrêt et de nouveaux débats. Cependant, George n'est pas tout à fait prête pour partir à Genève : elle doit mettre ses affaires en ordre, notamment avec son éditeur François Buloz, et récupérer son fils Maurice, en pension à Paris. Qu'importe, Marie est prête à l'attendre pour partir en excursion comme prévu.*

LETTRE N° 12

À *George Sand*

Genève 9 août 1836.

Pouff ! Quand on a triplement raison, et qu'à force de se démunir et de se débattre on arrache à grand peine aux représentants terrestres de la providence, un tiers de justice, il faut emboucher la trompette et publier la grande merveille aux quatre coins de l'univers ! Quand la société vous a mis au cou une chaîne qui vous étrangle et qu'elle veut bien la détendre suffisamment pour qu'un peu d'air arrive à vos poumons, il faut la remercier à deux genoux comme une tendre mère et confesser en même tems [sic] qu'à la vérité on a grand tort d'avoir la fantaisie de vivre ! Car enfin comme disait ces jours passés un citoyen de Genève, le plus honnête et le plus moral imbécille [sic] qui fleurisse sur les bords du Léman «à force de circonstances atténuantes on finira par aller en procession remercier les assassins et les empoisonneurs ! » Or les *circonstances atténuantes*, c'est que votre mari vous dépouille et veut vous tuer, et les empoisonneurs ne sont qu'une hardie métaphore pour désigner André, Jacques, Simon, etc., etc., ces corrupteurs de toute vertu et de toute innocence !

Mon pauvre George ! Vous voilà donc sortie des griffes du chat-tigre. Un arrêt de la Cour vous permet d'être mère et une négociation vous remet en possession d'*une partie* de votre bien ! Cela vaut un cierge à S[ain]t Jacques, un pèlerinage à Compostelle que je ferai si Dieu me prête vie et que vous veuillez prendre avec moi la coquille du pèlerin ! – Vous croyez en attendant que désespérée d'espérer toujours comme Oronte, je vais quitter la Suisse et vous envoyer au Diable ? Vous ne savez donc pas que vous avez boudé votre amitié à la plus tenace des créatures ! Coupez-moi les mains, je me rattache des dents à mon espérance. Voici donc ce que j'ai *résolu*. Comme nous n'aurons pas assez de tems [sic] pour faire un voyage complet ensemble, j'en ferai une partie avant votre arrivée et vous attendrai où vous voudrez. Dites-moi quelles sont les excursions qui vous intéresseraient de Chamonix ou de l'Oberland, etc., etc., ou si encore vous préférez rester tout bêtement à Genève. Écrivez-moi *de suite deux mots* (car je n'attends que cela pour me mettre en route) et j'arrangerai mon itinéraire en conséquence réservant pour la fin les cantons qu'il vous plairait de voir avec nous. Maintenant ne faites pas de phrases, cela me serait insupportable. Dites *nettement* : je veux voir ceci ou cela et il sera fait selon votre bon plaisir.

Je viens d'achever les 2 vol[umes] de Chateaubriand. On n'est pas plus superficiel, plus puéril, et d'une plus maussade personnalité. Il parle de vous en termes anfiguriques [sic] qui ne révèlent point votre génie mais qui trahissent sa vanité. C'est à l'ombre qui passe sur son front que l'on devine le soleil. Le chapitre sur Mr de Lamennais est encore plus *singulier*. Quand [sic] à Byron on dirait qu'il entreprend de le tuer en lui chatouillant la plante des pieds comme certain mari faisait de ses épouses [1] !

---

1. Chateaubriand a publié , en 1836, *Essai sur la littérature anglaise et considérations sur le génie des hommes, des temps et des révolutions*, Paris, Charles Gosselin et Furne, 2 volumes.

Vous n'êtes pas femme à lire *l'Université catholique*
(*plus souvent !* dirait ma cuisinière) et bien [sic] vous
avez tort. Il y a une série d'articles de l'abbé Gerbet qui
se place habituellement à une hauteur presqu'inconnue
aux orthodoxes. Nous avons pleuré comme des bêtes
au récit d'une première et dernière communion faite au
même calice par deux époux dont l'un se convertissait
à la foi pendant que l'autre descendait dans la tombe [2].

Malheureusement nous dépensons aujourd'hui en
poétiques émotions le trésor des larmes saintes et nous
en sommes à une espèce d'éclectisme religieux qui
n'aura ni ses saints ni ses martyres.

Vous avez souvent déploré la mort de Carrel. C'était
peut-être le plus pur caractère politique de notre tems.
J'ignore jusqu'à quel point on pouvait fonder sur lui un

De George Sand, il ne parle qu'en termes allusifs : « Quelques Françaises
se distinguent aujourd'hui par un rare mérite d'écrivain : une d'entre elles
a ouvert une route où elle sera peu suivie, mais par laquelle elle arrivera
certainement à un avenir. »

Entre lord Byron et lui-même, Chateaubriand se livre à un long parallèle : « Lord Byron vivra, soit qu'enfant de son siècle comme moi, il en ait
exprimé comme moi (et comme Goethe avant nous) la passion et le malheur, soit que mes périples et le falot de ma barque gauloise aient montré la route au vaisseau d'Albion sur des mers inexplorées. »

De Lamennais, il écrit : « C'est dans les champs de la Croix que l'abbé
de Lamennais a recueilli cet intérêt si tendre pour la nature humaine,
pour les classes laborieuses, pauvres et souffrantes de la société ; c'est en
errant avec le Christ sur les chemins, en voyant les petits rassemblés aux
pieds du Sauveur du monde qu'il a retrouvé la poésie de l'Évangile. »

2. Il s'agit du *Cours d'introduction à l'étude des vertus chrétiennes* de
l'abbé Gerbet, publié dans *L'Université catholique. Recueil religieux, philosophique, scientifique et littéraire*, Paris, au bureau de l'Université catholique. La première livraison eut lieu en juillet 1835. La septième, qui
ouvrit le second tome, parut en juillet 1836. Le cours de l'abbé s'étendit
sur les huit premières livraisons. Il s'y pencha notamment sur la confession, « germe divin de l'harmonie renaissante entre la pensée et la
parole », et imagina, dans la septième livraison, un curieux dialogue entre
Platon et Fénelon.

L'abbé Olympe-Philippe Gerbet (1798-1864), disciple de Lamennais,
devint en 1853 évêque de Perpignan.

espoir de rénovation mais un parti n'a jamais trop de ces hommes irréprochables surtout un parti qui a de terribles noms à effacer dans le passé. Le malheureux journal qui a causé le duel est pitoyable et s'incline respectueusement devant les vertus de S[a] M[ajesté] [3]. À propos de S[a] M[ajesté] que dites-vous d'un homme qui en 1836 ose en 6 mois de tems faire trancher quatre têtes ? Louis XIV disait : « l'État, c'est moi. » Louis-Ph[ilippe] s'est chargé de faire [de] ce mot une cruelle et sanglante périphrase !

Adieu – *Envoyez-moi* encore le *Droit* pour que je lise les plaidoyers *apportez-moi* votre gravure et en attendant reposez-vous à l'ombre des arbres paternels et apprenez à votre fille à aimer et à pardonner car l'amour et le pardon de l'homme attirent comme un divin aimant l'amour et le pardon de Dieu.

A vous.

M.

On m'a dit que Mme de Rochemure [sic] était votre amie intime est-ce vrai ? J'en suis jalouse [4].

[Adresse :]
Madame George Sand
Nohant près la Châtre
Indre.

---

3. Le célèbre journaliste républicain, directeur du *National*, était mort le 24 juillet des suites de son duel avec Émile de Girardin, directeur de la *Presse*.
4. Adélaïde-Joséphine-Lucie-*Moïna* Le Lièvre de la Grange (1800-1844), veuve du duc de Caylus, épousa en 1829 Jean-Louis, comte Carra de Rochemur de Saint-Cyr, contre le vœu de ses parents, ce qui n'était pas pour déplaire à George Sand.

LETTRE N° 13

À *Marie d'Agoult*

[Nohant, 20 août 1836]

Quoi qu'il arrive désormais, et sans aucun prétexte de retard que ma propre mort, je serai à Genève dans les 4 premiers jours de septembre. Je quitte Nohant le 28, je passe 24 heures à Bourges, et je me lance par Lyon. Les diligences sont pitoyables et ne vont pas vite. C'est pourquoi je ne puis vous fixer le jour de mon arrivée. Répondez-moi courrier par courrier où il faut que je descende à Genève. Nos lettres mettent 4 jours à parvenir. Vous avez le temps juste de me répondre un mot. Nous ferons ce que vous voudrez. Nous irons ou nous nous tiendrons où vous voudrez, pourvu que je sois avec vous, c'est tout ce qu'il me faut. Je vous avertis seulement que j'ai mes deux mioches avec moi. S'il m'eût fallu attendre la fin de leurs vacances pour vous aller voir, c'eût été encore six semaines de retard. Je les emmène donc. Ils sont peu embarrassants, très dociles, et accompagnés d'ailleurs d'une servante qui vous en débarrassera quand ils vous ennuieront. Si vous me donnez une chambre, un matelas par terre à Maurice, un même lit pour ma fille et pour moi nous suffiront. À Paris, nous n'en avons pas davantage quand ils sortent tous deux à la fois. La servante couchera à l'auberge. Quand je voudrai écrire, si l'envie m'en prend (ce dont j'aime à douter), vous me prêterez un coin de votre table. Si toute cette population que je traîne à ma suite vous gêne, vous nous mettrez tous à l'auberge, que vous m'indiquerez la plus voisine de votre domicile et en attendant, vous me direz où est ce domicile, car je ne m'en souviens plus, et j'écris au hasard g[ran]de rue sur l'adresse sans savoir pourquoi. Adieu, mes enfants bien-aimés. Je ne retrouverai mes esprits (si toutefois j'ai des *esprits*), je ne commencerai à croire à mon bonheur qu'auprès de vous.

LETTRE N° 14

À *George Sand*

[Saint-Gervais, 25 août 1836]

Mr George votre lettre m'est arrivée après un retard de quatre jours à S[ain]t-Gervais – où je suis maintenant. Je vous réponds donc à tout hazard [sic], ne pensant plus guère que ma lettre vous arrive, en tous [sic] cas vous trouverez au débotté de la diligence ou bien Franz ou (si un mal de pied qui le retient en ce moment n'est pas guéri) Monseigneur Puzzy qui vous escortera à Chamounix où nous serons. Je suis ravie des mioches, je trouve d'avance la servante adorable et je vous embrasse en attendant.

M.
S[ain]t-Gervais 25 août.

[Adresse :]   [Poste :]
Mad. George Sand   Genève 27 août 1836.
Nohant – La Châtre
Indre.

Marie a-t-elle vraiment écrit le billet qui suit ? C'est peu probable car elle n'usait du tutoiement qu'avec ses enfants (il existe toutefois une autre exception, le billet reproduit ici au n° 66). Ces quelques lignes ont été probablement arrangées par George qui a relaté leur excursion dans la Lettre d'un voyageur, *publiée par la* Revue des Deux Mondes *du 15 novembre 1836. La comtesse d'Agoult y est déguisée sous le pseudonyme d'Arabella.*

LETTRE N° 15

À George Sand

[Début septembre 1836]

Nous t'avons attendu, tu n'es pas exact, tu nous ennuies. Cherche-nous ! nous sommes partis.

Arabella

P. S. Vois le major [1], et viens avec lui nous trouver.

George arrive le 8 septembre à l'hôtel de l'Union avec ses enfants et une bonne. Elle y retrouve Liszt et Marie. Vont se joindre à eux Hermann Cohen et Adolphe Pictet. Cette équipée inspirera deux récits, un long passage d'une Lettre d'un voyageur à George Sand, et à Adolphe Pictet, un petit livre, Une course à Chamounix, *où il se plaît à opposer le physique des deux jeunes femmes. Celui-ci décrit avec verve l'atmosphère de farce qui règne dans le groupe. Lorsqu'il arrive à l'hôtel et qu'il consulte le livre des voyageurs, voici ce qu'il découvre, rempli par Liszt :* Musicien-philosophe, *né* au Parnasse,

---

1. C'est-à-dire le savant suisse Adolphe Pictet (1799-1875) qui est resté, jusqu'à sa mort, lié à la comtesse d'Agoult. Officier supérieur d'artillerie, il est l'auteur de plusieurs ouvrages érudits sur les langues indo-européennes. Il publie aussi, en 1838, *Une course à Chamounix*, où il relate son excursion autour de Genève en compagnie de Liszt, de la comtesse d'Agoult, de George Sand et de ses enfants.

venant du Doute, *allant* à la Vérité ; *et par George :* Famille Piffoëls, flâneurs, *née* en Europe, *venant* de Dieu, *allant* au ciel, etc. *Pictet raconte comment, un jour, celle-ci asperge d'eau trois Anglais assis sous ses fenêtres. Un autre soir, on boit un peu trop, et Marie, toujours sérieuse, se récrie :* « J'ai cru réellement que vous aviez tous perdu l'esprit. Vous, Franz, chantiez à tue-tête, et, armé d'une paire de mouchettes, vous alliez tout autour de la chambre, frappant sur des chaises, qui, disiez-vous, chantaient faux et hors de mesure. Le major conversait en sanscrit avec d'invisibles personnages qu'il croyait voir au plafond. George dansait par la chambre avec une surprenante agilité, en poussant de grands éclats de rire et en tenant d'inintelligibles discours. J'ai fini par m'enfuir pour ne pas être entraînée dans le tourbillon. »

Un peu plus tard, la comtesse d'Agoult confia à son journal les angoisses qu'elle éprouva lors de leur rencontre. « Ces lettres [de George] me charmaient ; j'y trouvais un naturel, une grâce, une génialité qui m'attiraient singulièrement. Il me semblait qu'elle me poëtisait [sic] trop et que, lorsqu'elle me verrait de *grandeur naturelle*, elle ne pourrait plus m'aimer. Elle me paraissait d'ailleurs si étrange, si peu semblable à tout ce que j'avais connu, que je n'imaginais pas quelle façon d'être avec elle serait la bonne, ce qui devait lui plaire ou la blesser, lui agréer ou la gêner ?... Quand elle vint à Chamounix, cette préoccupation me rendit froide et gauche ; ses *gamineries* me déroutaient ; je sentis que je n'étais point à l'aise et que par conséquent je n'étais point aimable ; j'en fus attristée parce que je désirais avec passion son amitié mais plus la tristesse prenait le dessus plus elle étouffait le peu qui me restait de bonne grâce et de charme. »

Chacun recueille des surnoms qui vont apparaître désormais tout au long de la correspondance. George, c'est Piffoël à cause de son grand nez. Marie, qui est Arabella (ou Mirabelle, ou la Princesse), forme avec Liszt (surnommé ailleurs le Valaisan ou le Crétin) le couple des Fellows (camarades).

Voici le passage de la Lettre d'un voyageur *où George Sand relate l'excursion.*

Genève.

« Messieurs, où descendez-vous ? »
C'est le postillon qui parle. Réponse :
« Chez M. Liszt.
– Où loge-t-il, ce monsieur-là ?
– *J'allais précisément vous adresser la même question.*
– Qu'est-ce qu'il fait ? Quel est son état ?
– Artiste.
– Vétérinaire ?
– Est-ce que tu es malade, animal ?
– C'est un marchand de violons, dit un passant, je vais vous conduire chez lui. »

On nous fait gravir une rue à pic, et l'hôtesse de la maison indiquée nous déclare que Liszt est en Angleterre.

« Voilà une femme qui radote, dit un autre passant, M. Liszt est un musicien du théâtre ; il faut aller le demander au régisseur.
– Pourquoi non ? » dit le légitimiste. Et il va trouver le régisseur. Celui-ci déclare que Liszt est à Paris. « Sans doute, lui fais-je avec colère, il est allé s'engager comme flageolet dans l'orchestre Musard, n'est-ce pas ?
– Pourquoi non ? dit le régisseur.

– Voici la porte du casino, dit je ne sais qui. Toutes les demoiselles qui prennent des leçons de musique connaissent M. Liszt.

– J'ai envie d'aller parler à celle qui sort maintenant avec un cahier sous le bras, dit mon compagnon.

– Et pourquoi non ? d'autant plus qu'elle est jolie. »

Le légitimiste fait trois saluts à la française, et demande l'adresse de Liszt dans les termes les plus convenables. La jeune personne rougit, baisse les yeux, et avec un sourire étouffé répond que M. Liszt est en Italie.

« Qu'il soit au diable ! Je vais dormir dans la première auberge venue ; qu'il me cherche à son tour. »

À l'auberge, on m'apporte bientôt une lettre de sa sœur.

« Nous t'avons attendu, tu n'es pas exact, tu nous ennuies. Cherche-nous ! nous sommes partis.

« Arabella.

« P. S. – Vois le major, et viens avec lui nous trouver. »

« Qu'est-ce que le major ?

– Que vous importe ? dit mon ami le légitimiste.

– Au fait ! Garçon, allez chercher le major. »

Le major arrive. Il a la figure de Méphistophélès et la capote d'un douanier. Il me regarde des pieds à la tête et me demande qui je suis.

« Un voyageur mal mis, comme vous voyez, qui se recommande d'Arabella.

– Ah ! ah ! je cours chercher un passeport.

– Cet homme est-il fou ?

– Non pas ; demain nous partons pour le Mont-Blanc. »

Nous voici à Chamounix ; la pluie tombe, et la nuit s'épaissit. Je descends au hasard à l'*Union*, que les gens du pays prononcent *Oignon*, et cette fois je me garde bien de demander l'artiste européen par son nom. Je me conforme aux notions du peuple éclairé que j'ai l'honneur de visiter, et je fais une description sommaire du personnage : Blouse étriquée, chevelure longue et désordonnée, chapeau d'écorce défoncé, cravate roulée en corde, momentanément boiteux, et fredonnant habituellement le *Dies irae* d'un air agréable.

« Certainement, monsieur, répond l'aubergiste, ils viennent d'arriver ; la dame est bien fatiguée, et la jeune fille est de bonne humeur. Montez l'escalier, ils sont au n° 13,

– Ce n'est pas cela », pensai-je ; mais n'importe. Je me précipite dans le n° 13, déterminé à me jeter au cou du premier Anglais spleenétique qui me tombera sous la main. J'étais crotté de manière à ce que ce fût là une charmante plaisanterie de commis voyageur.

Le premier objet qui s'embarrasse dans mes jambes, c'est ce que l'aubergiste appelle la *jeune fille*. C'est Puzzi à califourchon sur le sac de nuit, et si changé, si grandi, la tête chargée de si longs cheveux bruns, la taille prise dans une blouse si féminine, que, ma foi ! je m'y perds ; et, ne reconnaissant plus le petit Hermann, je lui ôte mon chapeau en lui disant : « Beau page, enseigne-moi où est Lara ? »

Du fond d'une capote anglaise sort, à ce mot, la tête blonde d'Arabella ; tandis que je m'élance vers elle, Franz me saute au cou, Puzzi fait un cri de surprise ; nous formons un groupe inextricable d'embrassements, tandis que la fille d'auberge, stupéfaite de voir un garçon si crotté, et que jusque-là elle avait pris pour un jockey, embrasser une aussi belle dame qu'Arabella, laisse tomber sa chandelle, et va répandre dans la maison que le n° 13 est envahi par une troupe de gens mystérieux, indéfinissables, chevelus comme des sauvages, et où il n'est pas possible de reconnaître les hommes d'avec les femmes ; les valets d'avec les maîtres. « Histrions ! » dit gravement le chef de cuisine d'un air de mépris, et nous voilà stigmatisés, montrés au doigt, pris en horreur. Les dames anglaises que nous rencontrons dans les corridors rabattent leurs voiles sur leurs visages pudiques, et leurs majestueux époux se concertent pour nous demander pendant le souper une petite représentation de notre savoir-faire, moyennant une collecte raisonnable. C'est ici le lieu de te communiquer la remarque la plus scientifique que j'aie faite dans ma vie.

Les insulaires d'Albion apportent avec eux un fluide particulier que j'appellerai le fluide britannique, et au milieu duquel ils voyagent, aussi peu accessibles à l'atmosphère des régions qu'ils traversent que la souris au centre de la machine pneumatique. Ce n'est pas seulement grâce aux mille précautions dont ils s'environnent, qu'ils sont redevables de leur éternelle impassibilité. Ce n'est pas parce qu'ils ont trois paires de *breeches* les unes sur les autres qu'ils arrivent parfaitement secs et propres malgré la pluie et la fange ; ce n'est pas non plus parce qu'ils ont des perruques de laine que leur frisure roide et métallique brave l'humidité ; ce n'est pas parce qu'ils marchent chargés chacun d'autant de pommades, de brosses et de savon qu'il en faudrait pour adoniser tout un régiment de conscrits bas-bretons, qu'ils ont toujours la barbe fraîche et les ongles irréprochables. C'est parce que l'air extérieur n'a pas de prise sur eux ; c'est parce qu'ils marchent, boivent, dorment et mangent dans leur fluide, comme dans une cloche de cristal épaisse de vingt pieds, et au travers de laquelle ils regardent en pitié les cavaliers que le vent défrise et les piétons dont la neige endommage la chaussure. Je me suis demandé, en regardant attentivement le crâne, la physionomie et l'attitude des cinquante Anglais des deux sexes qui chaque soir se renouvelaient autour de chaque table d'hôte de la Suisse, quel pouvait être le but de tant de pèlerinages lointains, périlleux et difficiles, et je crois avoir fini par le découvrir, grâce au major, que j'ai consulté assidûment sur cette matière. Voici : pour une Anglaise le vrai but de la vie est de réussir à traverser les régions les plus élevées et les plus orageuses sans avoir un cheveu dérangé à son chignon. – Pour un Anglais, c'est de rentrer dans sa patrie après avoir fait le tour du monde sans avoir sali ses gants ni troué ses bottes. C'est pour cela qu'en se rencontrant le soir dans les auberges après leurs pénibles excursions, hommes et femmes se mettent sous les armes et se montrent, d'un air noble et satisfait, dans toute l'imperméabilité majestueuse de leur tenue de touriste. Ce n'est pas leur personne, c'est leur garde-robe qui voyage, et l'homme n'est que l'occasion du porte-manteau, le véhicule de l'habillement. Je ne serais pas étonné de voir paraître à Londres des relations de voyage ainsi intitulées : Promenades d'un chapeau dans les marais Pontins. – Souvenirs de l'Helvétie par un collet d'habit. – Expédition autour du monde, par un manteau de caoutchouc. – Les Italiens tombent dans le défaut contraire. Habitués à un climat égal et suave, ils méprisent les plus simples précautions, et les variations de la température les saisissent si vivement dans nos climats, qu'ils y sont aussitôt pris de nostalgie ; ils les parcourent avec un dédain superbe, et, portant le regret de leur belle patrie avec eux, la comparent sans cesse et tout haut à tout ce qu'ils voient. Ils ont l'air de vouloir mettre en loterie l'Italie comme une propriété, et de chercher des actionnaires pour leurs billets. Si quelque chose pouvait ôter l'envie de passer les Alpes, ce serait l'espèce de criée qu'il faut subir à propos de toutes les villes et de tous les villages dont les noms seuls font battre le cœur et enfler la voix d'un Italien aussitôt qu'il les prononce.

Les meilleurs voyageurs, et ceux qui font le moins de bruit, ce sont les Allemands, excellents piétons, fumeurs intrépides et tous un peu musiciens ou botanistes. Ils voient lentement, sagement, et se consolent de tous les ennuis de l'auberge avec le cigare, le flageolet ou l'herbier. Graves comme les Anglais, ils ont de moins l'ostentation de la fortune et ne se montrent pas plus qu'ils ne parlent. Ils passent inaperçus et sans faire de victimes de leurs plaisirs ou de leur oisiveté.

Quant à nous autres Français, il faut bien avouer que nous savons voyager moins qu'aucun peuple de l'Europe. L'impatience nous dévore, l'admiration nous transporte : nos facultés sont vives et saisissantes ; mais le dégoût nous abat au moindre échec. Quoique notre *home* soit généralement peu confortable, il exerce sur nous une puissance qui nous poursuit jusqu'aux extrémités de la terre, nous rend revêches et malhabiles à supporter les privations et les fatigues, et nous inspire les plus puérils et les plus inutiles regrets. Imprévoyants comme les Italiens, nous n'avons pas leur force physique pour supporter les inconvénients de notre maladresse. Nous sommes en voyage ce que nous sommes à la guerre, ardents au début, démoralisés à la débandade. Quiconque voit le départ d'une caravane française dans les chemins escarpés de la Suisse peut bien rire de cette joie impétueuse, de ces courses folles sur les ravins, de cette hâte facétieuse, de toute cette peine perdue, de toute cette force prodiguée à l'avance sur les marges de la route, et de cette vaine attention donnée avec enthousiasme aux premiers objets venus.Celui-là peut être bien certain qu'au bout d'une heure la caravane aura épuisé tous les moyens possibles de se lasser au physique et au moral, et que vers le soir elle arrivera dispersée, triste, harassée, se traînant avec peine jusqu'au gîte, et n'ayant donné aux véritables sujets d'admiration qu'un coup d'œil distrait et fatigué.

Or, tout ceci n'est peut-être pas aussi inutile à noter qu'il te semble. Un voyage, on l'a dit souvent, est un abrégé de la vie de l'homme. La manière de voyager est donc le critérium auquel on peut connaître les nations et les individus ; l'art de voyager, c'est presque la science de la vie.

Moi, je me pique de cette science des voyages ; mais combien à mes dépens je l'ai acquise ! Je ne souhaite à personne d'y arriver au même prix, et j'en puis dire autant de tout ce qui constitue ma somme d'idées faites et d'habitudes volontaires.

Si je sais voyager sans ennui et sans dégoût, je ne me pique pas de marcher sans fatigue et de recevoir la pluie sans être mouillé. Il n'est au pouvoir d'aucun Français de se procurer la quantité nécessaire de fluide britannique pour échapper entièrement à toutes les intempéries de l'air. Mes amis sont dans le même cas, de sorte que tout le long du chemin notre toilette a été un sujet de scandale et de mépris pour les touristes pneumatiques. Mais quel dédommagement on trouve à se jeter à terre pour se reposer sur la première mousse venue, à s'enfumer dans le chalet, à traverser sans le secours du mulet et du guide les chemins difficiles, à poursuivre dans les prairies spongieuses, l'Apollon aux ailes blanches ocellées de pourpre, à courir le long des buissons après la fantaisie, plus rapide et plus belle que tous les papillons de la terre ! le tout sauf à paraître, le soir, devant les Anglais, hâlé, crépu, poudreux, fangeux ou déchiré, sauf à être pris pour un saltimbanque !

Au reste, nous fûmes un peu réhabilités à Chamounix par l'apparition du major fédéral en uniforme, et par l'arrivée du légitimiste. Leurs excellentes manières et la dignité gracieuse d'Arabella rétablirent le silence, sinon la sécurité, autour de nous. Je crois bien nonobstant que les couverts d'argent furent comptés trois fois ce soir-là ; et, pour ma part, j'entendis mistress*** et milady ***, mes voisines, deux jeunes douairières de cinquante à soixante ans, barricader leur porte comme si elles eussent craint une invasion de Cosaques.

« Ne pensez-vous pas, dit le major, qu'un pays, tout entier converti en hôtellerie pour toutes les nations, ne peut garder aucun caractère de nationalité ?

– Mais ne peut-on adresser le même reproche à votre Suisse ? lui dis-je.

– Hélas ! qui vous en empêche ? reprit-il.

– Cette Suisse qui feint de prendre une attitude fière, dit Franz, et qui, tandis que plusieurs milliers d'Anglais y étalent leur oisiveté, chasse les réfugiés de son territoire ! cette république qui s'unit aux monarchies pour traquer comme des bêtes fauves les martyrs de la cause républicaine !... »

Un roulement de tambour nous interrompit.

« Quel est ce bruit belliqueux ? dit Arabella.

– C'est la gelée qui commence, et le tambour qui l'annonce aux habitants de la vallée, afin qu'ils allument des feux auprès des pommes de terre. »

La pomme de terre est l'unique richesse de cette partie de la Savoie. Les paysans pensent qu'en établissant une couche de fumée sur la région moyenne des montagnes, ils interceptent l'air des régions supérieures et préservent de son atteinte le fond des gorges. J'ignore s'ils font bien. Si je voyageais aux frais d'un gouvernement, d'une société savante ou seulement d'un journal, j'apprendrais cela, et bien d'autres choses encore, que je risque fort de ne savoir jamais mieux que la plupart de ceux qui en parlent et en décident. Ce que je sais, c'est que cette ligne de feux, établis comme des signaux tout le long du ravin, m'offrit, au milieu de la nuit, un spectacle magnifique. Ils perçaient de taches rouges et de colonnes de fumée noire le rideau de vapeur d'argent où la vallée était entièrement plongée et perdue. Au-dessus des feux, au-dessus de la fumée et de la brume, la chaîne du Mont-Blanc montrait une de ces dernières ceintures granitiques, noire comme l'encre et couronnée de neige. Ces plans fantastiques du tableau semblaient nager dans le vide. Sur quelques cimes que le vent avait balayées, apparaissaient, dans un firmament pur et froid, de larges étoiles. Ces pics de montagnes, élevant dans l'éther un horizon noir et resserré, faisaient paraître les astres étincelants. L'œil sanglant du Taureau, le farouche Aldébaran, s'élevait au-dessus d'une sombre aiguille, qui semblait le soupirail du volcan d'où cette infernale étincelle venait de jaillir. Plus loin, Fomalhaut, étoile bleuâtre, pure et mélancolique, s'abaissait sur une cime blanche, et semblait une larme de compassion et de miséricorde tombée du ciel sur la pauvre vallée, mais prête à être saisie en chemin par l'esprit perfide des glaciers.

Ayant trouvé ces deux métaphores, dans un grand contentement de moi-même, je fermai ma fenêtre. Mais en cherchant mon lit, dont j'avais perdu la position dans les ténèbres, je me fis une bosse à la tête contre l'angle du mur. C'est ce qui me dégoûta de faire des métaphores tous les jours subséquents. Mes amis eurent l'obligeance de s'en déclarer singulièrement privés.

Ce que j'ai vu de plus beau à Chamounix, c'est ma fille. Tu ne peux te figurer l'aplomb et la fierté de cette beauté de huit ans, en liberté dans les montagnes. Diane enfant devait être ainsi, lorsque, inhabile encore à poursuivre le sanglier dans l'horrible Érymanthe, elle jouait avec de jeunes faons sur les croupes *amènes* de l'Hybla. La fraîcheur de Solange brave le hâle et le soleil. Sa chemise entrouverte laisse à nu sa forte poitrine, dont rien ne peut ternir la blancheur immaculée. Sa longue chevelure blonde flotte en boucles légères jusqu'à ses reins vigoureux et souples que rien ne fatigue, ni le pas sec et forcé des mules, ni la course *au clocher* sur les pentes rapides et glissantes, ni les gradins de rochers qu'il faut escalader durant des heures entières. Toujours grave et intrépide, sa joue se colore d'orgueil et de dépit quand on cherche à aider sa marche. Robuste comme un cèdre des montagnes et fraîche comme une fleur des vallées, elle semble deviner, quoiqu'elle ne sache pas encore le prix de l'intelligence, que le doigt de Dieu l'a touchée au front, et qu'elle est destinée à dominer un jour, par la force morale, ceux dont la force physique la protège maintenant. Au glacier des Bossons, elle m'a dit : « Sois tranquille, mon George ; quand je serai reine, je te donnerai tout le Mont-Blanc. »

Son frère, quoique plus âgé de cinq ans, est moins vigoureux et moins téméraire. Tendre et doux, il reconnaît et révère instinctivement la supériorité de sa sœur ; mais il sait bien aussi que la bonté est un trésor. « *Elle* te rendra fier, me dit-il souvent, moi je te rendrai heureux. »

Éternel souci, éternelle joie de la vie, adulateurs despotiques, âpres aux moindres jouissances, habiles à se les procurer, soit par l'obsession, soit par l'opiniâtreté ; égoïstes avec candeur, instinctivement pénétrés de leur trop légitime indépendance, les enfants sont nos maîtres, quelque fermeté que nous feignions vis-à-vis d'eux. Entre les plus fougueux et les plus incommodes les miens se distinguent, malgré leur bonté naturelle ;

et j'avoue que je ne sais aucune manière de la plier à la forme sociale avant que la société leur fasse sentir ses angles de marbre et ses herses de fer. J'ai beau chercher quelle bonne raison on peut donner à un esprit sortant de la main de Dieu et jouissant de sa libre droiture pour l'astreindre à tant d'inutiles et folles servitudes. À moins d'habitudes que je n'ai pas et d'un charlatanisme que je ne peux ni ne veux avoir, je ne comprends pas comment j'oserais exiger que mes enfants reconnussent la prétendue nécessité de nos ridicules entraves. Je n'ai donc qu'un moyen, l'autorité : et je l'emploie quand il faut, c'est-à-dire fort rarement ; c'est ce que je ne conseille à personne d'essayer s'il n'a les moyens de se faire aimer autant que craindre.

J'aime beaucoup les systèmes, le cas d'application excepté. J'aime la foi saint-simonienne, j'estime fort le système de Fourier ; je révère ceux qui, dans ce siècle maudit, n'ont subi aucun entraînement vicieux, et qui se retirent dans une vie de méditation et de recherche pour rêver le salut de l'humanité. Mais je crois qu'avec la moindre vertu mise en action, et soutenue par une certaine énergie, on en ferait plus qu'avec toute la sagesse des nations délayée dans les livres. Cela me vient, non à propos de l'éducation de mes enfants, mais à propos de celle du genre humain, sur laquelle Franz discourait, du haut de sa mule, en traversant les précipices de la Tête-Noire. Et moi, à pied, tirant par la bride le mulet de ma fille, pour lui faire descendre les gradins de rochers fort difficiles, je babillais à tort et à travers. On me faisait la guerre parce que je n'avais pas voulu mordre à la philosophie durant notre séjour à Chamounix. Le major est savant, Franz est curieux de science, Arabella pénètre tout d'un coup d'œil rapide et clair. Moi, je suis paresseux, nonchalant, et orgueilleux de mon ignorance comme un sauvage.

Ils avaient beau jeu contre moi, eux trois qui savaient sur le bout de leur doigt tout l'argot de la métaphysique allemande. Je me défendis comme un diable, et je crois que nous ne nous entendîmes ni les uns ni les autres. D'abord, je suspectais le major de vouloir me sonder pour me juger du haut de son savoir, et prononcer judicieusement sur la pauvreté de ma cervelle. Je n'étais pas bien pressé, comme tu peux croire, de lui laisser palper toutes les bosses et tous les creux phrénologiques dont m'a doué la nature. Je n'aime à parler de moi qu'avec ceux que j'aime, et, quoique je trouvasse le major infiniment spirituel (peut-être même à cause de cela précisément), je me sentais une secrète méfiance contre lui.

J'avais grand tort, assurément. Dans la suite du voyage, j'ai vu qu'il était bon autant qu'intelligent ; et son cerveau, que je croyais si froid et si bouffi, est plus poétique que le mien : je m'en suis aperçu à ma grande honte et à mon grand plaisir.

Tant il y a, que, le jugeant un peu pédant, je fis le grossier et le railleur avec lui pendant toute cette journée. J'attaquai, par esprit de contradiction, toutes les belles choses qu'il savait, et je fis une guerre de Vandale à sa métaphysique. Il me crut plus bête que je n'étais, et j'eus lieu de m'en réjouir ; car il commença de ce moment à me prendre en amitié et à ne plus fouiller dans mon cerveau, avec son microscope, pour y trouver ces sataniques merveilles qu'il y supposait. Il vit que j'étais un assez bon garçon, pas du tout *fort*, et plus rapproché de la nature du hanneton que de celle du diable.

Au fond, s'il avait raison contre moi à beaucoup d'égards, je soutiens que je n'avais pas tort dans ce que je voulais prouver. Mon erreur ne consistait qu'à vouloir combattre en lui des systèmes que je lui supposais fort gratuitement ; et, pour repousser un étalage de fausse et froide science que je lui attribuais injustement, je faisais le procès à toute science, à toute méthode, à toute théorie. Je crois, Dieu me le pardonne ! que j'aurais médit de mon Jean-Jacques lui-même s'il eût pris son parti. Mais il me fit le plaisir de n'y point songer, et moi, m'enfonçant jusqu'au cou dans la sauvagerie de mon maître bien-aimé, je déclamai (un peu moins éloquemment que lui) contre l'abus de la science et les absurdités de la philosophie creuse. Voilà où j'avais raison : je hais cette science profonde, ardue, inextricable, barbare, où l'esprit se noie, où le cœur se dessèche ; cette métaphysique glacée des Allemands, qui analyse l'âme humaine, qui dissèque les mystères de la Divinité en nous, sans songer à éveiller dans nos cœurs une pensée généreuse, sans y faire germer un sentiment vraiment religieux, vraiment humain. Je me révoltai donc contre tous ces docteurs éclectiques dont je croyais le major infatué. Je me cramponnai au fait, à la logique claire, à la pratique ardente, aux principes républicains, à la générosité du sang français, à la France, en un mot, que ce Genevois avait l'air de mépriser, son Allemagne métaphysique à la main. Pour exprimer tout cela, je débitai mille sottises : le rusé major m'y poussait en me traitant de jacobin ; et moi, bouillant enfant de Paris que je suis, je ne voulus point renier mes pères, les fils de notre aïeul Rousseau. La dispute était trop animée pour que je songeasse à faire mes réserves. Il me semblait que c'eût été lâcheté que de faire la part de nos égarements, de notre ignorance et de nos excès de 93, en présence d'un adversaire qui feignait d'en imputer la faute à notre France philosophique du dix-huitième siècle ; et, de parole en parole, je m'échauffai si bien que j'eusse été capable d'envoyer à la guillotine le major, Puzzi, la poupée que ma fille portait en croupe, et jusqu'au mulet qu'elles chevauchaient de compagnie.

Mais tout à coup je m'aperçus que le major, ennuyé ou révolté de ma mauvaise foi, ne m'écoutait plus. Il avait la tête penchée sur son livre, et, au milieu des plus belles scènes de la nature, il n'avait d'yeux et de pensée que pour un traité de philosophie qu'il venait de tirer de sa poche. Je me permis de l'en railler.

« Taisez-vous, me dit-il ; vous traversez la vie en regardant comment les objets sont colorés, découpés et arrangés en apparence ; vous ne savez et vous ne désirez savoir la cause de rien. Vous avez bien regardé les montagnes depuis Chamounix jusqu'ici, n'est-ce pas ? Vous avez compté les sapins, et vous pourriez tracer dans votre cerveau une ligne exacte des déchiquetures de la chaîne, comme un dessinateur géographe trace de mémoire les sinuosités de la Saône sur un morceau de papier. Pendant ce temps-là, j'ai cherché le principe de l'univers.

– Et vous l'avez trouvé, major ? Faites-nous-en part.

– Vous êtes impertinent, dit-il. Je n'ai rien trouvé du tout ; mais j'ai pensé au principe de l'univers, et c'est un sujet de réflexion qui vaut bien l'action de regarder en l'air sans penser à rien. »

Et, donnant du talon à sa mule, il nous laissa en arrière, toujours clignotant sur son livre, et répétant entre ses dents une phrase qu'il venait de lire, et qui, apparemment, ne lui semblait pas claire : *« L'absolu est identique à lui-même. »*

« Quand nous arriverons à Martigny, osai-je dire, sur les onze heures du soir, il aura peut-être découvert vingt-trois mille manières d'interpréter ces quatre mots. Je comprends qu'on ne peut être de bonne humeur quand on a de pareilles contentions d'esprit.

– Vous avez tort réciproquement de vous insulter, dit la sage Arabella. Tout homme est sage qui s'abandonne à ses impressions sans s'occuper du *qu'en pensera-t-on ?* Il y a quelque chose de plus stupide que l'indifférence du vulgaire en présence des beautés naturelles ; c'est l'extase obligée, c'est l'infatigable exclamation. Si le major n'est point dans une disposition artistique ce matin, il montre beaucoup plus de sens et d'esprit en se jetant dans une préoccupation absolue que s'il faisait de tristes efforts pour ranimer son enthousiasme refroidi.

– D'ailleurs, je ne sais pas de quel droit, reprit Franz, nous mépriserions son indifférence pour le paysage ; car nous n'avons encore fait que nous disputer depuis le départ. Quant au docteur Puzzi, il attrape gravement des criquets le long des buissons, et ce n'est pas beaucoup plus poétique.»

Vers le déclin du jour, nous nous trouvâmes au plus haut du col des montagnes, et nous fûmes assaillis par un vent glacé qui nous soufflait le grésil au visage. Courbés sur nos mules, nous nous cachions le nez dans nos manteaux. Le major était impassible et songeait à son absolu. Dix minutes plus tard et un quart de lieue plus bas, nous rentrâmes dans une région tempérée, et les profondeurs du Valais s'ouvrirent sous nos pieds, couronnées de cimes violettes et traversées par le Rhône comme par une bande d'argent mat. La nuit vint avant que nous eussions traversé, au pas de course, la zone de prairies qui conduit à Martigny, par de beaux gazons coupés de mille ruisseaux. Un trou notable à mon soulier me força de monter sur la mule du major, en croupe derrière lui et son absolu. Il ne me fit pas grâce de la leçon.

« Les systèmes ne sont pas tout à fait aussi méprisables, dit-il, que veulent bien le faire croire les gens incapables de suivre pendant un quart d'heure le plus simple raisonnement, et de comprendre les plus claires théories. Ce sont d'excellentes habitudes d'esprit que celles qui amènent à embrasser d'un coup d'œil toutes les combinaisons de la pensée ; et quand on est arrivé à saisir sans effort, et à comparer sans trouble et sans vertige, toutes les données morales et philosophiques qui circulent dans le monde intelligent, je crois qu'on est au moins aussi capable de juger son siècle que lorsqu'on se croise les bras en disant : "Tout ce qui est obscur est inintelligible, tout de qui est difficile est irréalisable."

– Bravo ! major ; à bas l'obscurantiste ! » s'écrièrent en chœur les assistants.

Je n'étais pas content, d'autant plus que la mule avait le trot dur, et que l'infernal major accompagnait chaque phrase d'un coup d'éperon qui m'imprimait de violentes secousses. J'avais grande envie de le pousser dans le premier fossé venu et de continuer la route sans lui ; mais je craignis qu'il ne se vengeât par quelque malice plus raffinée ; et comme j'ai le malheur d'être fort lourd dans la plaisanterie, je me soumis à mon sort en attendant une meilleure occasion. La bonne Arabella, me voyant mortifié, prit généreusement ma défense.

« Si vous n'aviez pas trouvé dans la science autre chose que l'avantage et le plaisir de juger votre siècle, dit-elle au major, ce ne serait pas d'un grand profit pour nous autres. Ce n'est pas seulement d'intelligence que les hommes ont besoin, mais d'amour et d'activité. Voilà sans doute ce que Piffoël veut prouver depuis trois heures qu'il déraisonne, et voilà ce que le major fait semblant de ne pas comprendre, bien qu'il en soit pénétré tout autant que nous.

– Non ! non ! m'écriai-je avec humeur ; il n'est pénétré que du contraire. Si le major est savant, que lui importent les souffrances et l'abjection du simple et de l'ignorant ? Que le major sympathise avec des esprits d'une haute trempe, cela est heureux et agréable pour lui et pour eux; mais le monde n'en ressent aucune chaleur, et le vulgaire n'en reçoit aucun soulagement. Eh! trouvez donc un moyen d'appuyer votre science sur un texte limpide et laconique! et quand vous aurez fait un peuple avec cela, vous lui ferez des codes en trente volumes si vous voulez. Jusque-là vous n'êtes que des brahmanes, vous cachez la vérité dans des puits, et vos plus anciens adeptes peuvent à peine expliquer vos mystères, tant ils sont compliqués, tant le principe y est enveloppé d'hiéroglyphes! Faute de vouloir trancher dans le vif et de présenter courageusement tout le péril et toute la souffrance d'une grande crise expiatoire, vous faites rire avec vos énigmes, et vous méritez à plusieurs égards les reproches d'hypocrisie qu'on vous adresse. Voilà pourquoi tout votre bagage scientifique n'enrichit personne; voilà pourquoi nous ne savons rien, ou, quand nous nous mêlons d'étudier et d'interpréter, nous tombons dans une déplorable confusion.

– Et cependant, n'en doutez pas, reprit Franz, l'avenir du monde est dans tout. Les divers éléments de rénovation se constitueront un jour et formeront une noble unité. Oh! non, tant de belles œuvres éparses ne retomberont pas dans la nuit; tant de nobles aspirations, tant de généreux soupirs ne seront pas étouffés par l'implacable indifférence du destin. Qu'importent les erreurs, les faiblesses et les dissensions des champions de la vérité? Ils combattent aujourd'hui épars, et malades, malgré eux, du désordre et de l'intolérante vanité du siècle. Ils ne peuvent s'élever au-dessus de cette atmosphère empoisonnée. Perdus dans une affreuse mêlée, ils se méconnaissent, se fuient et se blessent les uns les autres, au lieu de se presser sous la même bannière et de plier le genou devant les plus robustes et les plus purs d'entre eux. Ils prodiguent leur force à des engagements partiels, à de frivoles escarmouches. Il faut que cette génération haletante passe et s'efface comme un torrent d'hiver. Il faut qu'elle emporte nos lamentations prophétiques, nos protestations et nos pleurs. Après elle, de nouveaux combattants mieux disciplinés, instruits par nos revers, ramasseront nos armes éparses sur le champ de bataille, et découvriront la vertu magique des flèches d'Hercule.

– Embrassons-nous, mon pauvre Franz, et que Dieu t'entende ! m'écriai-je en sautant à bas du mulet ; tu ne parles et tu ne penses pas mal pour un musicien.»

Le major sourit dans sa barbe en nous regardant d'un œil paternel. Son cœur sympathisait avec notre élan vers l'avenir, et il commençait à me sembler moins infernal qu'il ne m'avait passé par la tête de le supposer.

Une servante de mauvaise humeur ouvrait en cet instant la porte de l'hôtel de la Grand-Maison à Martigny.

« Ce n'est pas une raison pour faire la grimace », lui dit à brûle-pourpoint Franz, qui était tout émoustillé et tout guerroyant.

Elle faillit lui jeter son flambeau à la tête. Ursule se prit à pleurer. « Qu'as-tu ? lui dis-je. – Hélas ! dit-elle, je savais bien que vous me mèneriez au bout du monde ; nous voici à la Martinique. Il faudra passer la mer pour retourner chez nous ; on me l'avait bien dit que vous ne vous arrêteriez pas en Suisse ! – Ma chère, lui dis-je, rassure-toi et enorgueillis-toi. D'abord, tu es à Martigny, en Suisse, et non à la Martinique. Ensuite, tu sais la géographie absolument comme Shakespeare. »

Cette dernière explication parut la flatter. Franz donna l'ordre aux domestiques de réveiller la caravane à six heures du matin. Nous nous jetâmes dans nos lits, exténués de fatigue. J'avais fait à pied presque tout le chemin, c'est-à-dire huit lieues. Le major l'avait fort bien remarqué, et il me gardait un plat de son métier.

Il s'enferma avec son traité de l'absolu et Puzzi, qu'il rossa pour l'empêcher de ronfler, et il chercha toute la nuit le véritable sens de cette terrible phrase : « L'absolu est identique à lui-même. »

N'en ayant point trouvé qui le satisfît pleinement, son humeur satanique s'exaspéra, et à quatre heures du matin il vint faire un vacarme épouvantable à ma porte. Je m'éveille, je m'habille en toute hâte, je refais mes paquets et je parcours toute la maison, affairé, me frottant les yeux, luttant contre la fatigue et craignant d'être en retard. Un profond silence régnait partout : j'en étais à croire que la caravane était partie sans moi, quand le major, en bonnet de nuit, apparaît en bâillant sur le seuil de sa chambre.

« Quelle mouche vous pique ? dit-il avec un sourire féroce, et d'où vient que vous êtes si matinal ? Votre humeur est vraiment fâcheuse en voyage. Tenez-vous en repos, nous avons encore une heure à dormir.

– *Damné* major !... » m'écriai-je avec fureur.

Le nom lui en est resté, et il est bien plus expressif qu'il n'est permis à ma plume de le tracer. C'est le synonyme d'oint ; et, comme la langue est éminemment logique, c'est une épithète de sublimité quand on la place après le substantif.

Fribourg.

Nous entrâmes dans l'église de Saint-Nicolas pour entendre le plus bel orgue qui ait été fait jusqu'ici. Arabella, habituée aux sublimes réalisations, âme immense, insatiable, impérieuse envers Dieu et les hommes, s'assit fièrement sur le bord de la balustrade, et, promenant sur la nef inférieure son regard mélancoliquement contemplateur, attendit, et attendit en vain, ces voix célestes qui vibrent dans son sein, mais que nulle voix humaine, nul instrument sorti de nos mains mortelles ne peut faire résonner à son oreille. Ses grands cheveux blonds, déroulés par la pluie, tombaient sur sa main blanche ; et son œil, où l'azur des cieux réfléchit sa plus belle nuance, interrogeait la puissance de la créature dans chaque son émané du vaste instrument. « Ce n'est pas ce que j'attendais », me dit-elle d'un air simple et sans songer à l'ambition de sa parole. « Exigeante ! lui dis-je, tu n'as pas trouvé le glacier assez blanc l'autre jour sur la montagne ! Ses grandes crêtes qui semblaient taillées dans les flancs de Paros, ses dents aiguës au pied desquelles nous étions comme des nains, ne t'ont pas semblé dignes de ton regard superbe. La voix des torrents est, selon toi, sourde et monotone, la hauteur des sapins ne t'étonne pas plus que celle des joncs du rivage. Tu mesures le ciel et la terre. Tu demandes les palmiers de l'Arabie-Heureuse sur la croupe du Mont-Blanc, et les crocodiles du Nil dans l'écume du Reichenbach. Tu voudrais voir voguer les flottes de Cléopâtre sur les ondes immobiles de la mer de Glace. De quelle étoile nous es-tu donc venue, toi qui méprises le monde que nous habitons ? Tu veux maintenant que ce vieillard renfrogné qui te regarde avec stupeur ait trouvé sous sa perruque un peu plus que la puissance de Dieu pour te satisfaire ! »

En effet, Mooser, le vieux luthier, le créateur du grand instrument, aussi mystérieux, aussi triste, aussi maussade que l'homme au chien noir et aux macarons d'Hoffmann, était debout à l'autre extrémité de la galerie et nous regardait tour à tour d'un air sombre et méfiant. Homme spécial s'il en fut, Helvétien inébranlable, il semblait ne pas goûter le moins du monde le chant simple et sublime que notre grand artiste essayait sur l'orgue. À vrai dire, celui-ci ne tirait pas tout le parti possible de la machine. Il cherchait platement les sons les plus purs et ne nous régalait pas du plus petit coup de tonnerre. Aussi l'organiste de la cathédrale, gros jeune homme à la joue vermeille, confrère familier et quasi protecteur de notre ami, le poussait doucement à chaque instant, et, prenant sans façon sa place, essayait à force de bras, de nous faire comprendre la puissance vraiment grande, je le confesse, du charlatanisme musical. Il fit tant des pieds et des mains, et du coude, et du poignet, et, je crois, des genoux (le tout de l'air le plus flegmatique et le plus bénévole), que nous eûmes un orage complet, pluie, vent, grêle, cris lointains, chiens en détresse, prière du voyageur, désastre dans le chalet, piaulement d'enfants épouvantés, clochettes de vaches perdues, fracas de la foudre, craquement des sapins, *finale*, dévastation des pommes de terre.

Quant à moi, naïf paysan, artiste ou plutôt artisan grossier, enthousiasmé de ce vacarme harmonieux, et retrouvant dans cette peinture à gros effets les scènes rustiques de ma vie ; je m'approchai du maestro fribourgeois, et je m'écriai avec effusion :

« Monsieur, cela est magnifique : je vous supplie de me faire encore entendre ce coup de tonnerre ; mais je crois qu'en vous asseyant brusquement sur le clavier vous produiriez un effet plus complet encore. »

Le maestro me regarda avec étonnement ; il n'entendait pas un mot de français, et, à mon grand déplaisir, mes amis ne voulurent jamais lui traduire ma requête en allemand, sous prétexte qu'elle était inconvenante. Il me fallut donc renoncer une fois de plus dans ma vie à compléter mon émotion.

Cependant le vieux Mooser était resté impassible pendant l'orage. Planté dans son coin comme une statue roide et anguleuse du Moyen Age, c'est à peine si, au plus fort de la tempête, un imperceptible sourire de satisfaction avait effleuré ses lèvres. Il est vrai que, à l'exception de moi, toute la famille avait été brutalement insensible à la pluie, au tonnerre, à la clochette, aux vaches perdues, etc. Je croyais même que cette inappréciation de la force pulmonaire de son instrument l'avait profondément blessé ; mais le syndic vint nous apprendre la cause de sa préoccupation. Mooser n'est pas content de son œuvre, et il a grand tort, je le jure ; car, s'il n'a pas encore atteint la perfection, il a fait du moins ce qui existe de plus parfait en son genre. Mais, comme toutes les grandes spécialités, le brave homme a son grain de folie. L'orage est, à ce qu'il paraît, son idéal. Dada sublime et digne du cerveau d'Ossian ! mais difficile à dompter, et s'échappant toujours par quelque endroit au moment où le patient artiste croit l'avoir bridé. Voyez un peu ! les bruits de l'air sous toutes leurs formes auditives sont entrés dans les jeux d'orgue, comme Éole et sa nombreuse lignée dans les outres d'Ulysse ; mais l'éclair seul, l'éclair rebelle, l'éclair irréalisable, l'éclair qui n'est ni un son ni un bruit, et que Mooser veut pourtant exprimer par un son ou par un bruit quelconque, manque à l'orage de Mooser. Voilà donc un homme qui mourra sans avoir triomphé de l'impossible, et qui ne jouira point de sa gloire faute d'un éclair en musique. Il me semble, Arabella, que vous eussiez dû le plaindre au lieu de vous en moquer ; la folie de ce bonhomme a bien quelque rapport avec la maladie sacrée qui vous ronge.

Après nous avoir exprimé le rêve de Mooser très gravement et sans aucune espèce de doute sur sa réalisation (car il essaya lui-même de nous faire entendre par une espèce de sifflement le bruit de la *lumière*), le syndic nous promena dans les flancs de l'immense machine. Toutes ces voix humaines, tous ces ouragans, tout cet orchestre de musiciens imaginaires enfermés dans des étuis de fer-blanc, nous rappelèrent les génies des contes arabes, condamnés par des puissances supérieures à gronder et à gémir dans des coffrets de métal scellés.

On nous avait dit que Mooser était appelé à Paris pour faire l'orgue de la Madeleine ; mais le syndic nous apprit qu'il n'en était plus question. Sans doute le gouvernement français, moins magnifique qu'un canton de la Suisse, aura reculé devant la nécessité de payer honorablement un travail de premier ordre. Il est cependant certain que Mooser est seul capable de remplir des grandes clameurs de la prière en musique le large vaisseau de la Madeleine, et que là seulement il pourrait déployer toutes les ressources de sa science. Ainsi le monument et l'ouvrier s'appellent l'un l'autre.

Ce fut seulement lorsque Franz posa librement ses mains sur le clavier, et nous fit entendre un fragment du *Dies irae* de Mozart, que nous comprîmes la supériorité de l'orgue de Fribourg sur tout ce que nous connaissions en ce genre. La veille, déjà, nous avions entendu celui de la petite ville de Bulle, qui est aussi un ouvrage de Mooser, et nous avions été charmés de la qualité des sons ; mais le perfectionnement est remarquable dans celui de Fribourg, surtout les jeux de la voix humaine, qui, perçant à travers la basse, produisirent sur nos enfants une illusion complète. Il y aurait eu de beaux contes à leur faire sur ce chœur de vierges invisibles ; mais nous étions tous absorbés par les notes austères du *Dies irae*. Jamais le profil florentin de Franz ne s'était dessiné plus pâle et plus pur, dans une nuée plus sombre de terreurs mystiques et de religieuses tristesses. Il y avait une combinaison harmonique qui revenait sans cesse sous sa main, et dont chaque note se traduisait à mon imagination par les rudes paroles de l'hymne funèbre :

> *Quantus tremor est futurus*
> *Quando judex est venturus, etc.*

Je ne sais si ces paroles correspondaient, dans le génie du maître, aux notes que je leur attribuais, mais nulle puissance humaine n'eût ôté de mon oreille ces syllabes terribles, *quantus tremor*...

Tout à coup, au lieu de m'abattre, cette menace de jugement m'apparut comme une promesse, et accéléra d'une joie inconnue les battements de mon cœur. Une confiance, une sérénité infinie me disait que la justice éternelle ne me briserait pas ; qu'avec le flot des opprimés je passerais oublié, pardonné peut-être, sous la grande herse du jugement dernier ; que les puissants du siècle et les grands de la terre y seraient seuls broyés aux yeux des victimes innombrables de leur prétendu droit. La loi du talion, réservée à Dieu seul par les apôtres de la miséricorde chrétienne, et célébrée par un chant si grave et si large, ne me sembla pas un trop frivole exercice de la puissance céleste quand je me souvins qu'il s'agissait de châtier des crimes tels que l'avilissement et la servitude de la race humaine. Oh ! oui, me disais-je, tandis que l'ire divine grondait sur ma tête en notes foudroyantes, il y aura de la crainte pour ceux qui n'auront pas craint Dieu et qui l'auront outragé dans le plus noble ouvrage de ses mains ! pour ceux qui auront violé le sanctuaire des consciences, pour ceux qui auront chargé de fers les mains de leurs frères, pour ceux qui auront épaissi sur leurs yeux les ténèbres de l'ignorance ! pour ceux qui auront proclamé que l'esclavage des peuples est d'institution divine, et qu'un ange apporta du ciel le poison qui frappe de démence ou d'ineptie le front des monarques ; pour ceux qui trafiquent du peuple et qui vendent sa chair au dragon de l'Apocalypse ; pour tous ceux-là il y aura de la crainte, il y aura de l'épouvante !

J'étais dans un de ces accès de vie que nous communique une belle musique ou un vin généreux, dans une de ces excitations intérieures où l'âme longtemps engourdie semble gronder comme un torrent qui va rompre les glaces de l'hiver, lorsqu'en me retournant vers Arabella je vis sur sa figure une expression céleste d'attendrissement et de piété ; sans doute elle avait été remuée par des notes plus sympathiques à sa nature.

Chaque combinaison des sons, des lignes, de la couleur, dans les ouvrages de l'art, fait vibrer en nous des cordes secrètes et révèle les mystérieux rapports de chaque individu avec le monde extérieur. Là où j'avais rêvé la vengeance du Dieu des armées, elle avait baissé doucement la tête, sentant bien que l'ange de la colère passerait sur elle sans la frapper, et elle s'était passionnée pour une phrase plus suave et plus touchante, peut-être pour quelque chose comme le

Recordare, Jesu pie...

Pendant ce temps, des nuées passaient et la pluie fouettait les vitraux ; puis le soleil reparaissait pâle et oblique pour être éteint peu de minutes après par une nouvelle averse. Grâce à ces effets inattendus de la lumière, la blanche et proprette cathédrale de Fribourg paraissait encore plus riante que de coutume, et la figure du roi David, peinte en costume de théâtre du temps de Pradon, avec une perruque noire et des brodequins de maroquin rouge, semblait sourire et s'apprêter à danser encore une fois devant l'arche. Et cependant l'instrument tonnait comme la voix du Dieu fort, et l'inspiration du musicien faisait planer tout l'enfer et tout le purgatoire de Dante sous ces voûtes étroites à nervures peintes en rose et en gris de perle.

Les enfants couchés à terre comme de jeunes chiens s'endormaient dans des rêves de fées sur les marches de la tribune ; Mooser faisait la moue, et le syndic s'informait de nos noms et qualités auprès du major fédéral.

À chaque réponse ambiguë du malicieux cicerone, le bon et curieux magistrat nous regardait alternativement avec doute et surprise.

«Ouais ! disait-il en flairant de loin le beau front révé-
lateur d'Arabella, c'est une dame de Paris ? et quoi
encore ?...

– Quoi encore ? reprenait le major en me désignant ;
ce garçon en blouse mouillée et en guêtres crottées,
avec deux marmots dans ses jambes ? Eh bien ! c'est...
ce sont trois élèves du pianiste.

– Oui-da ! il les fait voyager avec lui ?

– Il a la manie de traîner son école à sa suite. Il pro-
fesse gravement la théorie de son art le long des abîmes
et monté sur un mulet.

– En effet, reprit judicieusement le magistrat de la
ville de Fribourg, ils ont tous de longs cheveux tom-
bant sur les épaules comme lui ; mais, ajouta-t-il en
arrêtant son regard investigateur sur le personnage pro-
blématique de Puzzi, qu'est-ce que cela ?

– Une célèbre cantatrice italienne qui le suit sous un
déguisement.

– Oh ! oh !... s'écria le bonhomme avec un sourire
tout à fait malin, j'avais bien deviné que celui-là était
une femme !...»

Tout à coup l'air manqua aux poumons de l'orgue, sa
voix expira et il rendit le dernier soupir entre les mains
de Franz. Le premier coup de vêpres venait de sonner
et l'âme de Mozart eût en vain apparu pour engager
le souffleur à retarder d'une minute la psalmodie
nasillarde de l'office. J'eus envie d'aller lui donner des
coups de poing, et je pensai à toi, aimable Théodore,
facétieux Kreyssler, Hoffmann ! poète amer et charmant, ironique et tendre, enfant gâté de toutes les
muses, romancier, peintre et musicien, botaniste, ento-
mologiste, mécanicien, chimiste et quelque peu sorcier !
c'est au milieu des scènes fugitives de ta vie d'artiste,
en proie aux luttes cruelles et burlesques où l'amour
du beau et le sentiment d'un idéal sublime t'entraî-

nèrent, aux prises avec l'insensibilité ou le mauvais goût de la vie bourgeoise, c'est en jurant contre ceux-ci et en te prosternant devant ceux-là que tu sentis la vie, tantôt délirante de joies et tantôt dévorée d'ennuis, le plus souvent bouffonne, grâce à ton courage, à ta philosophie, et, faut-il le dire, à ton intempérance. Mais adieu, mon vieil ami ; c'est assez divaguer pour une quinzaine. Je vous quitte et pars pour Genève. Amitiés tendres, terribles poignées de mains à nos amis de Paris.

Fin de randonnée au bout de huit jours [2]. *On convient qu'il est trop tôt pour se séparer et la famille Dudevant décide de prolonger son séjour à Genève. Liszt et la comtesse d'Agoult lui aménagent quelques pièces dans le grenier. On communie par de longues conversations qui se prolongent tard dans la soirée. Un soir, Liszt interprète la composition qu'il vient de terminer, un rondeau fantastique sur un thème espagnol de Manuel Garcia,* El Contrabandista. *George, inspirée par la musique, en tire dans la nuit une nouvelle, le* Contrebandier. *Elle ne passe pas inaperçue à Genève et sort beaucoup :* « Je suis ici l'objet de la curiosité publique », *écrit-elle à son ami Duteil. C'est au tout début d'octobre qu'ont lieu les adieux. La famille Dudevant regagne Nohant en passant par Lyon. La comtesse d'Agoult est inquiète. Elle confiera plus tard à son journal, évoquant la séparation :* « En la voyant partir je craignis d'avoir perdu une occasion unique de devenir son amie. » *Elle se trompait de plusieurs mois...*

2. A Fribourg, Liszt et Marie offrent un petit carnet à George où Marie écrit : « Fellows à Piffoël – Fribourg 14 septembre 1836. Qu'importe que l'homme soit heureux pourvu qu'il soit grand. » George ajoute : « Qu'importe que la femme soit grande si elle est heureuse ! »

LETTRE N° 16

À Marie d'Agoult

[Lyon] le 3 [octobre 1836]

Chers enfants, je suis à Lyon le bec dans l'eau pestant contre mon vieux grognon [1], qui au lieu d'être ici le 1ᵉʳ, s'est fait remplacer par un billet dans lequel il m'annonce qu'il ne pourra y être que le 4 ou 5. Je voulais partir sur-le-champ en recevant cette jolie lettre ; mais je n'ai trouvé de places dans les diligences que pour le 3, c'est-à-dire pour aujourd'hui. Or, comme il arrive demain peut-être, ce serait une maussaderie et une rancune vraiment trop calquées sur lui que de ne pas me résigner à l'attendre encore deux jours. Tout cela fait que j'enrage et qu'au lieu de passer encore près de vous, quelques-uns de ces beaux jours qu'on cherche tant et qu'on attrape si peu, je suis dans la plus bête des villes du royaume, flânant avec la Montgolfier [2] et *un tas de particuliers que je ne connais ni d'Ève ni d'Adam*. Ils m'ont trimbalée à *Fourvière*. N'y allez jamais ! *il est bien pénible* et il n'est pas *bien joli*. Puis ils

---

1. C'est-à-dire l'avocat Michel de Bourges, encore amant de George.
2. Jeanne-Marie, dite Jenny, Armand, Mme Pierre-François Montgolfier (1794-1879) était née à Mâcon. Installée à Lyon de par son mariage, elle enseigna le piano et ouvrit un salon, 6 rue des Capucins, où elle reçut Liszt, Marie Dorval, Marceline Desbordes-Valmore, George Sand, Stephen Heller, etc. Elle semble s'être beaucoup dévouée aux artistes qu'elle a rencontrés.

m'ont menée au Gynmase, entendre piauler et piailler Mme Albert [3] qui est, comme vous le savez toute pointue. Hier, ils m'ont assassinée en me faisant entendre *Guillaume Tell* abominablement écorché et massacré par le plus plat orchestre et les plus ignobles chanteurs que j'aie jamais entendus. Cela au reste, m'a fait du bien, en ce sens que je me suis réconciliée avec les théâtres d'Italie, que je méprisais beaucoup trop. Si la seconde ou 3e ville de France chante si faux et si salement sans offenser personne, il faut rendre hommage aux villes de 5e et 6e ordre de l'Italie car au moins on y chante juste et, si on y a mauvais goût on y a du chic, de l'élan et du toupet. Aujourd'hui on m'a fait dîner dans un restaurant très burlesque. On entre dans une cuisine, on monte à tâtons un escalier plein d'immondices, et on arrive à une petite chambre fort sale, où on vous sert cependant un très bon dîner. Ce soir, nous sommes rentrés chez Mme Montgolfier et un monsieur de Sene, de Sem ou de Japhet [4] que vous connaissez à ce qu'on dit, m'a chanté sans aucune espèce de voix, deux ou trois morceaux de Schubert que je ne connaissais pas. J'ai deviné que ce devait être très beau. La Montgolfière me paraît une excellente femme, un peu atteinte par la cancanerie, l'investigation et la curiosité provinciales, brodant un peu, amplifiant pas mal, et jugeant parfois à côté ; du reste proclamant et prati-

3. Mme Albert, née Charlotte-Thérèse Vernet et fille de Nicolas Vernet, artiste dramatique, (1805-1860). Elle fit ses débuts à l'Odéon, en 1825, dans *Blaise et Babet*. « On vantait sa grâce, sa voix, sa distinction, le charme de sa personne, son talent souple et plein d'originalité qui la montrait tour à tour dramatique, sentimentale, nerveuse ou violente, aussi habile à provoquer le rire qu'à faire couler les larmes » (*Dictionnaire de biographie française*).
4. Il s'agit, en fait, de Théodore Saussure de Seynes (1802-1851), agent de change à Lyon et mélomane.

quant des sentiments très élevés, et possédant des facultés et des qualités qui n'ont manqué que d'un peu plus de développement. Je la crois très sincèrement zélée pour Franz et très dévouée à vous. Elle est charmante pour moi.

La bête de Gévaudan [5] qui m'avait quittée à moitié chemin pour prendre une route plus courte, a reparu tout à coup hier sur mon horizon mélancolique. Il prétend être rappelé à Lyon par sa caisse de cigares, qu'il faut recevoir et payer. *As you like it, all is well that ends well*, et beaucoup d'autres proverbes shakespeariens qui ne changeront rien à nos positions respectives. Je suis charmée de le voir, il promène mes *Piffoëls* pendant que je travaille le matin à notre fameuse relation ; mais je crois qu'il fait *much ado about nothing* [6].

Bonsoir, mes bons et chers enfants. Aimez-moi seulement la moitié de ce que je vous aime, et ce sera beaucoup. Je n'ai pas le droit de vous en demander davantage. Vous vous occupez tant le cœur et l'esprit l'un l'autre, qu'il ne reste pas une part de première qualité pour les *Piffoëls* de mon espèce, *gens solitaria* et thérapeutique. Mais cela ne m'empêche pas de vous mettre en première ligne dans mes affections sans me soucier de *« l'équilibre de la vie morale et intellectuelle »*.

Le Fazy [7] m'a envoyé le cachet. Je ne vous charge pas de le remercier. Il m'a dit qu'il serait le 4 à Lyon. C'est donc demain que je le remercierai moi-même avec toute l'ardente effusion que vous me connaissez.

---

5. Marie-Françoise-*Gustave* Collin de Gévaudan (1814-1873) ne fut lié à George Sand que brièvement, selon Georges Lubin.
6. Titre d'une pièce de Shakespeare, *Beaucoup de bruit pour rien*, comme la citation figurant plus haut : *Selon qu'il vous plaira*.
7. Jean-*James* Fazy (1794-1878) fut un homme politique important, créateur de plusieurs journaux, futur chef du gouvernement de Genève entre 1846 et 1853. Il fut l'un des témoins qui signèrent à l'acte de naissance de Blandine Liszt et resta en contact avec la comtesse d'Agoult.

Je vous prie de donner une bonne poignée de main pour moi au sacré major [8] et à Grast [9] que j'aime beaucoup parce qu'il abonde toujours dans mon sens. Rappelez-moi au souvenir de Mlle Mérienne [10], donnez un grandissime coup de pied gévaudanitique au Rat, et, quant à Mme sa mère, je crois que j'aurais dû aller lui faire une visite, car elle a été *jadis* très obligeante pour moi. Mais je sais que depuis elle m'a prise en horreur à cause de la redingote (ou redinglaude) de son fils et le fait est que je l'ai oubliée absolument, comme tout ce qui me paraît hostile est oublié de moi en cette vie et en l'autre. *Amen !* Ce qu'il y a d'enrageant, c'est que le *vieux* va arriver demain à moitié mort et que je ne pourrai jamais lui faire une scène.

Les *Piffoëls* ronflent et se portent bien. Moi je vous *bige* et vous presse tous deux dans mes bras.

Votre amie Piffoël.

Je supplie Franz de m'envoyer ici mon épreuve d'*André* courrier par courrier, sous enveloppe. Si vous avez quelques courses à me faire faire, dépêchez-vous de m'écrire.

Adieu.

Hôtel de Milan, place des Terr[e]aux.

[Adresse :]   [Poste :]
Monsieur Liszt   Lyon 4 octobre...
Poste restante
Genève.

8. C'est-à-dire Adolphe Pictet.
9. *François*-Gabriel Grast (1803-1871), compositeur suisse et professeur au Conservatoire de Genève. Il a laissé de nombreux recueils de chants et des traités d'harmonie, d'instrumentation et d'accompagnement.
10. Nancy Mérienne (1793-1860), peintre suisse qui a fait un portrait de George Sand et un autre de Liszt (ce dernier conservé aujourd'hui au Conservatoire de Genève).

LETTRE Nº 17

À *George Sand*

[Genève, 10 octobre 1836]

Je commençais déjà à trouver que j'avais eu un scrupule de délicatesse par trop héroïque en ne vous demandant pas de nous écrire, ma bonne vieille, mais vous êtes toujours meilleure qu'on ne l'imagine et vous devinez merveilleusement ce qu'on ne dit pas. Le vieux de la montagne est incroyable ! Je me sens également près de le prendre en grippe et de l'adorer et je prévois que nous romprons plus de lance [sic] à votre occasion qu'à l'occasion de la robe de bure (dont par parenthèse je suis plus loin que jamais attendu que j'ai acheté ce matin pour *deux cents francs* de robes de chambre) et je vais méditer une fameuse vengeance pour ces quatre jours qu'il nous vole avec un si admirable sang-froid ! –
Me croirez-vous une autre fois quand je vous dirai que les gens sont amoureux de vous ? Ou ferez-vous encore la sainte *n'y touche* ou *Mitouche* ? Le Gévaudan a le goût des chasses périlleuses, il court après les chamois et des thérapeutes ! Ce sont les Piffoëls que je félicite le plus de la *chose* car les boutiques de Lyon vont passer dans leurs poches. A propos de Piffoëls j'ai vu ce matin leur croquis. Solange [1] est d'une ressemblance miraculeuse. J'en suis restée muette. Votre portrait est

---

1. Solange Dudevant (1828-1899), la fille de George Sand.

plus bourgeois encore que celui de Franz. La Mérienne est toujours ravissante avec son nez en l'air et sa grande robe flottante. Je lui ai dit pour vous mille de ces choses gracieuses que vous dites si peu et si mal. Son visage s'en est éclairé de joie.

Franz a imaginé de dire à Mme Puzzy [2] que vous vous rappeliez à son souvenir mais que vous craigniez d'être brouillée avec elle à cause de la *redinglaude*. A quoi elle a répondu avec une dignité inimitable qu'elle ne se brouillait pas pour si peu de chose mais qu'une femme qui faisait des romans aussi *communs* et qu'elle rencontrait donnant le bras à son fils un cigarre [sic] à la bouche était pour elle une femme jugée. – Le Sourd [3] me charge de sa lettre sur *Lélia* et d'un billet de Mme de Staël. Il parle encore de son souper avec gémissement. Franz lui a volé hier un livre de croquis ce qui ajouté à la pipe peut bien faire un total de vingt francs environ hors de sa poche : jugez des combats intérieurs de ce pauvre Sourd pour sourire à cette débâcle d'écus ? Il a une belle-sœur qui a déclaré hautement après avoir entendu mon vieux qu'elle me donnerait le bon Dieu en échange de lui si elle pouvait !

Mr de Seyne a été je crois le dernier amant de la Montgolfier dont les aventures sont dit-on fort curieuses. Je pense comme vous qu'à Paris cette femme fût devenue éminemment distinguée. Quelques cordes poëtiques [sic] lui manquent mais l'esprit est droit, ferme, lucide et le caractère des plus *robustes*. Elle admire un peu trop mon *dévouement* et n'a pas la moindre intelligence du cœur de Franz, moi je lui suis fort attachée et je la range dans le très petit nombre des gens que *nous estimons à l'égal de nous-mêmes.*

2. La mère de Hermann Cohen.
3. Après le Major, autre surnom d'Adolphe Pictet.

Quand j'ai été à Fourvières [sic] j'ai fait le vœu de n'y plus retourner. N'avez-vous pas trouvé mon ex-voto ? Nous partons mercredi pour Paris, j'espère que vous ne tarderez pas à nous rejoindre et que vous me direz encore une fois la main sur le cœur si vous voulez de moi à Nohant. J'ai une véritable soif de travail et un grand besoin de solitude pour remettre *en équilibre* toute une partie de moi où trois années de passion, de souffrances et de joies surhumaines ont porté le trouble et le désordre. Si votre amitié ne se rebute pas de mon enveloppe calcinée il est probable que vous me ferez beaucoup de bien, c'en est déjà un grand pour moi de vous aimer. Ne parlez pas de moitié ni de tiers ni de quart et surtout ne pensez pas que nous soyons assez stupidement amoureux pour ne pas conserver une part d'affection bien vivace et bien chaleureuse aux deux ou trois amis que Dieu nous a donnés.

Adieu ma bonne adorable vieille. *André* [4] part aujourd'hui pour vous rejoindre (Puzzy était depuis 5 jours chargé de le mettre à la diligence aussi le coup de pied lui arrive comme Mars en carême). Franz veut absolument que je vous dise que le Blavoyer [5] s'est vanté ici d'avoir été votre amant pendant cinq ans. C'est là un cancan Fazy mais des plus certains. Albera [6] vous reste dévoué. Il est fort inquiet de ce que vous m'avez dit à l'oreille della damigella Gambini [7] : *gens solitaria !* Grast *abonde dans mon sens* quand je dis

---

4. Roman de George Sand à paraître, dont elle réclamait l'épreuve restée en possession de Liszt.
5. Joseph-Sulpice Blavoyer, né en 1787, était un fabricant de tissus, que George Sand connaissait depuis longtemps.
6. Jacques-Joseph-Vitale Albera, né à Milan en 1799, réfugié italien.
7. Jenny Gambini, une élève de Liszt dont il a écrit laconiquement dans le livre de classe : « Beaux yeux ».

que vous êtes une créature sans pair et M. Huber [8] accuse le trouble d'esprit où vous l'avez jeté de toutes les mauvaises rimes qui ornent son épithalame. Adieu ; Franz prétend qu'il vous bige les pieds mais je ne donne pas là-dedans. Je vous bige quelque chose de mieux. Le baron dirait que c'est le.... (de la reine). Je finis car je suis en train d'écrire un tas de sottises... Oh encore une Puzzyade : « Mon oncle avait à manifester (ou Manchester ?) une fabrique de manufacture » (historique).

Le 16 octobre, Marie et Franz arrivent à Paris et s'installent à l'hôtel de France. George est à Nohant.

8. Ferdinand Huber (1791-1863), compositeur suisse très populaire, auteur de mélodies que Liszt adapta ou dont il s'inspira pour ses *Années de pèlerinage*. Huber fit ses études à Stuttgart, où il connut notamment Weber, puis revint en Suisse, en 1816. Il devint professeur de chant à Saint-Gall, en 1824, s'installa, en 1829, à Berne où il enseigna trois ans, avant de revenir à Saint-Gall, où il mourut.

LETTRE N° 18

À George Sand

[Paris, 18 octobre 1836]

Nous voici depuis deux jours à Paris. Je sais déjà que Ch[arles] Didier ne peut pas vous loger parce qu'il attend sa mère. Venez donc loger avec moi [rue] N[eu]ve Laffitte, hôtel de France. On est très bien, pas trop chèrement : j'y ai une chambre et un salon assez pompeux. Si vous voulez je vous retiendrai une chambre et mon salon sera à votre disposition tout le jour pour recevoir vos amis. Nous serons sûrs de cette façon de nous voir beaucoup. Je sens que cela m'est devenu nécessaire. Vous êtes la seule personne au monde (le vieux Fellow excepté bien entendu) qui ait laissé bien loin en arrière ces exigences dont vous vous moquez si bien dans votre *Lettre* de Fribourg [1]. Allez, toute orgueilleuse que vous êtes vous ne saurez jamais combien vous êtes admirablement bonne ! Je ne sais encore rien de Paris. Je n'ai vu que ma fille à son couvent [2]. Franz n'a vu que des mds [sic] de musique et

---

1. C'est-à-dire *la Lettre d'un voyageur. À Charles Didier*, que publia le 15 novembre la *Revue des Deux Mondes*.
2. Il s'agit de Claire d'Agoult (1830-1912), l'une des deux filles que la comtesse d'Agoult eut de son mari. Celle-ci épousa le comte Guy de Girard de Charnacé, futur marquis de Charnacé, dont elle se sépara assez vite. Dotée d'un caractère bien trempé (comme les autres filles de la comtesse d'Agoult, Blandine et Cosima), elle signa quelques articles sous le pseudonyme de C. de Sault et peignit joliment.

Didier pour savoir de vos nouvelles. J'ai là 16 pages du Sourd pour vous, une épreuve d'*André* et les ardents soupirs de Fazy et compagnie. J'ai passé un jour à Dijon. Je vous recommande le pain d'épices [sic], les pipes et un vieux bâtiment de chartreux qui va servir de maison de santé pour des malades qu'on ne nomme pas en bonne compagnie.

Juste retour des choses d'ici bas !

Il va y avoir une *solennité musicale* en mémoire de la Malibran [3]. On veut que Franz improvise sur les motifs qu'elle chantait. Singulière façon d'honorer une tombe ! Pauvre femme ! Je regrette que vous ne l'ayez pas connue. Dans ce monde-ci il ne faut jamais attendre : demain n'est pas un mot à l'usage de l'homme.

Adieu ma bien bonne je vous bige et vous aime pour la vie.

M.

23 rue N[eu]ve Laffitte
Hôtel de France
Mardi soir 18 8bre.

Le 24 octobre, George rejoint ses amis à l'Hôtel de France. «J'accepte avec joie la proposition [...] Nous serons en commun pour le salon comme pour les amis», *a-t-elle écrit de Nohant à Liszt. Jusqu'au 7 janvier 1837, elle va donc partager avec Marie un salon. Elle*

---

3. Maria Malibran (1808-1836) est sans doute la cantatrice la plus célèbre de tous les temps. La comtesse d'Agoult l'invita à chanter dans son salon. Elle venait de succomber prématurément, en Angleterre, des suites d'une chute de cheval.

l'évoque ainsi dans Histoire de ma vie : « À l'hôtel de France, où Mme d'Agoult m'avait décidée à demeurer près d'elle, les conditions d'existence étaient charmantes pour quelques jours. Elle recevait beaucoup de littérateurs, d'artistes et quelques hommes du monde intelligents. C'est chez elle ou par elle que je fis connaissance avec Eugène Sue, le baron d'Eckstein, Chopin, Mickiewicz, Nourrit, Victor Schoelcher, etc. Mes amis devinrent aussi les siens. Elle connaissait de son côté M. Lamennais [sic], Pierre Leroux, Henri Heine, etc. Son salon improvisé dans une auberge était donc une réunion d'élite qu'elle présidait avec une grâce exquise et où elle se trouvait à la hauteur de toutes les spécialités éminentes par l'étendue de son esprit et la variété de ses facultés à la fois poétiques et sérieuses. » *Ajoutons encore à cet aréopage Ferdinand Denis, Giacomo Meyerbeer, Hector Berlioz, le marquis de Custine, Charles Didier, Louis de Ronchaud.*

De son côté, Chopin donne des soirées chez lui, où il joue à quatre mains avec Liszt, qui amène George. Mais le Polonais ne répond pas à l'attention discrète que la romancière lui porte.

De cette époque, subsiste un billet de George à Marie.

LETTRE N° 19

À Marie d'Agoult

[Paris, fin 1836]

Impossible d'aller avec vous ce soir. J'ai une corvée à remplir. Peut-être que si vous vous *adjoigniez* la Marliani [1] et son époux, vous trouveriez moyen de compléter une loge. L'ours [2] de son côté est dans un empêchement total d'aller vous trouver. Adieu donc chère vieille. Je regrette cette soirée et vais l'employer à bâiller, ce qui est moins agréable que d'être avec vous.

Piffoël.

Le 7 janvier, départ de George pour Nohant avec son fils Maurice affligé d'une fièvre chronique. Elle a décidé de le retirer du collège et de lui donner un précepteur. Marie doit la rejoindre quelques jours plus tard.

1. Charlotte de Folleville, épouse d'Emmanuel Marliani, un moment consul d'Espagne à Paris, était une amie de George Sand. Elle se lia avec la comtesse d'Agoult par son intermédiaire. D'origine normande, elle se faisait appeler Carlota. Elle était sans aucun doute généreuse, mais bavarde, brouillonne et assez sotte. On peut dire qu'elle tient une grande part de responsabilité dans la brouille de George et de Marie, comme on le verra par la suite. Elle mourut à Paris, en août 1850.
2. Surnom de Charles Didier.

LETTRE N° 20

À Marie d'Agoult

[Nohant, 20 (?) janvier 1837]

Chère amie. Je crois que ce que vous avez de mieux à faire pour venir de Châteauroux à Nohant, c'est de prendre à l'auberge même de la poste où vous descendrez, une chaise et deux chevaux. Je crois que vous trouveriez même une voiture fermée, en chargeant le maître de l'auberge de vous la chercher quelques heures avant celle de votre départ. En poste, votre voyage durera trois heures, 4 au plus si la gelée continue. Je crains pour vous le froid de cette petite traversée, et crains de vous avoir donné un mauvais renseignement en vous adressant à la voiture de Suard. Ne la prenez que comme pis-aller, ou comme *voie d'économie* – si toutefois vous connaissez cette voie étroite et difficile où je n'eus jamais le bonheur de mettre les pieds. Je vous attends avec impatience, tout est prêt pour vous recevoir. Il fait chaud dans votre chambre.

[Adresse :]
Madame la Comtesse d'Agoult
chez M. Matheron.

*George s'étonne : aucune nouvelle de son amie.
L'explication de ce silence viendra quelques jours plus
tard. Prévenante, attentive, elle écrit à Liszt :* «Et pourquoi ne vient-elle pas ? [...] Qu'elle vienne donc, je
l'attends avec impatience, ou qu'elle m'écrive, car
je suis inquiète d'elle.»

LETTRE N° 21

À *Marie d'Agoult*

[Nohant, 23 janvier 1837]

Eh bien, chère, où êtes-vous donc? Partez-vous? Arrivez-vous? Je vous croyais si près, ces jours-ci, que je vous avais écrit à Châteauroux. Rollinat [1] vous attendait pour vous offrir ses services et vous embarquer. Mais le voilà, aujourd'hui! il arrive seul, et, de vous, point de nouvelles. Je vous écris à tout hasard, désirant de tout mon cœur que la présente ne vous trouve plus à Paris. Venez donc! Sauf les rideaux, qui sont trop courts de trois pieds, votre chambre est habitable. Il n'y a pas un souffle d'air. Le garde-manger est garni de gibier. Il y a du bois sec sous le hangar. L'aubergiste de la poste, chez lequel la diligence de Blois vous dépose, est averti; vous aurez, pour venir de Châteauroux à Nohant, une voiture fermée et des chevaux. Ainsi, ne vous occupez de rien. Nommez-vous seulement, ou nommez-moi, et on vous servira. À revoir bientôt, tout de suite, n'est-ce pas? Si le bon Grzymala [2] veut vous accompagner,

---

1. François Rollinat (1806-1867), avocat lié à George Sand par «une amitié profonde et sans faille, sur laquelle elle a écrit des pages émouvantes» (Georges Lubin).
2. Comte Albert Grzymala (1793-1870), ami de Chopin, de Liszt et de la comtesse d'Agoult.

emmenez-le. Sa présence augmentera (s'il est possible) l'honneur et le bonheur de la vôtre.

Le futur précepteur est chargé de ne pas quitter Paris sans s'informer de vous et mettre à vos pieds son bras et ses jambes [3]. Je voudrais pouvoir vous envoyer prendre par un ballon chauffé à la vapeur ; mais l'argent me manque.

Tout à vous de cœur.

G. S.

Franz (si Marie est partie) ma lettre allumera votre pipe, et je vous bige. Venez le plus tôt possible.

---

3. Il s'agit d'Eugène Pelletan (1813-1884), que Maurice surnomme le Pélican. Il ne resta que trois mois au service de George Sand, et fit ensuite une carrière politique. Rien n'est moins sûr qu'une liaison entre lui et George Sand, comme le montre Georges Lubin.

LETTRE N° 22 A

À George Sand

Paris 31 janvier 1837

Enfin, ma bonne chère, sauf un imprévu imprévoyable je m'achemine demain vers Nohant sous la garde d'Abélard – S[ain]t-Preux – Pelletan. Savez-vous que j'ai failli mourir? Mais le bon Dieu n'a pas voulu de moi encore; il me laisse le tems [sic] de devenir un peu plus digne du ciel. Il a bien fait: je veux voir Nohant; je veux vivre de votre vie, me faire l'amie de vos chiens, la bienfaitrice de vos poules; je veux me chauffer de votre bois, manger de vos perdrix et raviver ma pauvre machine amaigrie et ébranlée à l'air que vous respirez. Sans vous en douter et sans que je m'en doute moi-même vous avez guéri mon esprit d'une langueur que je croyais incurable. Vous en ferez autant de mon corps et alors je vous devrai ce que personne peut-être n'eût jamais pu me donner la faculté de jouir de mon bonheur. Mon pauvre Fellow a été grippé le jour même où je commençais à être en état de le soigner. Il est mieux quoique toussant encore.

Dans trois semaines il viendra nous rejoindre. Je vous porterai des nouvelles de tous nos amis: j'ai beaucoup vu l'Ours [1] et quelquefois Emmanuel [2]. Calamatta [3] m'a

---

1. Surnom de Charles Didier.
2. François-Victor-*Emmanuel* Arago (1812-1896), avocat et homme politique français. Il avait signé à cette époque un volume de vers (1832)

chargé [sic] de ses compliments pour *Madame*. J'emporte un beau portrait qu'il a fait de Fellow. Il espère que *Madame* en sera contente. Grzymala viendra plus tard avec Mickiewicz.

Adieu ma bonne, chère, adorable vieille, vous ne sauriez croire combien je suis heureuse d'aller vous retrouver.

M.

Taulieu a mis votre nécessaire à la diligence à l'adresse de Matron [sic] à Châteauroux. Faite-le [sic] réclamer.

[Adresse :]	[Poste :]
Madame George Sand	Paris 31.1.1837.
A Nohant près La Châtre	La Châtre 1.2.1837.
Indre.	

et plusieurs vaudevilles, mais c'est en 1837 qu'il renonça au théâtre pour se consacrer au barreau. Il fut l'un des plus fidèles amis de George Sand. Dans une lettre à George Sand, du 3 février, il écrit de la comtesse d'Agoult dont il ne comprend pas les hésitations : « Elle part, puis ne part pas ; elle reste, puis ne reste pas [...] je crois que lorsqu'elle aura décidément pris son envol, elle ne reviendra plus se poser sur le même saule pleureur » (George Sand, *Correspondance, op. cit.*, tome III, p. 669).
3. Luigi Calamatta (1801-1869), artiste peintre, dont la fille unique, Lina, épousa Maurice, le fils de George Sand. Marie fait sa connaissance à Paris grâce à George, et le peintre entreprend avec générosité de faire son portrait, ainsi que celui de Liszt. Au moment de son départ pour Nohant, Marie croit agir avec délicatesse en lui faisant parvenir une somme d'argent. Calamatta s'en offense et demande à George de la restituer. Embarrassée par la commission, celle-ci plaide pour son amie : « Une personne qui a sacrifié toutes les vanités du monde par amour pour un artiste, ne peut pas placer dans sa pensée les artistes au-dessous d'elle. [...]. Me pardonnerez-vous de lui épargner celui de savoir combien vous la jugez mal ? [...] Elle a pu croire que ce serait de sa part une indiscrétion que de vous faire faire deux portraits pour rien et si elle ne les a pas acceptés *en ami*, c'est parce qu'elle ne s'est pas cru sans doute, auprès de vous, les droits d'un ami. [...]. Comment pourrait-elle avoir le moindre doute sur votre délicatesse et votre amitié ? [...] Marie parle de vous avec la plus vive sympathie [...]. Réfléchissez donc bien, mon cher ami, avant de lui renvoyer cet argent. »

Lettre n° 22 B

À *George Sand*

[Paris, 1er février 1837]

Je crois en vérité qu'il ne faudra rien moins que le sacrifice de quelque nouvelle Iphigénie pour que la diligence qui m'emporte à Nohant se mette en route ! Voilà l'imprévu qui se réalise avec une grippe d'Eugène Pelletan – Il me demande un jour de répit. J'en enrage – On se moque de moi. On dit que je ne partirai jamais ! Que va-t-il donc m'arriver à Nohant pour que tout se conjure ainsi pour m'empêcher de partir ? Dois-je aussi avoir mes Ides de mars ? Mais qu'importe – À revoir donc. Je vous en supplie ne vous faites enlever par personne avant quinze jours car je vous le répète je veux voir Nohant.

À vous aujourd'hui et toujours.

M.

Fellow-Crétin va de mieux en mieux.

[Poste :]
1.2.1837.

A Nohant, Marie recouvre la santé. Ses lettres le prouvent:
À son ami d'enfance Louis de Suzannet: «Qu'avez-vous envie de savoir de moi? Que je suis établie dans un charmant château du Berry avec la seule femme *vraiment* bonne que j'aie rencontrée en ma vie, passant mes journées à lire au coin du feu et mes soirées (souvent prolongées jusqu'à 4 heures du matin) à causer sans fin de tout et de rien; guérissant ma santé, raisonnant mon esprit, rêvant à mes amis et regardant par ma fenêtre les mélèzes couverts de givre et les violettes dont le parfum monte jusqu'à moi et m'annonce le retour du printems [sic]. Tout cela vous paraîtra bien monotone. C'est la véritable vie pourtant; la contemplation de la nature, la méditation des grandes vérités qui régissent l'humanité et les épanchements de cœur au foyer hospitalier. Je ne sais quand je pourrai m'arracher d'ici, tant je m'y trouve bien [...].»
À son ami et confident Louis de Ronchaud: «George d'ailleurs est la seule femme avec laquelle je pourrais vivre longtems [sic] sans fatigue. Mon séjour à Nohant a donné de *la solidité* à mon amitié. Je sais mieux à présent à quoi m'en tenir sur ses qualités et sur ses défauts. C'est là l'essentiel. Le tout est de bien regarder une fois en face [...].»
Elle n'en reste pas moins sujette à de brutaux accès de spleen. C'est encore à Louis de Ronchaud qu'elle écrit, le 11 mars: «Je suis mortellement triste ce matin. Je viens de pleurer amèrement [...]. Pourquoi donc mon âme déborde-t-elle de douleur ce matin? Ô mon Dieu, serait-il vrai qu'*Il* [Liszt] s'est condamné à une tâche impossible! Mon cœur serait-il un vase sans fond dans lequel il jette en vain tous les trésors de son génie et de son amour?»
Quant à George, elle écrit à sa mère: «Madame d'Agoult est arrivée ces jours-ci, je compte la garder le

plus que je pourrai.» *Elle aussi traverse une période de désespoir dans ses amours avec Michel de Bourges, qui a une nouvelle liaison :* «Vous ne m'aimez plus, vous n'y pouvez rien, ni moi non plus. Et je n'essayerai pas de rallumer en vous cette mobile passion que vous appeliez éternel amour. [...] J'ai une blessure saignante, il faut la cautériser, vous qui n'avez pas craint de la faire», *lui écrit-elle. Dans quelle mesure les deux femmes se font-elles des confidences ?*

Excité par sa rivalité avec Thalberg, qui bat son plein, Liszt supplie Marie de le rejoindre. Mais celle-ci lui répond : «Ma santé n'est pas remise ; le voyage et la vie de Paris me rendraient probablement malade, et puis je viens d'en causer avec George qui me l'a très sérieusement déconseillé pour beaucoup de motifs [...].» *C'est donc un Liszt d'humeur tendue qui fait un bref séjour à Nohant, du 27 février au 5 mars. À son retour dans la capitale, il enjoint de nouveau sa compagne de venir* («Venez bientôt ; j'en ai besoin»). *Marie décide de partir, bien que, toujours en proie au doute, elle lui ait écrit :* «Je crains de vous empêcher de travailler, de vous gêner, d'être moi-même très agitée, de vous porter malheur [...].» *Résignée à son départ, George lui glisse probablement ce billet sous sa porte :*

LETTRE N° 23

À Marie d'Agoult

[Nohant, 13 ou 14 mars 1837]

Chère Marie, je me réjouirais bien de l'affaire des diligences si vous vous en réjouissiez avec moi. Mais je ne suis pas égoïste au point de me faire un bonheur de ce qui vous contrarie. Si vous voulez absolument partir vous trouverez à Châteauroux une chaise de poste. En partant de Châteauroux de très bonne heure jeudi *matin* vous coucheriez à Orléans et seriez vendredi soir à Paris. Je vous ferais bien conduire jusqu'à Châteauroux. Je viens de recevoir 500 frs ainsi l'argent ne serait pas un obstacle.

Le 15, Marie remonte donc à Paris pour rejoindre et soutenir Franz qui doit donner un concert à l'Opéra, le 19 mars, en réponse à celui de Thalberg, à la salle du Conservatoire, le 12. Elle s'installe chez Charlotte Marliani et se met au service de George pour diverses commissions et négocier la publication de ses articles. Depuis le 12 février, George fait paraître dans le Monde, dont Lamennais a pris la direction, les Lettres à Marcie. A travers ces lettres fictives d'un homme à une jeune femme, elle évoque la condition féminine, l'égalité des sexes dans l'amour, l'esclavage des femmes dans le mariage et elle affirme son mépris pour le mariage de raison.

LETTRE N° 24

À George Sand

Samedi
[25 mars 1837]
[Paris] 7 rue Grange Batelière

Ma bonne mignonne je soupire déjà après Nohant...
Mais ce n'est pas de cela dont il s'agit : parlons affaires.
Schlesinger [1] s'est débattu comme un diable, ou
comme un juif dans un bénitier ; il a conclu par 400 frs
la feuille de *la Gazette* qui est moins grande que celle
de la *Revue*. Votre article et les suivants seront donc
payés à ce taux-là. Franz prétend qu'en allongeant un
peu la musique il y aura plus d'un *feuillet et demi*. Le
susdit Schlesinger, apprenant l'offre de Buloz, vous offre
15 000 frs au lieu de 12 000 frs aux mêmes conditions.
Nourrit vous envoye le *Tems* qui contient des détails
biographiques très exacts [2] ; il vous prie seulement d'y
ajouter, si vous faites un article sur lui, ce qui le rendra

1. Moritz-Adolph, dit Maurice, Schlesinger (1797-1871) était directeur
de *la Gazette musicale*, qui publiait les *Lettres d'un bachelier*. Il venait
aussi de faire paraître la nouvelle que George avait écrite à Genève, *le
Contrebandier*.
2. Adolphe Nourrit (1802-1839), célèbre ténor, grand ami de Liszt,
donna une soirée d'adieu à Paris, le 1er avril 1837. Son suicide à Naples
frappa douloureusement ce dernier et la comtesse d'Agoult. Georges
Lubin précise que l'article envisagé par George Sand semble n'avoir
jamais été écrit.

très heureux, que le *premier* il a fait connaître Schubert en France. Berlioz-Alcibiade forme dans le secret de son cœur un vœu qu'il n'ose vous exprimer. Il s'agirait de faire un drame dans lequel il y aurait un rôle (presque tout pantomine) pour son Aspasie [3]. Si vous n'êtes pas très éloignée de cette idée (qui serait un coup de fortune pour Aspasie) dites-le moi, je vous écrirais plus au long ; jusqu'ici vous êtes sensée [sic] ne rien savoir. Je n'ai encore vu de vos amis que Didier et encore devant témoins de sorte que je n'ai rien à vous en dire. L'abbé [4] est positivement sous le joug. D'après ce que je vois je vous engage bien vivement à ne pas aliéner votre liberté avec *le Monde*, il n'y a pas là d'avenir parce qu'il y a inconséquence, incertitude, hésitation et préjugés.

Dans l'autre parti même on le trouve trop *vague* et trop nébuleux ; on se tient à ce que vous savez ; on n'a pas en vain 60 ans.

Les *Lettres à Marcie* ont un succès dont vous ne pouvez vous faire une idée. Beau succès et succès bête tout à la fois. Il faut absolument dire si on aime mieux la 1re, la 2e, la troisième ou la 4e. Je crois que pour en finir plus vite je vais prendre le parti de dire que je n'en aime aucune.

Je suis logée chez la Marliani dont l'époux est en Espagne ; je ne trouvais rien dans les hôtels garnis, elle a été bonne et obligeante comme vous savez et j'ai accepté, au moins provisoirement. Le Crétin m'a parlé des vers à Orléans où il est venu me chercher. Il n'avait pas le moindre soupçon. Seulement j'ai failli me trahir plus tard en parlant du p[rin]ce B[elgiojoso] [5]. Je dis

---

3. Harriett Smithson (1800-1854), comédienne d'origine irlandaise, que Berlioz épousa le 3 octobre 1833 (Liszt fut témoin).
4. C'est-à-dire l'abbé de Lamennais.
5. Le prince Emilio Barbiano Belgiojoso (1800-1858) dont Liszt et la comtesse d'Agoult avaient fait connaissance à Genève. Il chantait fort

bêtement : ah oui, le *cocu cocufié sur la terre et sur l'onde* ! Alors pour rattraper ma sottise il m'a fallu *avouer* que vous aviez reçu ces vers (*stupides, grossiers*, presqu'*obscènes*, disait Franz) mais que vous m'aviez défendu de le dire parce que vous en étiez très contrariée. Mallefille (dont le drame se joue ce soir [6]) en était fort préoccupé. Ronchaud déclare qu'ils sont nécessairement de quelqu'un qui ne nous connaît pas. Enfin chacun rit de ceux du voisin et trouve les siens *stupides*.

Je dois déjeuner un de ces matins avec Mickiewicz et Grrrrzzzz [7] et entendre la lecture d'un nouvel ouvrage. Tous deux viendront à Nohant au printems [sic] ainsi que Chopin qui tousse avec une grâce infinie. Ch[arles] d'Arragon [sic] [8] est tout occupé du concert dont vous avez vu le programme. Son pauvre cœur est fort tiraillé entre son adoration pour vous et son ou sa je ne sais quoi pour la princesse.

Bignat père [9] a fait un discours sur le latin de collège qui a eu un grand succès. Il vous a cité parmi les *honorables* exemples d'ignorants crasses.

bien et Liszt donna un concert avec lui, le 1er octobre 1835, au bénéfice des émigrés. Il vivait séparé de sa femme, la célèbre princesse Cristina, née Trivulzio (1808-1877), grande amie de Liszt.

6. *Le Paysan des Alpes*, pièce en cinq actes créée le 15 mars 1837 au théâtre de la Gaîté.

7. C'est-à-dire Albert Grzymala.

Mickiewicz a écrit en 1837 un drame en cinq actes, *les Confédérés de Bar*, dont le manuscrit a disparu,. La scène se déroulait à Cracovie, en 1772. Outre la comtesse d'Agoult qui l'apporta à Nohant, George Sand, Alfred de Vigny, Félicien Mallefille et le comédien Bocage en prirent connaissance.

8. *Charles*-François-Armand de Bancalis de Maurel, comte d'Aragon (que la comtesse d'Agoult orthographie *d'Arragon*) (1812-1848), fils du marquis d'Aragon, pair de France. Il épousa en 1836 une demi-sœur de la princesse de Belgiojoso.

9. Bignat père, c'est-à-dire le savant Dominique-François Arago (1786-1853), Bignat étant le sobriquet de son fils Emmanuel.

Ne vous pressez pas de conclure avec Buloz. Schlesinger va faire une bonne *concurrence*. Je crois qu'il a un projet de *revue*. L'homme juif [sic]. Je répondrai un autre jour à ce que vous avez écrit dans mon livre. Il y a trois lignes qui sont admirablement belles et qui sont *vous*. Mais que de façons n'y a-t-il pas en ce monde d'être souffrant et misérable !

Adieu, amitié à Maurice [10], souvenir au Pélican malgré et quoique une bonne poignée de main.

A vous.

M.

[Adresse]
Madame Sand
La Châtre – Indre.

Seule à Nohant, George a le cœur en détresse. Elle aime toujours Michel auquel elle adresse des lettres pathétiques («Je ne sens diminuer ni ma douleur ni mon amour. Mais ma douleur s'ennoblit, mes larmes coulent dans le silence. Je me sens mourir à la jeunesse, à la joie, à l'espérance...»). *Cependant, à Marie, sollicitée de revenir à Nohant en compagnie d'une colonie d'amis, elle n'évoque que fatigue et mauvaise santé. Malgré son désarroi intime, George avance dans la rédaction de l'un de ses plus grands romans,* Mauprat, *dont une première partie va paraître sous peu. À Paris, Liszt triomphe de son rival. Le 31 mars, un duel pianistique a lieu chez la princesse de Belgiojoso. On connaît le verdict, prononcé par la princesse ou la comtesse d'Agoult :* «Thalberg est le premier pianiste du monde – Liszt est le seul».

10. C'est-à-dire Maurice Dudevant.

LETTRE N° 25

À *Marie d'Agoult*

[Nohant, 3 avril 1837]

Bonne Marie, je vous aime et vous regrette. Je vous désire et je vous espère. Plus je vous ai vue, plus je vous ai aimée et estimée. Je n'en pourrai pas dire autant de toutes les affections que j'ai soumises au grand creuset de l'intimité, de la vie de tous les jours. J'ai été toujours souffrante depuis votre départ. Cette nuit, j'ai été tout à fait mal et on m'a saignée ce matin. Le printemps me fatigue beaucoup. Par compensation, Maurice va infiniment mieux. Il reprend à vue d'œil, au physique et au moral. Si vous pouvez me donner des nouvelles du sacré baron [1], vous me ferez bien plaisir, car depuis quelques jours, j'en suis inquiète. Je lui ai trouvé une gouvernante et je vais la reprendre. Si vous veniez tout de suite, je vous prierais de me l'amener, mais je crains que vous ne soyez trop longtemps et je la ferai venir au premier jour.

Le *beau Pélican* va se jeter à vos genoux et vous raconter comme quoi il a mangé les plus beaux poissons d'avril qui aient jamais paru dans le département de l'Indre. Il a disputé de très bonne foi contre Duteil [2]

---

1. Ce «sacré baron» désigne Solange, fort entichée de sa prétendue noblesse (Georges Lubin). Elle était en pension à Paris.
2. Alexis Pouradier-Duteil (1796-1852), avoué, avocat, puis juge au tribunal de La Châtre.

et Rollinat, qui s'étaient donné le mot et qui lui ont soutenu pendant tout un dîner que *la littérature ne servait à rien dans les arts.* Le malheureux était furieux, consterné ; il foisonnait de citations, d'exorcismes scientifiques et d'arguments *ad hominem.* La veille, il avait été dupe d'une prétendue arrivée de Michel pendant tout un soir. Il cherchait Rollinat dans toute la maison de la part de (Rollinat-Michel) et il n'a reconnu Rollinat qu'au moment où celui-ci acceptait une tasse de thé qu'il venait de lui faire.

Le Malgache [3] a emporté un très beau saucisson dont je lui ai fait cadeau et qui s'est converti en bûche lorsque arrivé chez lui il a défait le papier et les ficelles. Il est furieux. Pélican persiste à croire que c'est Rollinat qui lui a envoyé la bourriche infâme. Le père Rollinat, qui est venu passer ici quelques jours, lui a confirmé l'imposture très gravement et lui a donné la définition suivante : «Le poisson d'avril est un animal qui prend naissance dans une bourriche et qui voyage à l'aide de pierres et de pots cassés, dont il tire sa nourriture.» Le Malgache prétend que le *saucisson-bois* est une plante qu'il a rapportée de Madagascar. Rollinat lui a fait encore avaler un troisième poisson, mais si malpropre, qu'à moins de vous le raconter en latin, je ne saurais comment m'y prendre.

Or il y a une petite difficulté, c'est que je ne sais pas le latin, ni vous non plus.

Dites à Mick... (manière non compromettante d'écrire les noms polonais) que ma plume et ma maison sont à son service, et trop heureuses d'y être, à Grr... [4] que je

---

3. Le Malgache est le surnom de Jules Néraud (1795-1855), avocat puis juge de paix. Jeune, il fit un voyage à Madagascar, d'où son surnom. Ce grand ami de George Sand était un amoureux de la nature.
4. C'est-à-dire Mickiewicz et Grzymala.

l'adore, à Chopin que je l'idolâtre, à tous ceux que vous aimez que je les aime, et qu'ils seront les bienvenus amenés par vous. Le Berry en masse guette le retour du maestro pour l'entendre jouer du piano. Je crois que nous serons forcés de mettre le garde-champêtre et la g[ar]de nat[iona]le de Nohant sous les armes pour nous défendre des *dilettanti berrichoni*.

Dites à Mme Marliani que je l'aime cent fois plus, pour l'empressement et l'amitié qu'elle vous témoigne et embrassez-la pour moi tendrement.

Liszt est perdu dans un nuage de gloire, à ce que je vois dans les journaux. *Evviva !* Cela ne m'apprend rien de son génie, que j'ai l'orgueil d'avoir compris avant que *giumiento* [5] embouchât toutes ses trompettes. Enfin, notre ami lui a mis le mors et la bride. C'est une victoire « plus *nécessaire* qu'*agréable* », comme dit M. Harel [6]. Vous devez courir comme un *chevreuil* (animal rongeur et ruminant qui sert au besoin de femme de chambre aux dames de qualité [7]... voyez M. de Buffon chap....) et faire *étinceler* vos cheveux blonds dans des milliards de concerts.

Votre santé ne souffre-t-elle pas de cette vie d'émotions et de triomphes ? Moi qui ai la fibre épaisse, je vous envie bien vos joies et les mélodies qui vous inondent (style Prudhomme) ! Mais je n'ai pas le sou et je suis forcée de m'en tenir aux mélodies des crapauds de mon jardin qui depuis dix nuits font entendre, ma foi, de très jolies petites notes pour des notes de province. Du reste, vous ne trouverez pas une allumette

5. Ce mot désigne le public pour George et ses amis (Georges Lubin).
6. Charles-Jean Harel (1790-1846), directeur du théâtre de la Porte Saint-Martin.
7. Jeu de mots : la femme de chambre de Marie s'appelait Annette Chevreuil.

dérangée à votre chambre. Nohant et la famille Piffoël sont ce qu'il y a de plus inamovible dans la société humaine, et de plus immuable, après Dieu et M. Schoelcher [8], dans le système de l'univers. Bonsoir, bonne et chère Mirabella, si vous avez l'occasion de donner un coup de pied de ma part au derrière de Bignat, et de tirer la lourde oreille du *ragazzo di... rosa* [9], vous me ferez plaisir. J'embrasse le crétin et vous donne toute mon âme.

G. S.

Les deux lettres suivantes ont été écrites le même jour. Elles se croisent. Marie a vu Solange, la fille de George, qui va bientôt rejoindre sa mère pour les vacances de Pâques. George, toujours consumée par son amour non partagé pour Michel, s'apprête à lui écrire encore, alors qu'elle vient de le revoir brièvement à Bourges : «Moi je t'aime plus que jamais, tu n'as pas voulu me guérir de t'aimer.»

8. Victor Schoelcher (1804-1893), célèbre pour sa lutte contre l'esclavage.
9. Autre surnom d'Hermann Cohen.

LETTRE N° 26

À George Sand

Paris 6 avril 1837

J'ai vu hier Solange, ma bonne Mignonne, elle a été très gentille, elle a joué avec Claire et causé avec la petite Scheppard [sic] [1]. Sa santé est florissante et ses vêtements de deuil ajoutent encore de la solennité à son sérieux déjà si solennel. Je voudrais bien vous la ramener mais malheureusement les amours de Crétin et de Giumento [2] ne me permettent pas encore de fixer le jour de mon départ. Je pense que dans aucun cas je ne resterai plus de trois semaines ici, peut-être serons-nous libres avant quinze. Écrivez-moi vos ordres, je *serai* ravie d'avoir Solange pour compagne de route.

J'ai dîné hier avec l'abbé [3] il m'a recommandé par trois fois de vous supplier de ne pas les abandonner. Il est ravi de vos *lettres*. La 4e comme éloquence et poésie, la 6e comme raison lui paraissent les plus belles. Tâchez de leur envoyer vite la 7e. Le journal ne peut aller sans cela. Schlesinger écrit à Franz de

---

1. Claire d'Agoult, fille de la comtesse, et sans doute Adélaïde-Antonia Sheppard, fille du journaliste anglais Thomas Sheppard (1800-1851) et de Marie-Thérèse Ducroc de Brassac (1806-1868). La mère et la fille furent invitées à Nohant, en octobre 1853. Solange portait le deuil de la baronne Dudevant, belle-mère de son père.
2. Voir lettre n° 25, note 5.
3. L'abbé de Lamennais.

Mayence. Il sera de retour à Paris le 12 mai et vous prie de ne terminer avec personne d'ici là. Il prétend que *vous vous en trouverez bien* et je le crois. J'ai vu hier Alf[red] de M[usset]. Solange était là. Elle ne l'a pas reconnu. Il a fait là dessus deux ou trois phrases qui voulaient être poëtiques [sic]. Il m'a souverainement déplu et j'ai tout lieu de croire que l'impression est réciproque. Ce visage effacé, cette conversation effacée et ce joli petit pied si coquettement posé ne sont guère de mon goût. Mais je me défie de mes premières impressions quand elles sont mauvaises. Adieu je v[ou]s écris *sur le pouce* pendant que Chevreuil me coiffe. Je me porte bien. Pourtant le printemps est accablant cette année. Je me désole de vos saignées. Il me semble que chacune doit vous ôter une année d'existence.

Que Dieu ne vous abandonne pas ! Ou plutôt n'abandonnez pas Dieu. On ne peut rien aimer ici bas on ne peut qu'essayer d'aimer.

A vous à toujours,

M.

[Adresse :]
Madame Sand
La Châtre – Indre.

LETTRE N° 27

À Marie d'Agoult

[Nohant, 6 avril 1837]

Affaires !

Chère Marie, ni l'une ni l'autre des presses Chaulin [1] ne me convient. N'en parlons plus. Mon voiturier sera à Paris le 12 ou le 14. Il a diverses caisses à m'apporter. Si le piano est prêt, il le rapportera en 8 ou 9 jours, et il sera ici du 22 au 25. Voyez si c'est l'époque à laquelle je puis vous espérer. Le piano serait plus en sûreté dans les mains de ce voiturier qu'au roulage ordinaire. Je veux les Fellows, je les veux le plus tôt et le plus longtemps possible. Je les veux *à mort*. Je veux aussi le Chopin et tous les Mickiewicz et Grzymala du monde. Je veux même Sue, si vous le voulez. Que ne voudrais-je pas encore si c'était votre fantaisie ? Voire M. de Suzannet [2] ou Victor Schoelcher ! Tout, excepté un

1. Chaulin, 218, faubourg Saint-Honoré, était le spécialiste des garnitures de bureau élégantes. La *France littéraire* de novembre 1835, p. 201, vante « ces jolis timbres secs dont la plupart ont été commandés par des notabilités littéraires ». C'est là l'explication des « presses Chaulin » dont il est question ici : appareils à marquer soi-même le papier à lettres d'un timbre sec aux initiales ou aux armes, ou encore avec une devise (note de Georges Lubin).
2. *Louis*-Constant-Alexandre, comte de Suzannet (1814-1862), fils d'un chef vendéen, était, comme sa sœur, un ami d'enfance de la comtesse

amant. Quant au mauvais livre, soyez en paix. Il y en a encore en magasin, et laissons dire les sots ; rira bien qui rira le dernier.

La bête [3] est ici, toujours bonne et excellente bête, qui vous aime tendrement et qui parle de vous admirablement. Elle est venue montée sur un bon petit cheval qui est à moi et que vous monterez, car il est infiniment supérieur à Georgette.

J'ai reçu un livre d'Autun sur George Sand avec une lettre de l'auteur, Théobald Walsh [4] qui me déclare qu'il me méprise profondément ; en raison de quoi il me demande humblement mon amitié, ce qui n'est guère logique. Je ne lui répondrai que cela.

Je ferai l'article sur Nourrit quand tous ceux des journaux quotidiens auront paru, et je le ferai sous une autre forme que le feuilleton car ce que je ferais aujourd'hui ne ressortirait pas de la foule des banalités qui vont se dire sur son compte. D'ailleurs, *le Monde* a inséré un article de Fortoul, et je ne puis d'ici à deux mois, me dépêtrer de *Mauprat* et d'une nouvelle qui suivra immédiatement, pour compléter deux volumes, dans la *Revue des Deux Mondes*. Ainsi, dites-lui que je garde mon bouquet pour le dernier du feu d'artifice.

Je ne prends du reste aucun engagement pour l'avenir avec la Revue Buloz, et je me réserve au *Monde* ma liberté de conscience. – Si Didier se doute de *notre*

d'Agoult. Charles X le fit pair héréditaire du royaume en souvenir des services rendus par son père à la monarchie. Marié sur le tard, il effectua de nombreux voyages et en publia les relations dans des articles et des livres.

3. Surnom de Gustave Collin de Gévaudan.

4. *Théobald*-Antoine-Olivier, comte Walsh (1792-1881), venait de publier un *George Sand* chez Hivert, à Paris, où il accusait la romancière d'immoralité. Liszt et la comtesse d'Agoult qui avaient fait sa connaissance à Genève le rencontrèrent à plusieurs reprises en Italie (Florence, Rome) et ne lui épargnèrent pas leurs sarcasmes.

poisson, il doit m'en vouloir diablement. Ne nous tra-
hissez pas.

Bonsoir mignonne ; je suis toute chétive, et l'*amour*
me descend tellement dans les talons que bientôt je le
laisserai tout à fait par terre avec la poussière de mes
pieds. Bignat seul pourrait rallumer le feu sacré !

Je ferai pour *Aspasie* tout ce qu'on [voudra]; mais je
n'aurai pas un jour de loisir avant la fin de l'été. Le travail m'écrase et mes forces ploient sous le faix.

Adieu mignonne. Mes amitiés tendresses et poignées
de main à qui de droit.

[Adresse :]   [Poste :]
Madame D'Agoult   La Châtre 6 avril...
rue N[eu]ve des Mathurins, n° 1   [Paris] 8... ...
Paris.

*Toujours dévouée à son amie, Marie s'affaire avant
de repartir pour Nohant.*

LETTRE N° 28

À *George Sand*

Paris 8 avril 1837

Ma bonne chère Mignonne le Pélican [1] est apparu à mon horizon plus beau que jamais, il va vous porter toutes vos commissions : j'espère n'en avoir oublié aucune. Envoyez votre roulier 1, rue N[eu]ve des Mathurins. Franz lui remettra le piano. Je ne sais pas encore si j'ammènerai [sic] quelqu'un à Nohant. Grzymala est tenu par deux vieilles princesses qui n'espèrent plus le remplacer. Chopin est l'homme irrésolu il n'y a chez lui que la toux de permanente. Mickiewicz prétend qu'il est père de famille, etc., etc.

Je dois dîner aujourd'hui *en cabinet particulier* [manque]. Il a, dit-il, cent millions de choses à me dire et nous n'avons pas encore pu causer seuls. Le livre du c[om]te Walsh est le ressassement de toutes les bêtises qui ont cours depuis trois ans parmi les gens moraux et bêtes. C'est une bête lui-même mais point méchante. Il m'a fait à Genève une impertinence dont il m'a demandé pardon *par écrit* et qui a satisfait mon honneur et sa conscience. Je l'appelais Cruchibus. Je vois journellement Calamayo [2] qui fait mon portrait. Il ira

1. Sobriquet d'Eugène Pelletan.
2. Sobriquet de Calamatta.

probablement à Nohant faire le portrait de Solange. Mercier [3] veut aussi aller faire votre buste. Il va en faire un du Crétin.

La Marliani est toujours parfaite ; grande avaleuse de grains de maïs et dilettante d'enthousiasme mais on lui pardonne tout à cause de sa bonté bien réelle.

Mr de Chaudesaigue [sic] [4] m'a fait demander de m'être présenté et de m'apporter le 1er article d'une série sur vous dans la *Revue de Paris*. Félicitons-nous !

Adieu bonne et très chère. A bientôt j'espère et à toujours j'en suis sûre.

Quant à George, elle se préoccupe de l'arrivée de ses amis. Elle n'a pas encore reçu la lettre de Marie, du 8 avril, et s'inquiète de faire venir un bon piano pour Franz, en temps et en heure...

---

3. Michel-Louis-Victor Mercier (Meulan, 1810 - Meulan, 1891), sculpteur, qui réalisa effectivement un buste de George Sand. Celui-ci n'est cependant pas répertorié par Stanislas Lami dans son *Dictionnaire des sculpteurs de l'École française*, quatre volumes, tome 3, Paris, 1919, qui fait autorité.

4. Jacques-Germain Chaudesaigues (1814-1847), littérateur et critique français. Son étude sur George Sand parut effectivement le 2 juillet, mais dans *l'Artiste*.

LETTRE N° 29

À Marie d'Agoult

[Nohant, 12 avril 1837]

Ma bonne Mirabelle, je vous prie de veiller à ce que le piano soit prêt et emballé le *20* sans faute, parce que le voiturier sera à cette époque à Paris, très exactement, et qu'on ne peut confier un envoi à des mains plus sûres.

A moins que vous ne reveniez plus tôt, ce qui me charmerait, mais le roulage accéléré mettra 14 à 15 jours pour m'amener l'instrument. Mon homme partant demain en met huit pour aller et autant pour revenir, ce qui revient à peu près au même et nous avons meilleure chance avec lui qui est soigneux et honnête, qu'avec des inconnus qui peuvent en changeant de voiture à Orléans (comme ils pratiquent pour la plupart) laisser tomber la caisse et la briser.

Je ne vous dis rien de plus ce soir, je vous *avise* seulement (style de roulier), et je vais dormir. J'arrive de Bourges, je me suis éreintée à courir la poste par un froid de Sibérie. J'ai un rhume de gendarme. Je tombe.

Bonsoir chère âme, mille et mille millions de remerciements pour toutes les courses que vous avez faites pour moi. J'embrasse Crétin. Mille tendresses à Carlota. Vous je vous bige les mains, ce que je n'ai je crois jamais fait à personne.

George.

[Adresse :]
Madame d'Agoult
rue N[eu]ve des Mathurins, 1
Paris.

Peut-être manque-t-il ici une lettre de George, dont Georges Lubin publie un fragment avec beaucoup de réserves dans le supplément de la Correspondance (tome XXV, p. 305). Ce fragment, cité dans un catalogue de 1938, se limite à ces mots : «Chère Marie, en faisant demander de vos nouvelles et de celles d'Alfred...» Quant à la lettre de Marie, qui suit, il est difficile de la dater avec précision.

LETTRE N° 30

À George Sand

[Paris, après le 13 avril 1837]

Mignonne entre les mignonnes j'ai donné avant-hier une *soirée* à laquelle j'ai prié M. Alfred de M[usset]. Durant deux heures de ladite soirée ledit Alfred de M[usset] m'a demandé un entretien particulier. Nous sommes allés nous asseoir sur un canapé solitaire et là il a commencé à me dire qu'il avait un mauvais caractère, capricieux, bizarre, injuste. Je ne disais rien mais ma figure disait : e poi ? L'*e poi* était que lorsque vous avez désiré r'avoir vos lettres il s'y est sottement refusé par je ne sais quel instinct *d'opposition* fantasque ; qu'aujourd'hui il désire cet échange et que si vous n'avez pas changé d'avis il me chargera du paquet des vôtres et vous priera de lui renvoyer celles que vous avez entre les mains. Je ne me suis pas refusée à ce désir parce que j'ai pensé que cela vous conviendrait autant et plus qu'à lui. Le Pélican vous aura porté vos affaires sauf deux pains de savon au miel impossibles à trouver dans tout Paris. Dites-moi par quoi je dois les remplacer. Ci-joint un bout de papier que le Pélican a jugé à propos de m'envoyer (sans être cacheté) le jour de son départ. C'est le premier de ma vie que je reçois dans ce style négligé et familier. Dites-lui que parce que je l'ai complètement dispensé des respects qu'il croyait me devoir comme *comtesse* ce n'est pas une raison pour qu'il se dispense des égards qu'il me doit comme femme. On a beau être pressé un pain à cacheter est vite mis et un *Madame* est vite écrit. J'ai été parfaitement grave et solennelle à l'occasion de nos vers. Les soupçons ont fini par planer sur un des frères Musset [1]. J'ai renoué *intimité* avec Polley [2]. Il est possible qu'il vienne à Nohant. Calamatta vient de finir mon portrait [3]. Ary Scheffer commence celui de Crétin [4]. Je crains que cela nous retienne ici plus que je ne voudrais. *Rat* a donné un concert dans *les salons* de Franz. Tout lui a manqué et il a fallu que le maestro remplaçât avec ses dix doigts tous les morceaux du programme. *Il* (le rat) adore la p[rince]sse Belgiojoso dont il est adoré. Demain j'entends la lecture du grand drame de Mickiewicz, je vous dirai mon opinion. Berlioz est ravi de la lueur d'espérance que je lui ai donnée. Aspasie me paraît possédée de la rage de *paraître*.

Adieu bonne vieille je vous embrasse un million de fois à la manière de Solange.

Il est un peu question de révolution ici.

---

1. En fait, le copiste de Nohant a écrit « Mayet ». Outre que nous n'avons pu identifier des frères qui auraient porté ce patronyme, nous sommes persuadés que la comtesse a écrit « Musset » avec un double « s » à jambage comme elle en était coutumière. Enfin, sa lettre du 22 avril porte explicitement : « On n'a rien découvert pour notre poésie. Les soupçons planent toujours sur Alf. de M. ». Paul de Musset (1804-1880), frère aîné d'Alfred (1810-1857), a publié des romans et écrit des comédies.

2. Polley : même orthographe dans une lettre de George Sand à la comtesse, du 27 avril 1837. En note, Georges Lubin suggère qu'il s'agisse du sculpteur Joseph-Michel-Ange Pollet (1814-1870), qui a fait de George Sand un petit buste en terre cuite.

3. Calamatta a fait, au crayon gras, un portrait en buste de la comtesse, tournée vers la droite (hauteur : 24 cm ; largeur : 17,5 cm).

4. Le portrait, peint à l'huile de Liszt par Ary Scheffer (1795-1858), est actuellement conservé au Musée Ary Scheffer de Dordrecht.

LETTRE N° 31

À Marie d'Agoult

[Nohant, 26 (?) avril 1837]

Chère mignonne. Vous me pardonneriez l'effroyable retard que j'ai mis à vous écrire, si vous aviez vu ma vie depuis huit jours. J'en ai fait pitié à Pélican *lui-même!* C'est descendre au-dessous du mépris. Le fait est que je me suis embarquée à fournir du *Mauprat* à Buloz au jour le jour, croyant que je finirais où je voudrais et que je ferais cela par-dessous la jambe. Mais il s'est trouvé que le sujet m'a emporté[e] loin, et que cette besogne m'a ennuyé[e] comme tout ce qui traîne en longueur. De sorte qu'au dernier moment de chaque quinzaine, depuis un mois et 1/2, me voilà *suant* sur une besogne qui m'embête, que je fais en rechignant. Je n'ai pas même le temps de dormir et je suis sur les dents, et ne voilà-t-il pas que pour m'achever, Solange se met en tête d'avoir la petite vérole ! une petite vérole aussi bénigne que possible, mais constituant une éruption effrayante et une véritable maladie. J'ai été d'abord très épouvantée. La vaccine ne me rassurait pas, car il y a des exemples de mort dans la petite vérole, malgré la vaccine. Enfin je suis en paix à présent, mais mon pauvre baron est toujours au lit avec de gros vilains boutons sur le nez qui, heureusement ne laisseront pas de traces, à ce que me promet le médecin. Elle a été bonne et douce comme un ange dans sa maladie. Depuis son retour de Paris, elle était si charmante, que j'en étais inquiète. Il est impossible d'être plus résignée, plus caressante et plus gaie qu'elle ne l'est, quoique très malade encore. Elle a une grande grosse fille assez instruite, et tout à fait bonne (sœur de Rollinat) pour gouvernante. Le Gévaudan est toujours ici, retenu par *ma tendresse* et par le désir de vous voir. Il est toujours le meilleur garçon de la terre, et je vous assure que je le prends tout à fait en amitié. Il est doué d'un bon sens que je voudrais bien donner à tous ceux avec qui j'ai eu l'honneur de faire connaissance dans ma vie. Le Pélican est toujours stupide ; jamais il n'aura l'ombre d'une idée juste, mais ce serait le juger trop sévèrement que de ne pas lui accorder un très bon cœur. Il est sincèrement désolé de vous avoir déplu ; il ne se doutait même pas qu'il pût y avoir de l'impolitesse à ce qu'il a fait envers vous, tant Monsieur son père lui a donné une brillante éducation. Soyez assez bonne pour lui pardonner ; il ne le fera plus, et cette petite leçon lui servira – jusqu'à la prochaine fois.

Au reste vous seriez désarmée si vous saviez quelle énorme consommation de poissons d'avril il a faite depuis votre départ, il faut que je vous les raconte pour vous engager à estimer sa candeur et sa loyauté.

En arrivant de Paris, il trouve ici Gévaudan – Ah ! ah ! dit-il, voici M. de Gévaudan le légitimiste ! madame d'Agoult m'a dit qu'il était arrivé. – Non pas, lui fais-je, il devait venir mais il est tombé malade au moment de se mettre en route, et il m'a envoyé mon cheval par l'occasion de Monsieur qui le lui a vendu et qui est artiste vétérinaire et maquignon, sourd par-dessus le marché, bête comme une oie, insolent, bavard, bel esprit, insupportable, amusant quelquefois, mais s'attachant comme de la poix à ceux qui ont le malheur de rire de ses sottises. Voilà le Pélican qui se dévoue à faire société à l'artiste vétérinaire, lequel ne disait plus un mot sans jurer, sans frapper sur la table avec son verre, sans faire des *cuirs*, sans parler de cheval et d'écurie, et de maréchal ferrant et de foire, etc. C'était le jeudi, tous mes camarades avaient le mot. À dîner, Pélican fait le gentil aux dépens du pauvre maquignon, lui demande s'il a connu Planche et Mallefille à l'École vétérinaire d'Alfort, s'il a connu un fameux professeur d'équitation appelé Sainte-Beuve, etc., etc. Gévaudan répond qu'il a étudié la littérature, qu'il sait écrire *sous la dictée*, et qu'il y avait à l'École vétérinaire un professeur de belles-lettres pour enseigner l'orthographe ; puis il pousse la lampe en disant : F...! *voilà-t-une lampe qui m'embête !* Mr Bourgoing [1] qui était près de lui lui dit : – Monsieur, voilà une parole bien déplacée, et je m'étonne que Mr Pelletan ne la relève pas. Quant à moi, je ne crois pas devoir la souffrir.

– Qu'est-ce que c'est ? dit Pélican avec douceur.

– Monsieur dit que vous êtes une bête.

Le vétérinaire s'en défend. M. Bourgoing soutient qu'il a manqué à la maîtresse de la maison et une querelle burlesque, mais très bien jouée, s'engage, si bien que Mme Fleury [2], qui n'était pas prévenue, faillit s'évanouir de peur. Pélican était fort étonné et ne savait quelle attitude prendre. La querelle s'apaise. M. Bourgoing feint d'être ivre-mort, s'attendrit, divague, sanglote dans le sein de Pélican qui le promène dans la cour, soutient bénévolement le poids énorme du compère et finit par

1. Jean-Joseph Bourgoing, mort en 1848, directeur des Contributions indirectes à La Châtre, de 1833 à 1838.
Gustave Planche (1808-1857), cité plus haut, était un critique littéraire qui aida, un moment, George Sand.
2. Laure Decerfz, Mme Alphonse Fleury (1809-1870), amie intime de George Sand qui lui a dédié, ainsi qu'à son mari, son roman *Jacques*.

le mener coucher. Il revient nous trouver. Nous lui disons que le vétérinaire est encore plus ivre que l'autre, et qu'il faut aussi le mener coucher. Il le mène coucher et revient. Alors une chaise de poste arrive, et annonce *M. de Gévaudan* que personne ne se flattait de voir arriver malgré sa maladie. *M. de Gévaudan richement vêtu*, entre et se précipite dans mes bras. Pélican reste stupéfait, devient mélancolique, pense à l'éternité, à l'infini, au génie méconnu, *et va se coucher*.

Je passe sous silence cinq ou six *goujons* qui furent avalés par le même, une belette dont Gévaudan a fait la chasse dans le grenier, et *l'ordinaire courant*, le crin coupé dans les lits, les fantômes, les sérénades, une charmante casquette rapportée de Paris et où Gévaudan a planté des fleurs que Maurice a arrosées (je ne vous dirai pas de quelle manière), les potées d'eau jetées sur la tête. Gévaudan a abjuré toute dignité et fait mille cabrioles extravagantes. Pélican attaque tout le monde, et quand on lui riposte, *va se coucher*. Mais ce qui mérite d'être raconté dans toutes les langues, c'est le tour que nous avons joué à un certain Mr Huard [3] avocat sans cause, imbécile animal, plein de suffisance, débarqué à la Châtre depuis quelques jours et s'accrochant à tout le monde, sans s'apercevoir que tout le monde se moque de lui. Il est venu ici pour me voir, tout tranquillement, sans ma permission et se recommandant de Rollinat, qu'il avait connu à Châteauroux, et qui lui avait refusé dix fois de l'amener ici. Rollinat ne pouvant s'en défaire lui dit :

– Écoutez, je crois que Madame Sand dort encore. *Moi, je vais me coucher.*

– Comment, en plein midi ?

3. Louis ou Alexandre Huard, avocat à Châteauroux.

– Oui, mon ami, c'est l'usage de la maison. Je vous souhaite le bonsoir. Et il va se coucher. Moi j'étais couchée aussi. On vient me dire que Mr Huard s'obstine à me voir. Je ferme les rideaux de mon lit, non sans y avoir fait un trou pour voir Mr Huard. Mr Huard est introduit dans ma chambre. Une personne respectable l'y reçoit. Elle était âgée d'environ quarante ans, mais on aurait pu lui en donner 60 à la rigueur. Elle avait eu de belles dents, mais elle n'en avait plus. Tout passe ! Elle avait été assez belle, mais elle ne l'était plus. Tout change ! Elle avait un gros ventre, et les mains un peu sales ; rien n'est parfait ! Elle était vêtue d'une robe de laine grise mouchetée de noir et doublée d'écarlate. Un foulard était roulé négligemment autour de ses cheveux noirs. Elle était mal chaussée ; mais elle était pleine de dignité. Elle semblait parfois sur le point de mettre quelques *s* et quelques *t* mal à propos ; mais elle se reprenait avec grâce, parlait de ses travaux littéraires, de Monsieur Rollinat, son *excellent ami*, un *homme parfait*, des talents de Mr Huard qui étaient venus jusqu'à son oreille, quoiqu'elle vécût *très retirée, accablée de travail*, Mr de Gévaudan plaçait un tabouret sous ses pieds, Mr Pélican lui allumait son cigare, les enfants l'appelaient maman, les domestiques madame. Elle avait un gracieux sourire et des manières beaucoup plus distinguées que le gamin George Sand. En un mot, Huard fut heureux et fier de sa visite. Perché sur une grande chaise, l'air radieux, le bras arrondi, le discours abondant, le regard pétillant, il resta un grand quart d'heure en extase et se retira saluant jusqu'à terre... Sophie [4] !

4. *Sophie*-Charlotte Cramer, née en 1795, femme de chambre de George Sand qui dut s'en séparer à la suite d'une indélicatesse. Généreuse, George ne lui en envoya pas moins des secours, plus tard.

À peine fut-il sorti que jetant mes rideaux au loin, Rollinat poussant la porte derrière laquelle il s'était caché, sa sœur arrivant d'un autre côté, Gévaudan et Pélican rentrant après avoir reconduit le quidam, les enfants, les domestiques, tout le monde fut pris d'un rire inextinguible, immense, effroyable, et tel que le ciel et la terre n'en ont jamais entendu un pareil depuis la création des avocats, et l'invention des robes de chambre écarlate[s]. Mr Huard est parti, dès le lendemain, p[ou]r Châteauroux, à seule fin de raconter son entrevue avec moi, et de faire la description de ma personne dans tous les cafés. Dépêchez-vous de revenir, afin d'être témoin *invisible*, de sa seconde visite, des excellentes manières de Sophie, et de lire le poème latin que Rollinat a composé sur cette grande page historique. Nous comptons sur vous pour l'écrire en allemand ; la gouvernante le met en anglais, moi en italien. Pélican en grec, Gévaudan en *nivernois*, le Malgache en madécasse, etc., etc. Nous voulons l'écrire sur le mur de la maison afin de renvoyer les importuns, ou de leur faire voir à quoi on s'expose en franchissant la porte. *Lasciate ogni speranza, voi ch'entrate* [5] !

Je voudrais bien que toutes ces folies vous donnassent l'envie de revenir, chère bonne Mirabella. Maurice a un devant de cheminée, vraiment merveilleux à vous présenter, et des caricatures de plus en plus parfaites. Solange est si gentille, que vous ne l'aimerez peut-être plus, puisque vous l'aimiez tant quand elle avait le diable au corps. Mais en revanche Pélican est toujours sale, et moi stupide. Il y a de grandes vérités qui bravent le temps et semblent éternelles comme Dieu, quoique tout change autour d'elles, même Gévaudan

---

5. Traduction : Abandonnez toute espérance, vous qui entrez (Dante, *l'Enfer*, chant III).

en artiste vétérinaire, même moi en Sophie, même Solange en agneau.

Et que faites-vous ? Vous me punissez bien de mon silence en ne m'écrivant pas, je viens de passer des jours d'accablement et d'inquiétude. Une lettre de vous m'aurait fait du bien. Mais peut-être êtes-vous bien occupée, malade et fatiguée vous aussi ! Quoi que vous disiez, quoi que vous fassiez sachez bien que Piffoël vous aime et vous attend avec impatience. Personne ne s'est permis de respirer l'air de votre chambre depuis que vous l'avez quitté. On s'arrangera pour loger tous ceux que vous voudrez bien amener. On enverra Pélican percher à côté de la grue. Je compte sur le crétin, sur Chopin, et sur le *Rat*, s'il ne vous ennuie pas trop et tous les autres à votre choix.

Bonsoir chère mignonne, aimez-moi, s'il vous reste quelque chose pour les crétins en sous-ordre, comme je vous aime moi qui vis toujours maritalement avec la saignée et la vertu, je vous aime comme j'aime mes amis, *ardemment.*

Il paraît que votre sacré crétin a perdu une lettre de Barbier [6] pour moi.

---

6. Henri-*Auguste* Barbier (1805-1882), poète français, membre de l'Académie française (1869). Il rencontra la comtesse d'Agoult à Florence, en 1838, et laissa d'elle un portrait admiratif.

LETTRE N° 32

À Marie d'Agoult

[Nohant, 27 avril 1837]

Chère Marie, J'ai oublié hier de vous parler de deux *choses* (comme dit l'abbé de Lamennais). –
1° – Musset vous promet mes lettres. Il ne vous les remettra pas. Tout cela est *un genre*. – *Connu !* – Au reste je n'y tiens pas, et je sais que vous vous mettrez en mon lieu et place pour les accepter de l'air qui convient, s'il vous les rapporte. Il me les a offertes au moment où je quittais Paris, et de la meilleure grâce du monde. Il *blague* donc un peu en disant qu'il n'a pas voulu. C'est moi qui par un mouvement de fierté assez naturel n'en ai pas voulu le jour où il me les offrait. J'ai peut-être bien fait, car si j'avais eu l'air d'y tenir, il aurait peut-être changé d'avis le lendemain. En un mot, prenez votre grand air Mirabella et n'ayez pour réponse à tous ses beaux discours que l'*e poi ?* ou le *as you like it* [1].
2° – Je voudrais bien que le Crétin pût arracher mes 600 frs au juif musical. Je voudrais faire demander de la pension des effets de Solange qui n'a ici que deux chemises, et dont je [ne] veux annoncer le séjour définitif auprès de moi, qu'en payant ce que je dois ; si vous pouviez faire payer, vous auriez la bonté de me le faire savoir, et j'écrirais en même temps pour donner congé.

---

1. Selon qu'il vous plaira.

Vous auriez aussi la bonté de revoir la note, ou plutôt mon camarade Papet [2] se chargerait de régler et *de parfaire* le payement total. Écrivez-moi *si* et *quand* je puis compter sur l'argent de Schlesinger. Ne vous donnez aucune peine pour les pains de savon. Ce que je veux par-dessus tout, c'est que mes commissions ne vous fassent pas perdre cinq minutes. Dites à Polley que je ne lui ai pas répondu parce que c'est le diable pour moi que d'écrire mais que j'en avais l'intention. S'il veut venir me voir il me fera le plus grand plaisir du monde. Vous savez que j'ai un faible pour sa jambe tortue. Parlez-moi du drame de Mickiewicz et des amours de *Grimaldi*. Il me semble que la pièce du *borgne* a coulé bas [3]. Au reste, je ne lis plus un journal, pas même *le Monde*. Je voudrais oublier jusqu'à l'art de tracer les lettres de l'alphabet. Je voudrais pouvoir parler chinois, parler chien, parler Pélican, grue, bête du Gévaudan, *rat*, tout plutôt que la langue française et tout ce qui en dérive. Je monte à cheval sitôt que j'ai un quart d'heure de loisir. La bête de la bête [4] est très gentille. Bonsoir, chère mignonne. Venez tôt.

Et à propos, avez-vous gardé de votre ancienne splendeur quelque selle de femme, car je n'en ai qu'une ici ! Nous pourrions en louer une au moins, sans dire que c'est pour la faire voyager, et l'envoyer par le roulage avec le piano. Je trouverais plus tard l'occasion de la renvoyer sans frais. Je crois que pour 10 frs par mois tout au plus on a une selle tout à fait digne de Georgette.

2. Gustave Papet (1812-1892), ami d'enfance de George Sand, à laquelle il resta très fidèle. Médecin et riche propriétaire foncier, il prodiguait ses soins gratuitement.
3. Le borgne, surnom de Mallefille, qui venait de faire jouer sa pièce, *le Paysan des Alpes*. Avait-il perdu un œil ? Il connut, jeune, un naufrage où il faillit périr avec sa famille et resta dix jours sans boire ni manger (Pierre Larousse).
4. C'est-à-dire le cheval amené par son ami Gévaudan, dit la bête.

LETTRE N° 33

À George Sand

[Paris] 30 avril 37

Ma bonne chère Mignonne voici la lettre de Barbier qui gisait dans un des nombreux tiroirs encombrés de cet incorrigible Crétin. Nous partons lundi ou mardi pour vous rejoindre tous deux très fatigués de Paris et moi toussant comme une vraie vieille. Je regrette de n'avoir pas été avec vous pour soigner Solange ; je ne m'étonne pas de sa douceur ; si elle devient diable ce sera votre faute ou la faute de votre éducation à la Piffoël. Tâchez donc de ne pas la gâter *à mort*. J'ai touché chez Schl[esinger] les 600 francs. J'y ai ajouté 40 frs environ et j'ai payé Mlle Martin [1]. – Dites au Pélican qu'il ne se souvienne déjà plus de son *méfait*. J'espère comme vous le dites, qu'il a bon cœur ; je voudrais en être aussi sûre que de sa facilité à avaler des poissons de mer que vous lui préparez. Je serai charmée de revoir notre bonne bête du Gévaudan. Je ne vous amène personne. Chopin est malade ; Grzymala perd de l'argent et court après ; Mickiewicz berce son

---

1. Les sœurs Martin, d'origine anglaise, tenaient à Paris une pension pour petites filles où Solange Dudevant demeura de novembre 1834 aux vacances de 1837 (Georges Lubin).

enfant ; Puzzy fait le bonheur et la gloire de Hambourg. J'ai voulu enlever Herminie Vial [2] mais je ne pense pas qu'elle puisse quitter ses leçons en ce moment. Elle aurait *besoin* de repos et vous seriez contente d'elle ; c'est une noble créature qui porte sa croix sans fléchir. La Marliani est toujours parfaite, je lui dis des duretés et elle ne m'en aime que mieux ; elle donne à dîner à tous mes amis, les trouve tous charmants pleins d'esprit et se contente de leur part d'un à-peu-près de politesse. Je vois beaucoup Didier ; j'ai eu occasion de lui faire q[uel]q[ue]s petits reproches à propos du Crétin ; il les a pris de façon à me toucher beaucoup : en somme depuis quelque temps il arrondit beaucoup les angles de son caractère. Bignat a laissé pousser ses cheveux et devient de plus en plus compromettant pour vous ; on le trouve superbe et fort digne d'avoir l'honneur d'être etc., etc. J'ai été voir Bouffé [3] dans le *Bouffon d'un prince*. La pièce est stupide et il est admirable. J'ai là deux volumes de l'abbé et une [sic] de l'*Allart* pour vous. Calamatta ira vous faire le portrait de Solange à Nohant. J'ai fait connaissance avec Scheffer qui a fait du Crétin un beau portrait, médiocrement ressemblant. Il travaille à un grand tableau de la prédication des croisades et veut mettre l'abbé en Pierre l'Hermite. Je les réunis à dîner samedi. Mickiewicz vient de finir un drame sublime ; je voulais vous le porter afin que vous fassiez les corrections mais il m'a fallu jurer sur l'honneur de n'en rien faire attendu dit-il que ce drame est

2. Herminie Vial était une élève de Liszt. Elle épousa le violoniste belge *François*-Jean-Baptiste Seghers (1801-1881).
3. Le comédien très populaire Hugues-*Marie*-Désiré Vignol, dit Bouffé, (Paris, 1800 - Auteuil, 1888) jouait alors le *Bouffon du prince*, comédie-vaudeville en deux actes d'Anne-Honoré-Joseph Duveyrier, dit Mélesville (1787-1865), et Boniface, créé au Théâtre du Gymnase, le 4 mai 1831.

trop peu de chose. Or donc c'est moi qui dois lui corriger ses barbarismes mais il espère que vous lui garderez votre bon vouloir pour le second qui sera un peu *moins mauvais*. On vante beaucoup la seconde partie de *Mauprat* [4].

Je reçois à l'instant votre seconde lettre. Je vais m'occuper de la selle. Je répondrai au reste par avance. Je pense que Puzzy viendra volontiers. Il me *réadore* et vous idolâtre.

A revoir bonne entre les bonnes je vous bige. Le Crétin est à vos pieds. Le Crétin reçoit force lettres anonymes de dames et de demoiselles. On n'a rien découvert pour notre poësie [sic]. Les soupçons plane [sic] toujours sur Alf[red] de M[usset]. Je vous porterai le paquet de lettres. Je ne pense pas que nous ayons bien *pris* avec Mr de M[usset] attendu que je lui ai dit que son roman n'avait pas dû lui donner beaucoup de peine à écrire et qu'une autre fois lorsqu'il me dit qu'il y avait de grands rapports entre Franz et lui je lui ai presque ri au nez.

Adieu ma bonne et unique vieille à bientôt et à toujours.

Pendant trois mois, Liszt et Marie profitent de l'hospitalité chaleureuse de George. Les beaux jours arrivent, qui inspirent aux deux femmes de grandes promenades, au lever du soleil. Chacune tient son journal.

Marie, dans la nuit du 14 au 15 juin : « Une heure avant le lever du soleil, nous étions à cheval, George et moi, et nous gagnions les bords de l'Indre. Je n'avais

4. *Mauprat* commence à paraître dans la *Revue des Deux Mondes* du 1er avril.

jamais autant senti le charme indicible de ces heures matinales [...]. Après avoir traversé l'Indre à gué nous montâmes au galop un sentier escarpé au milieu d'un champ de seigle qui étalait sur les flancs du coteau sa robe ondoyante toute parsemée de pavots rouges et de gais bleuets [...]. Six heures sonnaient lorsque nous arrivâmes à La Châtre, nous fûmes éveiller le père Bourgoing qui me fit donner un verre de lait et me conduisit sur la terrasse aux roses où George m'avait écrit de si belles lettres au commencement de notre amitié *par procuration.*» *Au contact de George, dont elle avoue l'effet bénéfique sur sa* «pauvre bosse de la gaieté, si peu visible à mon front», *Marie, femme de salon, découvre ainsi des bonheurs simples qu'elle ne connaissait pas, comme l'éveil de la nature ou le verre de lait à la ferme, auxquels elle aspirait depuis l'époque où elle avait acquis son château de Croissy, dans la Brie.*

La vie à Nohant, c'est aussi de longues veillées sur la terrasse.

George, 12 juin : «Ce soir-là, pendant que Franz jouait les mélodies les plus fantastiques de Schubert, la princesse [surnom de Marie] se promenait dans l'ombre autour de la terrasse ; elle était vêtue d'une robe pâle, un grand voile blanc enveloppait sa tête et presque toute sa taille élancée. Elle marchait d'un pas mesuré qui semblait ne pas toucher le sable et décrivait un grand cercle coupé en deux par le rayon d'une lampe, autour de laquelle toutes les phalènes du jardin venaient danser des sarabandes délirantes [...]. Nous étions tous assis sur le perron, l'oreille attentive aux phrases tantôt charmantes, tantôt lugubres d'Erlkönig [*le Roi des Aulnes*], engourdis comme toute la nature dans une morne béatitude, nous ne pouvions détourner nos regards du cercle magnétique tracé devant nous par la muette sibylle au voile blanc.» *Et sur plusieurs pages, George de poursuivre, fascinée, la description de Marie en train de déambuler :* «Sa chevelure blonde rayonnait comme une auréole d'or, et son voile blanc jeté sur ses épaules voltigeait comme un nuage dans le mouvement rapide et léger de sa démarche impérieuse.»

Pourtant George n'est pas heureuse. Tandis qu'elle s'applique à cacher son désarroi à son entourage, elle livre à son journal les aveux d'une femme en pleine crise (6 juin : «Noire mélancolie depuis 36 heures» ; *22 juin :* «Depuis huit jours j'ai eu plusieurs tentations de suicide, et les devoirs de la famille m'ont paru insupportables» ; *29 juin :* «Accablement»). *Elle est dévorée par le doute, désespérée de n'être plus aimée. Elle aspire à la sagesse pour apaiser son âme. Marie, âpre et trop lucide – ce qui l'empêche de vivre pleinement – n'est pas dupe de ce combat intime :* «Tout le soir George a été comme engourdie dans un pesant *non-être*. Pauvre grande femme ! La flamme sacrée que Dieu a mise en elle ne trouve plus rien à dévorer au-dehors et consume au-dedans tout ce qui reste encore de foi, de jeunesse et d'espoir. Charité, amour, volupté, ces trois aspirations de l'âme, du cœur et des sens, trop ardentes dans cette nature fatalement privilégiée, ont rencontré le doute, la déception la satiété et refoulées au plus profond de son être elles font de sa vie un martyre que la gloire couvre d'assez de palmes pour le dérober à la pitié de la foule, dernière injure de la destinée qui du moins lui sera épargnée. Pourtant il y a encore un espoir de sérénité pour elle» *(5 juin). Marie aussi, troublée par l'amicale complicité qui unit George et Liszt, traverse des moments de doute et de profonde tristesse, mais ils appartiennent davantage à sa nature (7 juin :* «Aujourd'hui je me sens écrasée par l'ennui de vivre. Ne savoir ni les causes, ni les fins de son être ; repaître son cœur de chimères et de vanités » ; *22 juin :* « Pourquoi dès mes plus jeunes années y a-t-il eu dans mon cœur un instinct si avide de tristesse ? Pourquoi ma pensée, semblable au lierre, s'attache-t-elle aux ruines et aux troncs pourris que le ver ronge ? »).

Les deux femmes s'épient beaucoup. Si elle n'en parle pas encore, George décèle, ainsi qu'on le verra, les fissures qui lézardent le couple de Franz et de Marie, trop enclins à clamer autour d'eux leur bonheur et leur accord parfait. De son côté, Marie supporte mal l'inconstance de son amie et la valse de ses amants. Des amants qui sont loin d'apaiser son mal-être. Après Musset, Michel de Bourges, Charles Didier, voici le comédien Bocage qui s'annonce inopinément. Didier, prompt aux gémissements, abonné au malheur, s'épanche auprès de Marie qui a le tort de l'écouter. Le 15 juillet, il note dans son journal : « Chez M[arie]. Longue conversation sur George Sand, qu'elle croit près d'entrer dans le monde de la galanterie. » *Que dit Marie au juste et sur quel ton le prononce-t-elle ? Plutôt que de critiquer George, ne cherche-t-elle pas à soulager la tristesse de Didier ?*

Dans la maison, on plaisante tout de même. Et George, on la comprend, le supporte mal. Un soir, elle adresse le billet qui suit à Marie :

Lettre n° 34

À Marie d'Agoult

[Nohant, 14(?) juillet 1837]

Chère Mirabelle, ayez la bonté d'engager le crétin à cesser ses plaisanteries sur mon compte avec Bocage. Cela m'ennuie au suprême degré et me contrarie même sérieusement. J'ai été un peu en coquetterie plaisante avec Bocage, ou plutôt lui avec moi. Il ne s'ensuit pas qu'il me plaise de le voir devenir impertinent, et il y avait une nuance de cela aujourd'hui dans sa personne. Il m'amuse, mais il ne me *plaît* même plus. Vous savez que s'il en était autrement, vous le sauriez, et dans ce cas, vous pourriez me plaisanter tant que vous voudriez. Cela m'amuserait, bien loin de me déplaire. Je ne sais pas du tout ce que le crétin lui a dit. Je suis bien certaine qu'il ne lui a rien dit que de très convenable, et de très permis dans le domaine de la plaisanterie, mais P[ierre] B[ocage] a-t-il assez d'esprit pour bien comprendre.

Je n'ai pas compris quelques mots de Bocage ce matin sur ma saignée. S'il y revenait nous serions forcés de nous brouiller lui et moi et je crois que ce serait mal à propos, quand du reste tout peut aller le mieux du monde en restant à la gaieté, à la poignée de main et à la camaraderie.

Salut, respect et prosternation du Docteur Piffoël à son illustre princesse.

[Adresse :]
For Princess Mirabella
You shall read when you'll go to bed [1].

24 juillet : Marie et Franz quittent Nohant. Elle note dans son journal : « Il ne m'a pas été inutile de voir, à côté de George le grand poète, George l'enfant indompté, George la femme faible jusque dans son audace, mobile dans ses sentiments, dans ses opinions, illogique dans sa vie ; toujours influencée par le hazard [sic] des choses, rarement dirigée par la raison et l'expérience. » *Mobile dans ses sentiments... : Marie, songeant à la valse des amants à laquelle elle vient d'assister, redoute-t-elle maintenant une valse des amis ?*

Elle se ment à elle-même lorsqu'elle écrit ensuite : « J'ai reconnu combien il avait été puéril à moi de croire (et cette pensée m'avait souvent abreuvé [sic] de tristesse) qu'elle seule eût pu donner à la vie de Franz toute son extension, que j'avais été une malheureuse entrave entre deux destinées faites pour se confondre et se compléter l'une par l'autre. » *En fait, comme on va le découvrir plus loin, elle se laissera assez vite reprendre par le doute. George a-t-elle cherché à lui voler Franz ? Elle en deviendra peu à peu convaincue tout en luttant pour chasser cette obsession qui la déchirera et qu'elle saura vaine. Aucun document ne révèle que George a essayé de séduire Franz. Mais est-ce une preuve*

1. Pour la princesse Mirabella. Vous lirez en allant au lit.

suffisante ? Il y a des regards et des gestes qu'aucun papier ne scelle.

Enfin, Marie quitte Nohant, un peu déroutée par la grivoiserie, voire la vulgarité, qui règne certains jours et à laquelle, malgré ses principes démocratiques, elle n'était pas préparée. Un exemple pour l'illustrer ? Cette lettre que George adresse à Alexis Duteil, en juin : « Liszt a fait ce soir un pet qu'il a mis sur le compte de Solange. Miss Tempête en a vanté le parfum. Les bas de Mme d'A[goult] se sont trouvés tout mouillés à la suite d'un rire immodéré. » *Certains apprécient, d'autres moins.*

Quatre jours après ses amis, George quitte aussi Nohant. Elle monte à Paris, puis va à Fontainebleau. Malgré ce dernier mois mouvementé, elle est parvenue à finir *les* Maîtres mosaïstes. *A Paris, sa mère tombe gravement malade...*

Première lettre de Marie :

LETTRE N° 35

À George Sand

[Lyon, 27 juillet 1837]
Jeudi soir [1]

Nous voici donc à Lyon cher George après une route dont vous ne connaissez que trop les agréments. A chaque nouvelle tribulation je me reportais à celles que vous avez supportées si piffoëlliquement pour nous venir joindre et je vous remercie encore du fond du cœur. La Tourangine [2] s'est comportée en vraie Berrichonne ; elle a persisté courageusement jusqu'à Bourges où elle a été remise en mains propres ? [sic] J'ai été très frappée de la grandeur et de l'austère simplicité de l'église. C'est bien là le temps chrétien où l'homme est néant et où le Dieu se perd dans un infini mystérieux. La maison de J. Cœur m'a beaucoup plu, j'aurais voulu voir apparaître à ce beau balcon quelque noble dame des tems [sic] passés, quelque Marguerite de Navarre ou quelque Agnès Sorel vêtue de velours cramoisi et de brocard [sic] d'or par suite de ce même travers d'imagination qui veut des crocodiles

1. La copie commence par cette indication : « Lyon 28 juillet 1837, jeudi soir ». Or le 28 juillet 1837 tomba un vendredi. Était-ce la date du cachet ?
2. Il s'agit d'Eliza Tourangin (1809-1889) dont la famille était très liée à George Sand.

au Reichenbach [3] et la flotte de Cléopâtre sur la mer de glace...

Le gros Nourrit a de grands succès ici. Je ne l'ai pas encore vu. On monte le concert pour les pauvres qui je le crains nous retiendra toute la [manque].

[...] personne ne rend justice à la princesse, personne ne la trouve assez spirituelle, assez charmante, que personne ne se met assez en peine de prévenir ses désirs ou ses caprices... Il n'y a pas jusqu'au bouquet de clématites et de géranium [sic] qui ne soit pour moi un objet de regret. Oh, Piffoël, Piffoël, vous êtes un grand maître dans *l'art de plaire* quand vous voulez vous en donner la peine !

Mirabella.

Le Crétin a été assez convenable en voyage, il n'a pas dit trop de bêtises *before people*.

Vers le 11 août, George envoie un billet aujourd'hui perdu. Elle apprend à Marie que sa mère est très malade. Marie, qui n'a rien reçu lorsqu'elle écrit la lettre suivante, craint que son amie ne reste volontairement silencieuse afin de distendre leurs liens.

3. Sur la copie de Nohant : «Knichenbuch». Nous remplaçons par «Reichenbach» figurant dans l'extrait cité par Jacques Vier, *La Comtesse d'Agoult et son temps*, Paris, Armand Colin, tome 1er, 1955, pp. 302-303, qui a copié l'original.

Marie fait ici allusion à la *Lettre d'un voyageur* où George écrit, s'adressant à Arabella (la comtesse d'Agoult) : «Exigeante ! lui dis-je, tu n'as pas trouvé le glacier assez blanc l'autre jour sur la montagne ! [...] Tu demandes les palmiers de l'Arabie-Heureuse sur la croupe du Mont-Blanc, et les crocodiles du Nil dans l'écume du Reichenbach. Tu voudrais voir voguer les flottes de Cléopâtre sur les ondes immobiles de la mer de Glace» (*cf.* infra).

LETTRE N° 36

À George Sand

Genève 13 août 1837

Je n'ai point de vos nouvelles ce qui m'attriste beaucoup. Je pars dimanche matin par un vetturino pour
Milan. J'y resterai assez pour recevoir une lettre, si vous
êtes exacte. Sinon écrivez à Venise. Je charge Ronchaud
de passer pour vous à la frontière deux paires de pan-
toufles contre-bande [sic], les seules que j'aie pu trouver
ici ; plus un dictionnaire de Boiste, présent utilitaire du
Crétin ; Hoffmann que Franz offre en souvenir al signor
di Maïo [1] ; et enfin une petite bague en cornaline, seul
reste des emplettes des touristes que j'ai promise à Miss
Tempête [2]. J'ai trouvé ma fille superbe [3] d'une beauté
sérieuse et intelligente assez analogue à celle de
Solange... Elle a déjà la passion des fleurs et de la
musique ce qui est fort poëtique [sic], et un grand goût
pour les pauvres ce qui promet des sentiments *huma-
nitaires*. Elle est là si parfaitement soignée et en si bon
air de montagne que je me suis décidée à l'y laisser
encore un an après quoi elle roulera par le monde

1. Peut-être s'agit-il de Jean-Armand Demay, précepteur de Maurice
pendant un court moment.
2. Surnom de Marie-Louise Rollinat (1818-1890), gouvernante de
Solange.
3. C'est-à-dire Blandine Liszt, née à Genève, le 18 décembre 1835, et
laissée en nourrice à Etrembières.

avec père et mère. Genève vous espérait beaucoup. La charmante Mérienne tient un bureau de petites nouvelles plus absurdes les unes que les autres sur vous. Le Sourd plus sourd que jamais achève le laborieux enfantement de son conte fantastique... Je prétends qu'il attend pour lire *Mauprat* qu'on en ait fait une traduction en sanscrit. Fazy, Grast, Albera, rien n'est changé ; je viens de recevoir une lettre de Grzymala qui me charge de vous dire qu'il n'a pas été à Nohant parce que la p[rinc]esse Zayonczek [4] est aux trois quarts morte. Un orage affreux dans son voyage en Pologne lui a ôté la raison. Mickiewicz me demande une lettre pour Bocage ; je vous remets ses intérêts entre les mains vous êtes plus *en position* que moi de lui être utile.

Adieu ma bien bonne tâchez de ne pas donner le petit coin qu'occupe la p[rin]cesse Mirabella dans votre cœur car elle n'aime pas déloger [5].

Bigez vos enfants.

[Adresse :]
Madame Sand
La Châtre - Indre.

Seconde lettre de George, adressée à Venise, qui ne parviendra pas à Marie avant longtemps.

4. Nous écrivons « Zayonczek », la copie, probablement fautive, portant « Zayonsch... ». Albert Grzymala avait été aide de camp du général Zayonczek (1752-1826). Sa veuve, née Alexandrine Pernet, était fille d'un chirurgien français. Elle était donc très âgée, puisque née vers 1747, mais elle ne mourut qu'en 1845. Elle fréquentait la société de Vienne et de Paris, et ses contemporains soulignèrent combien elle conserva longtemps un teint d'une grande fraîcheur (on trouve aussi l'orthographe Zaïonczek).

5. Et non « n'aime pas à déloger », comme cela est cité fréquemment.
Dans son journal, en quittant Nohant, Marie note que George est « mobile dans ses sentiments ». La voilà inquiète pour elle-même...

LETTRE N° 37

À Marie d'Agoult

[Fontainebleau, 25 août 1837]

Chère princesse, ceci est un mot jeté au hasard à la poste, moi persuadé[e] qu'il ne vous arrivera pas, car toutes les 1res lettres se perdent à la frontière. Je reçois votre lettre seulement le 25 aujourd'hui à Fontaine-bleau où je suis cachée loin des oisifs et des beaux esprits, en tête à tête avec Maurice.

Je vous ai écrit à Genève, et j'espère que vous y avez reçu ma lettre avant de partir pour Milan. Je vous disais que j'avais bien du chagrin, que ma pauvre mère était à l'extrémité. J'ai passé plusieurs jours à Paris pour l'assister à ces derniers moments. Pendant ce temps, j'ai eu une fausse alerte, et j'ai envoyé Mallefille en poste à Nohant pour chercher mon fils qu'on disait à moitié enlevé. Pendant que j'allais le recevoir à Fontainebleau, ma mère a expiré tout doucement et sans la moindre souffrance. Le lendemain matin, je l'ai trouvée raide dans son lit, et j'ai senti en embrassant son cadavre que ce qu'on dit de la force du sang et de la voix de la nature n'est pas un rêve, comme je l'avais souvent cru dans mes sujets de mécontentement contre *elle*.

Me revoilà à Fontainebleau, très écrasée de fatigue et très brisée d'un chagrin auquel je ne croyais pas il y a deux mois. Vraiment le cœur est une mine inépuisable de souffrances.

Maurice se plaît beaucoup ici. Nous montons à cheval tous les jours et nous allons faire des collections de fleurs et de papillons dans les déserts de la forêt. C'est vraiment un pays adorable, une petite Suisse de poche dont les Parisiens ne se doutent pas, et qui a le grand avantage de n'attirer personne. Je suis ici tout à fait inconnue, sous un faux nom et travaillant à force. Bocage est en Belgique. Quand je le reverrai je lui parlerai de Mickiewicz. Il est toujours parfait pour moi. Nous avons passé quelques jours ensemble ici avant l'arrivée de Maurice. Solange est à Nohant avec Tempête qui la dit fort sage et fort bonne. Je les retrouverai dans 15 jours quand j'aurai exploré la forêt de nouveau dans tous les sens et fini la Piffoëlade que je fais maintenant. Et vous, Princesse, donnez-moi donc des détails sur votre voyage, quand une fois vous serez posée quelque part et que vous aurez le temps de *résumer vos impressions*. Dites-moi l'effet que ma chère Italie aura produit sur le cerveau musical et humanitaire de votre crétin. Quant à vous, je ne doute pas d'un débordement d'enthousiasme, sauf pas mal de *si* et de *mais*. Je compte toujours que la Piazzetta et la Place S[ain]t Marc et les lagunes et le clair de lune de Venise, vaincront toutes vos rechigneries de Princesse. J'ai essayé de vous faire l'itinéraire en question ; mais j'ai vu que c'est impossible car, j'ai une foule de tableaux ravissants dans la mémoire, et pas un nom, pas une indication précise. Cette infirmité est déplorable, et va toujours *crescendo*.

Je suis heureuse de ce que vous me dites de la jeune Princesse de Genève. Si quelqu'un de ma connaissance avait l'esprit de me faire un pareil cadeau je l'enverrais bien au diable le lendemain et préférerais de beaucoup, la moindre *création* à tous les *créateurs* du monde. Vous voyez que quand vous voudrez me confier la petite princesse elle sera quatre fois adorée à Nohant et qu'elle y deviendra promptement insupportable à force de soins et d'amour.

Adieu chère mignonne, vous ne serez jamais *délogée* quoi qu'il arrive. Piffoël n'est point une crème fouettée. Il vous embrasse tous deux et reste à vous pour toujours.

Cachetez vos lettres avec des pains à cacheter et *sans devise.* La Police est une institution respectable et sainte qui veut, qui peut et qui doit lire les lettres. Les devises sanscrites lui sont suspectes et comme elle n'a pas le temps de décacheter avec soin, elle met au rebut les lettres qu'elle déchire. Sainte Police faites votre devoir. La sûreté des conjurés repose sur vous, recevez mes hommages et l'assurance de mon dévouement.

Troisième lettre de George, qui ne parviendra pas à Marie plus vite que la précédente. Elle ne comprend pas pourquoi ses lettres n'atteignent pas leur destinataire alors que leurs amis communs, tels Charles Didier et Charlotte Marliani, réussissent à échanger une correspondance. George commence à s'irriter de ce dialogue de sourds.

Elle a de nouveaux ennuis avec son mari qui a enlevé Solange. Après s'être démenée, elle obtient une ordonnance des tribunaux pour que lui soit rendue sa fille, qu'elle ira quérir en personne dans le Lot-et-Garonne où l'a conduite Dudevant.

Lettre n° 38

À Marie d'Agoult

[Fontainebleau, 18 septembre 1837]

Chère princesse, je ne sais pas comment font *les autres*, ils reçoivent de vos nouvelles et vous font parvenir leurs lettres. Moi je vous ai écrit à Genève et il paraît que vous étiez partie. Je vous ai écrit à Venise, et il paraît que vous n'y êtes pas arrivée. Puisque Didier sait où vous prendre, je lui envoie ce billet ; je désire qu'il ait un meilleur sort que les autres et que vous ne doutiez pas du souvenir assidu et des regrets interminables des *Piffoëls* à votre égard.

Le cardinal [1] m'a dit que vous vous étiez énamourée des îles Borromées. Je le crois pardieu bien ! et je voudrais pour beaucoup que vous *exécutassiez* votre projet d'y passer quelques mois. Ce ne serait plus d'un *loin* aussi désespérant, et on pourrait se mettre en tête d'aller vous y surprendre par une matinée d'avril ou une soirée d'octobre. Crétins and Piffoëls me font un peu l'effet du pôle et de la boussole.

Moi j'ai passé, comme je vous le disais (vous n'en savez rien puisqu'une lettre se trouve *ferma in posta* [2] à Venise la belle) le mois qui vient de s'écoulèr à

---

1. Surnom de Charles Didier, l'un des personnages de son roman, *Rome souterraine*, s'appelant le cardinal de Pétralie (Georges Lubin).
2. Poste restante.

Fontainebleau et à Paris avec Maurice, courant pour
mon procès qui va bien et pour ma pauvre mère qui va
encore mieux car elle n'est plus et repose au soleil,
sous de belles fleurs où les papillons voltigent sans
songer à la mort. J'ai été si frappée de la gaîté de cette
tombe que j'ai été voir il y a quelques jours au cimetière Montmartre, par un temps magnifique que je me
suis demandé pourquoi nos larmes y coulaient si abon-
damment. Vraiment, nous ne savons rien de ce mystère. Pourquoi pleurer, et comment ne pas pleurer ?
Toutes ces émotions instinctives qui ont leur cause
comme hors de notre raison et de notre volonté veulent dire quelque chose certainement, mais quoi ?

J'attends Bocage ici ce soir. Il a été un mois en
Belgique très malade. Il est sujet à des convulsions
épouvantables. Je l'emmène demain à Nohant. Leroux [3]
se met en route aussi ces jours-ci. Je m'empare de cet
homme-là. La Marliani veut prendre une de ses filles,
moi l'autre, et j'installe le père à Nohant à perpétuité si
je peux. Pour le moment j'en fais tout ce que je veux.

Mais on ne sait pas combien de rats peuvent passer
par la cervelle creuse d'un philosophe. Quel homme !
Dieu l'a mis au monde dans un jour de tendresse et de
mansuétude.

(Tout ceci entre nous.) La fausse délicatesse du
monde intervenant, on lui ferait de sots scrupules, auxquels Dieu merci, il n'a pas encore pensé, plus qu'à
faire cirer ses souliers. Mallefille vient aussi. Celui-là est
encore une fameuse bonne nature ; il s'est mis en
quatre pour moi et pour Maurice. Adieu chère. Prions

---

3. Pierre Leroux (1797-1871), philosophe socialiste, longtemps ami de
George Sand, qui s'en éloigna ensuite. Il fréquenta aussi la comtesse
d'Agoult qui, l'ayant caché, lui donna des secours pour fuir en Angleterre
avec sa famille après le coup d'État du 2 décembre 1851.

pour que les chemins de fer prospèrent et que nous puissions aller faire une incursion à l'Isola Madre, moyennant huit jours de loisir et peu d'argent. Le temps et l'argent, le temps à cause de l'argent, l'argent à cause du temps, quelles sales entraves ! Et le temps d'être heureux ? Et le moyen de l'être, où cela se pêche-t-il ? dans le lac Majeur ?

Écrivez-moi mon amie, parlez-moi de vous et de Crétin et aimez-moi comme je vous aime, ce n'est pas peu demander.

[Adresse :]   [Poste :]
Madame d'Agoult   ... septembre 1837.
Milan   Chamb... 18 (ou 28) septembre 1837.
[d'une autre main]   (c. rouge)
Poste restante à Como   Milan, 24 ... 1837.
                              Milan, 30 septembre 1837.

Nouvelle lettre de Marie, attristée par un apparent silence persistant.

Lettre n° 39

À *George Sand*

[Bellagio, 24 septembre 1837]

Vous oubliez les Fellow [sic], mon bon George, ce qui est tout simple mais fort vilain, ainsi qu'une quantité d'autres choses toutes simples. Les Fellow ne vous oublient point ; ils vous promènent avec eux sur les bords du lac de Côme et vous associent à toutes leurs impressions dans ce paÿs [sic] vraiment digne de vous. C'est le paÿs des amants et des poëtes [sic] et je pense que vous êtes plus que jamais l'un et l'autre : je me figure que vous êtes rentrée dans une phase toute italienne. Les rêves ascétiques et les songes robespierrens ont disparu comme nos belles brumes des Couperies au lever du soleil. Dites-moi si je me trompe. Moi, ma bonne mignonne, je suis établie pour le reste de la saison dans un des plus beaux lieux que j'aie jamais vus. On n'y arrive qu'après trois heures de navigation sur un lac fermé de montagnes où pendent les figuiers, les oliviers et les vignes hautes dont l'aspect est si gai. Nous ne voyons personne. Les grandes chaleurs ont fait place à une température adoucie qui n'abat point et laisse entier usage des facultés pensantes. A Milan ce bon Crétin a joué une fois et a fait furore [1]. Pourtant

---

1. Concert du 3 septembre chez Ricordi (au programme : *Frequenti Palpiti* et *Valse di bravoura* de Pacini).

ce sont des gens stupides en musique. Le théâtre de la Scala est au-dessous de toute critique ; je crois que je préfère celui de Lyon ; mais la belle figure de Franz, sur laquelle les journaux font des phrases superbes, a merveilleusement aidé à son succès. Vos romans sont traduits et probablement *arrangés* ; je n'ai pas encore pu m'en procurer. On vend ici *les Paroles d'un croyant* [2]. Mais entendons-nous, ce sont les paroles d'un croyant telles que l'abbé les *aurait* écrites *s'il était* véritablement croyant !

– Vous ne m'aviez pas trop vanté la route du Simplon. Je ne connais rien de plus grand, de plus imposant. J'ai retrouvé avec bonheur les traces du Pélican à Arona sur les bords du lac Majeur qu'il a si bien décrits et j'ai acheté à D[omo] d'Ossola une petite tabatière en bois sculpté qui est le portrait idéal de Bignat (bipède) [3]. Le tabac se met dans le ventre du personnage. Jusqu'à présent mon peu d'italien suffit à nous tirer d'affaires [sic] dans les auberges que je trouve du reste fort calomniées. Elles sont chères mais propres et bien servies. Je n'ai encore fait connaissance qu'avec des gens très médiocres et je doute vraiment qu'il y en ait d'autres : cette race lombarde me paraît bien appauvrie et bien engourdie. Je vois quelquefois un petit abbé fort enthousiaste qui sculpte des Vénus, fait des sonnets aux grâces, ne croit guère à l'enfer et beaucoup à un certain abbé peu orthodoxe, le tout en disant la messe ; confessant et prêchant ; il s'entendrait merveilleusement

2. *Les Paroles d'un croyant* de l'abbé de Lamennais, publié en 1834, avait fait scandale et avait été condamné par l'Église. Liszt, ardent défenseur de l'abbé, et la comtesse d'Agoult, plus dubitative, avaient échangé leurs avis sur ce livre dans leur correspondance.

3. Bignat était le sobriquet d'Emmanuel Arago, mais aussi le nom du cheval que la comtesse d'Agoult monta à Nohant, d'où la précision de « bipède ».

avec votre abbé, George. Il paraît que le nombre de ces soutanes hérétiques est assez considérable même en ce païs [4].

J'attends une lettre de vous pour causer davantage. Car de mon propre fonds je suis peu riche. Ma vie se fait si calme et si placide qu'il n'y a plus rien à en dire. Les gens heureux sont mortellement bêtes.

Adieu chère Mignonne, les Fellow vous embrassent tendrement; vous savez qu'ils sont tout à vous.

Bellagio 24 7bre
Adressez à Milan.

Début octobre, quatrième lettre de George qui, comme celle du 11 août, est aujourd'hui perdue. Marie ne la recevra jamais. Quinze jours plus tard, George se remet à l'œuvre. Après avoir utilisé sans succès Charles Didier comme intermédiaire, c'est à Charlotte Marliani, la « consulesse » comme elle l'écrira dans sa dédicace de la Dernière Aldini, *qu'elle confie le soin de faire acheminer sa nouvelle lettre.*

4. Ce curieux abbé apparaît dans la *Lettre d'un bachelier*, intitulée *Venise*, publiée par *l'Artiste* le 28 juillet 1839 : «[...] passionné pour les arts et pour les femmes, chantant avec gestes les cavatines amoureuses de Bellini, sculptant de petites figures de Vénus, qu'il appelait des Ève, afin de n'être point réprimandé par son évêque; écrivant, à l'heure du bréviaire, des libretti d'opéra pour les compositeurs de troisième ordre; du reste, un bon diable, plein d'esprit et de cœur».

LETTRE N° 40

À Marie d'Agoult

[Nohant, 16 octobre 1837]

Chère princesse, voilà la cinquième fois que je vous écris. Il est décidé que mes lettres ne vous arriveront pas. Peut-être à la faveur de celle de Charlotte arriverai-je à vous faire *arriver* celle-ci. Notre excellente *consu-lesse* vous dit mes aventures ; je ne vous parlerai donc pas de moi qui suis tranquillement réinstallée à Nohant, les pieds sur mes chenets, attendant le nouvel assaut par lequel il plaira à dame Fortune de me tirer de mon repos spleenétique. Mais vous, chère Marie, vous êtes enfin heureuse. La douce Italie vous a guéri l'âme et le corps. *Crétin is toujours plus que parfait.* Vous habitez mon cher lac de Côme sur les bords duquel j'ai promené jadis mes pas errants et ma mélancolie botanique. Je suis parfois tentée de *réaliser mes capitaux* comme Robert Macaire et d'aller vous trouver, mais là-bas, je ne travaillerais pas et le galérien est à la chaîne. Si Buloz lui permet de se promener, c'est *sur parole*, et la parole est le boulet que le forçat traîne au pied. Et puis, si le cœur est chaud, le climat l'est toujours assez ; si l'âme est pure, le ciel l'est aussi. Tout prend au dehors la couleur de l'être intérieur, et la grande poésie serait de transformer la nature en soi, au lieu de chercher à se transformer en elle. Je tombe dans le *Pierre Leroux* et pour cause. Il était ici ces jours derniers. Charlotte et moi faisions le projet romanesque de lui élever ses enfants et de le tirer de sa misère à son insu. C'est plus difficile que nous ne pensions. Il a une fierté d'autant plus invincible qu'il ne l'avoue pas et donne à ses résistances toute sorte de prétextes. Je ne sais pas si nous viendrons à bout de lui. Il est toujours le meilleur des hommes, et l'un des plus grands. Il a été voir Béranger [1] à Tours et va revenir ensuite je ne sais pour combien de temps. Il est très drôle quand il raconte son apparition dans votre salon de la rue Laffitte. Il dit : « J'étais tout crotté, tout honteux. Je me cachais dans un coin. *Cette dame* est venue à moi et m'a parlé avec une bonté incroyable. Elle était bien belle ! » – Alors je lui demande comment vous étiez vêtue, si vous êtes blonde, grande ou brune, petite, etc. Il répond : « Je n'en sais rien, je suis très timide ; je ne l'ai pas vue. – Mais comment savez-vous si elle est belle ? – Je ne sais pas ; elle avait un beau bouquet, et j'en ai conclu qu'elle devait être belle et aimable. »

Voilà bien une raison *philosophique !* qu'en dites-vous ?

Adieu, chère et adorable Princesse. Embrassez Valaisan [2] pour moi, et mettez mon cœur à vos pieds en guise de chancelière dans vos promenades sur le lac.

Piffoël.

[Adresse :]   [Poste :]
Monsieur Ricordi   La Châtre 17 octobre 1837.
Éditeur de Musique   Milan 26 octobre 1837.
Pour remettre à Mr Liszt
à Milan
Italie.
[D'une autre main, à la place de Milan, raturé :]
Bellagio.

Le dialogue de sourds continue bien que Marie ait appris, par Louis de Ronchaud, que George lui a écrit plusieurs fois.

1. Pierre-Jean de Béranger (1780-1857), célèbre poète et auteur de chansons populaires. George Sand n'éprouva par pour lui une sympathie profonde et la comtesse d'Agoult, sur les conseils de Lamennais, eut l'idée étrange de lui soumettre pour avis son roman *Nélida*, avant publication. Elle s'en mordit les doigts.
2. Autre surnom de Liszt.

LETTRE N° 41

À George Sand

[Bellagio, 26 octobre 1837]

Cher Docteur, Ronchaud me dit que vous nous avez écrit quatre lettres ; or je n'ai rien reçu qu'un petit billet à Genève. Il s'agissait seulement cepend[an]t d'adresser à *Milan* et d'affranchir jusqu'à la frontière. Peut-être faute de cette formalité vos épîtres aux Fellows sont-elles restées au bureau où vous les aurez mises. Faite-les [sic] réclamer si vous n'avez pas envie qu'elles aillent au *rebut* et surtout écrivez-moi bientôt et beaucoup que nous sachions ce que vous devenez.

Les Fellows sont depuis deux mois au bord du lac de Côme dans la plus *alta* de toutes les *solitudine* [1]. Nous avons fait dans une charmante petite auberge un établissement assez semblable à celui de *Bex*. Le Crétin écrit force chefs-d'œuvre musicaux et nous courrons [sic] le lac ou les montagnes en devisant des *choses* et des *hommes* et en nous *déchristianisant* de plus en plus sous l'action de ce chaud soleil qui n'*abat* point du tout la chair et ne porte pas aux mystiques contemplations. Le *Journal des Débats* nous dit que vous faites pour Bocage un drame intitulé *les Joies du cœur perdues* [2]. *Perdues* ou *trouvées* je suis sûre que vos joies

---

1. *In alta solitudine :* devise de la comtesse d'Agoult. Liszt lui offrit une bague sur laquelle était gravé un rhododendron des Alpes avec cette devise.
2. Cette pièce, annoncée dans le *Journal des débats* du 19 septembre, n'a jamais vu le jour.

vont faire courir tout Paris. Ce sera la seule chose que je regretterai des amusements de l'hiver que cette première représentation. Et Mallefille ne dramatise-t-il plus ? Je lui ai écrit de Milan mais n'ai point obtenu de réponse aussi je lui souhaite une chute encore plus ignominieuse que celle qu'il fit un certain soir, chargé de mon éthéresque personne, sur les gazons émaillés de Nohant.

Votre amant rebuté Suzannet a enlevé la femme d'un avocat je crois [3]; il y a eu scènes de mari, pistolets, etc., etc., le tout avec compromis à l'amiable. Ronchaud se lance aussi à la sourdine dans des quarts d'aventures ; enfin personne ne reste en dehors de cette grande *confarreation* amoureuse.

Adieu ma bonne Mignonne. Aimez-moi toujours un peu. Le Crétin revêtu de votre gilet tricoté (robe de Nessus à ce qu'il prétend) se prosterne à vos pieds.

Bellagio 26 8bre [4]
[Adresse :]
Madame George Sand
La Châtre
Indre France.   [Timbre illisible]

Enfin, Marie reçoit la cinquième lettre de George, celle du 16 octobre envoyée par les soins de Charlotte Marliani.

---

3. Invité à Nohant par George Sand, cet ami d'enfance de la comtesse d'Agoult y séjourna quelques jours, à partir du 26 juin. George ne semble guère l'avoir apprécié.

4. Émile Haraszti cite une réponse du comte Hartwig, lieutenant général de la Lombardie, au comte Apponyi, ambassadeur d'Autriche à Paris, du 28 décembre, conservée à l'Archivio di stato di Milano (Presidenza di governo, atti riservati 217. 1432 praes 14. geh. 22, décembre 1837). Cette lettre révèle de la comtesse d'Agoult : « Elle vit à Côme, à l'auberge de l'Ange, porte à porte, n'ayant d'autre personne qu'une femme de chambre auprès d'elle. Elle arriva, il y a à peu près deux mois, et y accoucha d'une fille, le 24 décembre » (*Franz Liszt*, Paris, Éditions A. et J. Picard et Cie, 1967, p. 30).

LETTRE N° 42

À George Sand

Côme 2 nov[embre]

L'ange qui veille sur les consulats et sur les consulesses m'a apporté votre dernière lettre, la première qui me soit parvenue depuis que j'ai quitté *le paÿs* [sic]. Quelque chose manquait jusque-là à l'harmonie de ma vie : il y a toujours tant d'*imprévu* dans la vôtre que l'on ne saurait dormir sur les deux oreilles et s'abandonner, en ce qui vous touche, au calcul des *probabilités* : ne restez donc jamais longtems [sic] sans me dire dans quel signe du zodiaque se trouve le radieux soleil de Piffoël. A en juger par votre belle et très belle phrase sur la poësie [sic] subjective et objective, le signe : *Pierre Leroux* vous est favorable. Sérieusement si j'avais eu à vous souhaiter des rapports intimes (non charnels, comme dit la *Gazette d'Augsbourg*) avec quelqu'un c'eût été avec lui. C'est avec Enfantin (et Bignat bien entendu) la plus vaste intelligence de ces tems-ci. Il y a tant de poësie dans sa philosophie que vous vous y laisserez prendre et que vous vous trouverez un bon soir avoir écouté tout un système en pensant ouïr une harmonie de Lamartine. Je n'entre pas dans un temple chrétien, à Bourges, à Milan, partout où les hommes ont élevé au philosophe crucifié de magnifiques autels [sic] sans me dire, après m'être rappelé, tout ce qui s'est fait par lui et pour lui : «*Et pourtant le Christ n'est point ressuscité.* » Cette parole d'une simplicité foudroyante termine un superbe paragraphe de Leroux dans l'*Encyclopédie*. Le Valaisan me charge de vous dire à propos de Leroux qu'il serait heureux, excessivement heureux de pouvoir aider en quelque chose à l'éducation de ses enfants (sans qu'il le sache bien entendu) soit en augmentant de sa contribution les fonds que vous destinez à cet emploi soit en facilitant par ses amis et relations l'entrée en pension ou l'enseignement spécial de quelqu'un des enfants. Regardez en cela comme toujours et plus que toujours sa bourse comme la vôtre. Nous sommes riches comme Crésus et Rothschild en ce moment. J'ai la jouissance presqu'entière de ma dot (14 000 frs) et lui a trouvé des éditeurs en Allemagne, en Italie, en Angleterre, de sorte que des doubles croches lui valent une *récompense honnête*. Ainsi le moment est favorable. Mettez-le à profit.

L'histoire du bouquet de la rue Laffitte est pleine de grâce et comme tout ce que vous contez : si non è vero è ben trovato. Vous ai-je dit qu'en passant à Genève on m'avait montré un journal allemand, qui en rendant compte de votre séjour, disait que : Vous aviez été fort invitée chez la d[uche]sse de C[lermont]-Tonnerre [1], etc., etc., mais que vous aviez préféré passer votre tems chez le *comte d'Argout* [2] avec le *jeune Liszt* et un petit

1. Lorsque George Sand vint à Genève, en septembre 1836, la duchesse de Clermont-Tonnerre en titre était Jeanne-Victoire de Sellon, baronne de la Turbie et de l'Empire, ancienne dame d'honneur de Pauline Bonaparte. Elle avait épousé le duc de Clermont-Tonnerre, en 1815, à Turin où elle mourut en 1849, sans laisser de postérité. A la mort de son mari, en avril 1837, la couronne ducale passa à un cousin.

2. Antoine-Maurice-Apollinaire, comte d'Argout (1782-1858), homme politique et financier. C'est lui qui persuada, mais trop tard, Charles X de retirer les ordonnances qui mirent le feu aux poudres, en 1830. « Homme de travail », comme écrivit la duchesse de Maillé, il appartint à de

cercle *choisi* dans lequel on *remarquait* Grast, Schad [3], le spirituel Pictet, etc. Figurez-vous que ce pauvre Ronchaud vient d'être assassiné d'une lettre de Walsh qui lui reproche fort de n'avoir pas approuvé son livre et l'accuse de s'être laissé pervertir par les *sauvages* de G. Sand ; le menaçant, s'il continue à marcher dans la voie déplorable où il se laisse pousser, de lui retirer son estime et celle de *Madame la Comtesse Walsh*. Subito le Crétin, qui lui devait depuis un an une réponse, prend la plume et lui écrit huit pages de colère et d'ironie ; vous jugerez du reste par ce passage : « Jusqu'à présent les journaux quotidiens et les revues avaient suffi pour admonester et injurier les célébrités contemporaines ; mais voici que l'in-8° s'en mêle. Bientôt nous arriverons à l'in-folio pour plus d'utilité. Des amis officieux vous conseilleront de donner des successeurs à *votre G. Sand*. Les noms illustres ne v[ou]s manqueront pas ; les Hugo, les Lamartine, les Ballanche, sont tout prêts. Il ne s'agit que de les croquer et de les afficher en grosses lettres au coin des murs. Pour ma part j'avoue que j'aimerais mieux le genre autobiographique et que je serais bien plus curieux d'un *Theobald Walsh* par *Theobald Walsh* que de tout le reste ».

Le bon Crétin *va donner une académie* à Milan. Il poursuit tout crétinement le cours de ses succès. Les dames lui demandent beaucoup si on n'aura pas le bonheur de *le sentir* (di sentirlo). Non è un professore è un diavolo chi suona del cimbalo. Toute cette *gloire* sert parfois à nous faire rire à l'heure de la digestion et les deux Fellow [sic] s'en vont toujours bras dessus bras

nombreux ministères sous la monarchie de Juillet. Il possédait un grand nez qui inspira nombre de caricatures.
3. Joseph Schad (1812-1879), pianiste et compositeur allemand, qui s'était établi en Suisse romande, en 1834.

dessous de par le monde trouvant que le prochain est une drôle de bête et que n'était l'espèce Fellow et Piffoël ce n'eût pas trop été la peine que Dieu sortît de son éternel farniente.

Avez-vous vu Puzzi à Paris ? Je crains qu'il ne soit assez mal dans ses affaires. Il écrit des lettres où il n'y a ni français ni orthographe, mais cela n'empêche pas le génie. Figurez-vous que le Crétin s'amuse à mettre des adresses facétieuses aux lettres qu'il est forcé d'écrire. Ainsi : à M. Schlesinger, « grand croix de l'ordre de la Blague, directeur de la compagnie d'assurance des réputations et succès », etc. Je vous recommande cette méthode comme éminemment Piffoëlique. Je ne sais ce qui me prend ce soir de vous écrire tant de sottises et de billevesées.

Vous en concluerez [sic] que ma mélancolie est au Diable et vous aurez raison. Je commence à m'avouer que je suis une des plus fortunées créatures qu'il y ait sous le ciel et je trouve que la joie a bien aussi sa poësie, plus haute peut-être encore que la douleur.

Embrassez pour moi Maurice et Solange ; amitiés à M[arie]-Louise [4] et aux La Châtri-ois-ieus,-oux. Je suis sûre que la consulesse avec sa belle main blanche m'a ravi tous les cœurs de l'arondissement [sic] !

Ite missa est.
2 novembre.

Adressez tout bonnement à *Como* poste restante.

[Adresse :]
Madame George Sand
La Châtre
Indre France.   [Timbres illisibles]

---

4. Marie-Louise Rollinat, l'institutrice de Solange Dudevant.

Marie reçoit à nouveau une ancienne lettre de George, celle du 18 septembre, où cette dernière évoquait sa promenade sur la tombe de sa mère et le dévouement de Félicien Mallefille. Pendant son séjour à Nohant, Marie avait suspecté que le précepteur fût devenu l'amant de la romancière. Elle s'était probablement trompée car il semble que la liaison ne commença que plus tard.

Dans la lettre qui suit, elle se montre maladroite. Pourquoi asticoter George sur Emmanuel Erago, l'un de ses plus chers amis ? Pourquoi lui rappeler avec insistance sa répugnance initiale pour engager Mallefille, qu'elle lui recommandait vivement, comme précepteur de Maurice ? D'autant que George s'était rendu à ses arguments. Rares sont les êtres qui apprécient qu'on les mette en face de leurs contradictions, en outre avec le ton ironique et faussement badin qu'emploie Marie... Comme Mallefille était effectivement devenu l'amant de George, ses railleries tombaient on ne peut plus mal. Marie, visiblement blessée, outrepasse ses droits en jugeant la vie intime de son amie.

LETTRE N° 43

À *George Sand*

Côme 9 9bre

J'ai reçu avant-hier seulement une lettre de vous du 18 7bre confiée à Didier qui par sentiment pour nous deux l'aura vraisemblablement gardée tout ce tems [sic] dans son illustre poche. Je vais faire réclamer celle de Venise ; il est inutile que vos autographes aillent au bureau du rebut. A propos de rebut je suis encore sous l'effet d'un de ces rires immenses, inextinguibles qui vous ôtent tout à coup dix années de dessus les épaules, et ce rire est né à votre occasion. Le Crétin a un ami, bien digne de lui comme vous allez voir, qui *s'occupe beaucoup de littérature* et avec qui je m'exerce à parler italien. Tout à l'heure donc je m'amusais à lui nommer les unes après les autres nos *célébrités contemporaines* en lui demandant ce qu'il en pensait et je lui dis : conoscete i libbri [sic] di George Sand ? » « *Si signora* (ici une moue indéfinissable voulant dire à peu près : *ce n'est pas le Pérou*) *mi piace di più...* » Je crus entendre : Victor Hugo ; pourtant pour plus de sûreté et comme par un pressentiment de la joie qu'il allait me donner je lui fis répéter le nom : *mi piace molto di* più *P. de Kock* [1] ! Ô soleil ! voile ta face. Ô lune ! rougis de

---

1. Charles-*Paul* de Kock (1794-1871), célèbre romancier français, qui, faute de pouvoir trouver un éditeur, publia lui-même son premier roman

honte. Il y a dans le monde que vous éclairez une cervelle (et cette cervelle n'est pas celle d'un chat de gouttière) qui préfère Paul de Kock à George Sand. Du reste rien n'est drôle comme les notions littéraires des Milanais ; ils sont furieux contre Balzac parce qu'il a mal parlato delle donne. Et l'on a publié contre lui un volume intitulé : « l'onore italiano vendicato da Balzac ». Je me garde de lire tout cela comme vous pensez et je ne suis guère plus au courant de ce qui s'imprime en France. En fait de poésie je trouve un charme inexprimable à me faire chanter par les filles du village quelque chanson analogue à celle-ci :

> La Teresina non è contenta
> Da mangiar polenta [bis]
> La Teresina non è contenta
> Da mangiar polenta di collazion [sic].

C'est un peu moins élevé de sentiment et un peu moins riche encore d'images que le fameux : « Si le roi n'avait donné » mais chanté dans cette douce langue italienne, par de jolies filles aux dents de perles, cela vaut bien un sonnet de S[ain]te-Beuve et même un vaudeville de Bignat. J'espère qu'enfin vous ne formez plus de doutes sur l'avenir de ce dernier. Il me semble qu'il se révèle tout entier dans le beau mouvement oratoire qui lui fait jeter son livre aux pieds des *juges éclairés*. Bignat est destiné à instaurer la gloire du barreau, à nous ramener aux plus brillants jours de

---

à dix-huit ans. Après avoir fait jouer quelques pièces, il se tourna vers le roman sentimental en choisissant ses sujets dans la vie quotidienne des petits bourgeois d'alors. Très fécond (certaines années, il publia six volumes par an), il acquit une grande popularité et sa célébrité dépassa le cadre des frontières nationales.

l'avocasserie, à surpasser les P. Jean et les l'Intimé [2]... mais vous allez *lui dire* que *j'ai dit* cela, méchante bavarde. – Ce que vous me dites de Mallefille m'a amusé [sic], vous êtes de drôles de gens, vous autres poètes et nous qui formons l'épaisse phalange du *sensorium communum* nous rions sous cape des écarts de vos imaginations ailées. Vous rappelez-vous nos querelles au sujet de M[allefille]? Combien il était laid, stupide, sot, vaniteux, intolérable? Vous sembliez animée contre lui d'une de ces fureurs qu'Homère met dans le cœur de Junon ou de Vénus et j'en étais réduite à vous dire à mezza voce que je croyais qu'il était nécessaire de savoir vivre en paix avec les petites vanités d'autrui sous peine de vivre dans la solitude et qu'après tout le plus difficile était peut-être encore de rester en paix avec sa vanité propre. Et les *vice-versa*! Combien n'en trouverai-je pas? Que d'enthousiasmes effacés, que d'étoiles filantes dans notre ciel! La pauvre Mirabella n'aura-t-elle point son tour? Mais non, vous l'avez dit. Crétins et Piffoëls did far alliance [3]. Ce sera pour l'éternité. Et s'il se peut encore par-delà.

Pendant que je vous écris j'entends au-dessus de moi la main nerveuse du Crétin qui joue une marche composée à Lyon sous l'inspiration de ces paroles : vivre *en combattant*, etc., etc. Cela est d'une vigueur et d'une *combattivité* [sic] incroyable. S'il continue à travailler comme il le fait vous le verrez revenir avec une bonne moisson. Afin d'échapper à la *popularité toujours croissante* nous avons résolu de passer ici le gros hiver au lieu d'aller à Milan où nous n'aurions pu nous

---

2. Petit-Jean, personnage des *Plaideurs* de Racine, qui illustre le bon sens populaire dans un langage savoureux.
L'Intimé, autre personnage des *Plaideurs*, connaît les finesses et les ruses du droit.
3. Traduction : « Ont vraiment fait alliance ».

défendre de l'affabilité des indigènes qui sont tous oisifs, bêtes et charmants à faire peur. Côme est un des climats les plus doux de l'Italie. Le soleil me vient à pleines croisées. Mais ô mon bon Piffoël quels vents coulis ! Quelles rondes vous auriez à faire pour garantir la p[rince]sse de ces ennemis domestiques ! Les portes et les fenêtres vivent dans un état de désunion vraiment affligeant et des rideaux d'une gaze légère (ce qui n'implique pas du tout l'entière blancheur) s'opposent seuls à l'insistance des vents du lac. Malgré tout cela nous avons chaud, très chaud, et si vous veniez nous rejoindre nous trouverions moyen de passer un hiver très gai et très confortable. Je n'ai pas la moindre envie de m'éloigner de ce beau paÿs [sic]; je vous y attendrai six mois s'il le faut. Mon bon George ce serait si bien de nous retrouver ici ! Je vous assure que je n'y désire ni crocodiles ni flotte de Cléopâtre ; je trouve les eaux du lac assez bleues, les figuiers assez verts, le soleil assez splendide [4]. Ô venez ajouter à toute cette poësie [sic] extérieure les merveilleuses beautés de votre poésie intérieure et les doux reflets de votre amitié... Mais vous ne viendrez pas !

Je ne saurais comme vous aimer nos sépultures chrétiennes. Là où vous voyez les fleurs et les papillons, je vois les vers et la pourriture. La dernière fois que je fus voir ma fille qui est aussi à Montmartre les fossoyers creusant une fosse auprès de sa tombe chantaient une chanson obscène et blasphémaient Dieu [5]. J'ai ressenti

---

4. Écho à la *Lettre d'un voyageur* de George qui avait écrit : « Exigeante, lui dis-je, tu n'as pas trouvé le glacier assez blanc l'autre jour sur la montagne ! [...] La voix des torrents est, selon toi, sourde et monotone [...]. Tu voudrais voir voguer les flottes de Cléopâtre sur les ondes immobiles de la mer de Glace... ».

5. Louise d'Agoult (1828-1834), fille aînée de la comtesse d'Agoult, dont elle a relaté la mort dans un bouleversant passage de ses mémoires.

cela comme une injure faite à ce corps si pur déposé là. Ô combien me paraît plus belle, plus consolante, la coutume antique ! Que j'aime cette urne funéraire qui sanctifie le foyer et rappèle [sic] sans cesse, sans qu'aucune image de dégoût s'y mêle, le souvenir de celui qui n'est plus !

Mais adieu me voilà toute triste. Que Dieu vous épargne la seule douleur sans consolation qu'il ait [sic] ici-bas. Ne survivez point à vos enfants.

Le Crétin demande ce que devient l'élection de Michel [6].

George reste silencieuse. Liszt prend donc la plume, le 15 décembre, et lui fait gentiment reproche de ne pas écrire. Il poursuit: «Je vous dirai donc que je suis le plus fortuné des mortels. [...]. La princesse est toujours la plus adorable des créatures. Nous vivons seuls et incroyablement heureux l'un de l'autre.» *Voilà une déclaration trop insistante qui n'emporte guère la conviction de George, comme on va le voir. Liszt l'invite à les rejoindre, lui et Marie, sans préciser que celle-ci s'apprête à mettre au monde un nouvel enfant:* «Il est impossible d'être plus heureux que nous le sommes – à moins cependant que Piffoël ne vienne nous voir ce qui me paraîtra tout naturel. Quand, comment, de quelle façon, vous conviendrez de tout cela avec la princesse à laquelle vous écrivez plus souvent.»

George répond aussitôt pour avouer qu'elle ne souhaite plus écrire à Marie au même rythme qu'autrefois. Les raisons qu'elle donne sont peu convaincantes.

La petite fille fut inhumée au cimetière Montmartre, comme la mère de George Sand qui, dans sa lettre du 18 septembre à Marie, raconte le pèlerinage qu'elle venait d'y faire.

6. Aux élections législatives du 4 novembre, Michel de Bourges fut battu à Bourges mais élu à Niort.

LETTRE N° 44

À Franz Liszt et Marie d'Agoult

[Nohant, 26 (?) décembre 1837]

Chers Fellows, pardonnez-moi ma paresse ou, pour mieux dire, ma maladie et mon travail. Il m'a fallu mener de front, pendant deux mois, une espèce de cochonnerie pour Giumento[1] que vous trouverez dans la *Revue des Deux Mondes* et que je vous conseille de ne pas lire (sinon avec les pieds) et pour mon compte un mal de foie, d'entrailles, de cœur et de tête, de plus en plus désagréable. On m'a accusé de rhumatismes, de spleen, d'hypocondrie, de tout ce qu'il y a de plus bête. Mais je n'ai voulu rien faire pour me guérir. Ce qui fait que je n'en suis pas morte et que je me porte à peu près bien depuis trois à quatre jours seulement.

Je viens de recevoir la lettre fantastique du Crétin, et je relis avec remords et reconnaissance les lettres aimables et toujours ravissantes de la princesse, restées sans réponse. La princesse connaît bien mon infirmité et sait y compatir. Il ne faut pas qu'elle punisse mon silence par le sien et que faute de mes maussades épîtres, elle me prive des siennes, qui sont ce qu'il y a

1. Pour le sens de *Giumento*, voir lettre n° 25, note 5.
Georges Lubin précise qu'il doit s'agir du prochain roman de George, *la Dernière Aldini*, qu'a commencé à publier la *Revue des Deux Mondes*, le 1er décembre.

de plus adorable dans le monde en fait de lettres. Le châtiment ne serait pas proportionné à l'offense. Et puis disons encore que la princesse m'a vue secouer ma paresse au temps où je la voyais spleenétique, et où je pouvais croire (c'était elle qui, par ses gracieusetés, me donnait cette présomption) que mon babil pouvait lui être bon à quelque chose, la distraire, oui je puis dire la consoler et la fortifier. Pour cela, il ne me fallait ni grande sagesse ni bel exemple, car je n'aurais su où prendre l'un et l'autre, mais il suffisait de lui dire ce qu'elle était, de la faire connaître à elle-même, de lui montrer tous les trésors qu'elle renfermait en elle et qu'elle niait à elle-même. Dans ce temps-là, je lui écrivais plus que je ne me sentirai appelée à lui écrire désormais, car il me semble qu'elle est calme, heureuse et forte, et pour parler comme mon ami [Pierre] Leroux, je dirai : *Ma mission est remplie*, et qu'elle revendrait de la philosophie et du courage, voire de la gaieté, au sublime docteur Piffoël lui-même.

Merci donc, mille fois merci, mes chers et bons enfants, des bonnes choses que vous me dites de vous-mêmes. Je vous remercie d'être heureux, et je vous remercie de me le dire. Vous savez que, de tous les biens que vous me souhaitez sans cesse, celui-là est le plus grand que vous puissiez me faire. Il est bien possible que j'aille vous rejoindre quelque jour en Italie. Cependant ce voyage, que j'avais arrangé pour le printemps prochain, me paraît moins certain maintenant quant à la date. Mon procès [2], que je voudrais terminer auparavant, est porté au rôle pour le mois de juillet ou d'août et si je suis forcée de m'en occuper, je ne pourrai passer les monts qu'en automne, vu qu'une fois en

---

2. Son procès contre son mari (liquidation de la société d'acquêts entre les époux Dudevant).

Italie, j'y veux rester au moins deux ans pour les études de Maurice qui s'adonne définitivement à la peinture, et aura besoin de séjourner à Rome.

En attendant, il travaille ici avec le frère de Mercier qui est un assez laborieux maître de dessin et ne manquant pas de talent [3]. Mallefille, qui a la bonté de donner des leçons d'histoire et de philosophie au susdit mioche, se tire très bien de son préceptorat provisoire. Il a pris beaucoup d'empire sur Solange qui, grâce à lui est douce comme un agneau maintenant, et toujours belle et robuste. Maurice est aussi très bonifié et assez fortifié. Il a un petit cheval très comique et fait des *lancers* épouvantables avec Mallefille, qui est devenu un assez bon écuyer, domptant *Bignat* lequel Bignat je ne monte plus, parce qu'il est devenu terrible. Il a doublé de volume, de force et d'ardeur depuis qu'il n'a plus le bonheur de porter la princesse. La douleur de son départ l'a jeté dans une telle exaspération, qu'il désarçonne tous ses cavaliers. A propos de *Bignat*, j'ai fait à Mallefille, de votre part, les plus sérieux reproches. Il s'accuse grandement et vous écrira demain.

Par ces détails, vous pourrez voir, chers Fellows, que mon intérieur n'a rien de bien intéressant à offrir à votre attention. Il est paisible et laborieux. Mallefille entasse drame sur roman, Pélion sur Ossa, moi, romans sur nouvelles et Buloz sur Bonnaire, Mercier, tableaux sur tableaux ; Tempête, bêtise sur bêtise ; Maurice, caricatures sur gendarmeries, et Solange, cuisses de poulets sur fausses notes. Voilà la vie héroïque et fantastique qu'on mène à Nohant.

Nous n'avons ni *lago di Como* ni derrière de Barchou, ni jeunes filles chantant *la polenta*, ni sublimes accords

---

3. Peintre, frère du sculpteur, dont on ne sait rien.

de Crétin, ni cathédrale de Milan, ni princesse, ni Déesse ; mais nous avons la mèche de Rollinat, les refrains rococo de Boutarin, le nez bleu du Gaulois, les sabots du Malgache, le souvenir de Lasnier, les lettres de Bignat (Maître Bignat, l'avocat), et la barbe de Mallefille, qui a sept pieds de long. Tout cela fait une jolie constellation.

Suit un aimable et facétieux billet de George, où le nom de Chopin réapparaît. Mais n'en rien déduire ! George n'a pas quitté Nohant depuis le 3 octobre 1837 et ne reviendra à Paris que le 16 avril 1838. Elle répond en fait à Liszt qui lui avait écrit dans sa lettre du 15 décembre : « Chopin vient d'envoyer une charmante dédicace à la princesse. Ces 12 nouvelles études sont extrêmement remarquables. Quand vous irez à Paris, voyez-le un peu. C'est tout à fait un ami pour moi. » *Il s'agit des* Études *de l'opus 25.*

Il est probable que ce soit ce billet de George qu'accompagne une lettre de Félicien Mallefille à Marie, où l'auteur dramatique use d'un ton cavalier qui ne va nullement plaire à sa destinataire. Cette dernière soupçonne George d'en être l'instigatrice.

LETTRE N° 45

À Franz Liszt et à Marie d'Agoult

[Nohant, 2 janvier 1838]

Bonsoir, bonne et charmante princesse, Bonjour, cher *Crétin du Valais*. N'oubliez pas Piffoël qui dépose à vos pieds son cœur, son cigare et les vestiges sacrés de sa robe de chambre écarlate. Piffoël ira peut-être à Paris à la fin de janvier. Surtout si on célèbre une seconde fois comme les journaux l'ont annoncé la *messe* de Berlioz. Piffoël serrera de grand cœur la main à *Sopin* à cause de *Crétin*, et aussi à cause de *Sopin, because Sopin is very zentil. Piffoël beseaches* [sic] *Fellows not to read dernière Aldini, but to read next production which is much better, and not yet finished* [1].

Piffoël vous presse dans ses bras et vous prie de l'aimer, après vous *each other*, s'il en reste.

Franz est piqué au vif par la lettre de George annonçant l'espacement de ses prochaines missives. Il lui répond le 18 janvier : « Si donc aujourd'hui je réponds sur le champ à votre dernière lettre c'est que j'éprouve

---

1. ... parce que Chopin est très gentil. Piffoël supplie Fellows de ne pas lire *la Dernière Aldini*, mais de lire la prochaine publication qui est bien meilleure, et pas encore terminée.

le besoin de vous dire bêtement qu'elle m'a fait un peu de peine [...]. Pourriez-vous par hazard [*sic*] vous méprendre sur la vraie et profonde affection que vous porte Marie ? Je ne le pense pas. Pourquoi donc me prévenir en quelque sorte que désormais vous lui écrirez moins souvent ? [...]. Il y a de l'amertume au fond de tout cela mon ami ? A quoi bon se le dissimuler ? [...] Je n'ai point dit à Marie que je vous écrivais, ce qui fait qu'elle enverra sa lettre [à Mallefille] à part. »

Oui, Marie adresse à Mallefille une lettre assez raide, malheureusement disparue, où elle ne lui cache pas qu'elle considère George comme responsable des bêtises qu'il lui a écrites. Cette lettre fait mouche.

George fait aussitôt amende honorable en écrivant à Liszt : « Vous avez pris bien au sérieux, cher enfant, quelques paroles insignifiantes de ma dernière lettre que je ne me rappelle même pas, que par conséquent, il me serait difficile d'expliquer. »

Quant à l'affaire Mallefille, elle répond avec habileté qu'elle ne saurait être responsable des lettres d'autrui : « Je donne *accès* à ladite lettre dudit Mallefille dans une lettre de moi à la princesse et je vous prie de croire que je n'en prends pardieu, pas connaissance. » *Dit-elle vrai ? Impossible de le savoir : on verra qu'elle sait à l'occasion utiliser autrui pour régler ses comptes et ne pas dédaigner le mensonge. Elle a voulu peut-être titiller son amie, qu'elle sait à cheval sur les principes. Laissons-lui donc le bénéfice du doute même si ce qu'elle va faire avec Balzac, en février prochain, ne peut que renforcer les soupçons. Cependant, Marie a le tort de ne pas glisser sur l'affaire et, si piège il y avait, d'y tomber dedans. Il est clair que, lorsqu'elle est piquée au vif, elle attrape une humeur tracassière et fermée à la compromission, qui lui donne le mauvais rôle. Pourtant elle voit souvent juste et, par exemple, les portraits qu'elle a laissés de*

Maurice et de Solange Sand enfants sont cruellement prémonitoires. Après avoir vogué sur les hauteurs, voici une amitié qui commence à perdre beaucoup d'altitude...

Par l'intermédiaire de Franz Grast, George demande à Marie son aide pour trouver une gouvernante à Solange, en remplacement de Marie-Louise Rollinat, cette Miss Tempête qui ne lui a pas donné satisfaction. Il existe, de cette époque, une lettre de George à Charlotte Marliani sollicitant le même service. De la réponse que Marie écrit le 14 février, nous n'avons qu'un fragment, qui suit. Ayant accouché à Côme, le 24 décembre, de sa fille Cosima, future épouse de Richard Wagner, celle-ci a rejoint à Milan, le 29 janvier, Liszt qui faisait la navette entre les deux villes depuis plusieurs mois.

Lettre n° 46

À George Sand

[Milan, 14 février 1838]

[...] chercher une gouvernante à Genève. Je crois que vous avez tort. Il est *impossible* qu'une Genevoise vous convienne il n'y a pas à Nohant une chambre où loger le pédantisme et le méthodisme genevois. Grast d'ailleurs est l'homme le moins propre aux négociations délicates et si vous m'en croyez vous chercherez ailleurs que dans ce nid de prudes et de collets montés l'institutrice de Solange.

Nous sommes depuis quinze jours à Milan menant une vie assez mondaine. Figurez-vous que notre Crétin si mal peigné, si mal brossé, si mal cravatté [sic], est devenu d'une élégance insultante. Il passe volontiers une heure à sa toilette et *confère* avec son tailleur de façon à donner de lui très haute opinion aux Mussets [sic] et compagnie. Cela lui a pris un beau matin comme la fièvre et s'il ne s'arrête je serai obligée bientôt de lui faire avaler le *kinkina* [sic] de *l'économie*. Notre intérieur s'est augmenté d'un beau lévrier noir et notre extérieur d'un *équipage* que ce pauvre Crétin m'a gagné avec ses dix doigts persuadé que les pieds de la p[rince]sse Mirabelle n'étaient point créés par le bon Dieu pour poser à terre. Je ne m'ennuye point ici mais je ne m'y amuse pas davantage.

Giumento m'y paraît plus bête qu'ailleurs et dans le grand nombre de gens que je vois il n'y a *pas une* personne qui me plaise ou m'intéresse le moins du monde sauf pourtant Barchou de Penhoen [1] qui est bien l'homme le moins *identique* à lui-même que je connaisse. Il est léger, badin, folâtre, au regard tendre comme Grzymala, ne sentant point du tout son Fichte et son Schelling. Vous savez que Nourrit a passé ici allant à Venise, Florence, etc. Rossini y est établi avec Mlle Pélissier qu'il a eu la sottise de vouloir imposer à la société. Malgré l'autorité de son nom et le peu de rigorisme des Italiens il a échoué complètement et se trouve aujourd'hui dans une position très désagréable [2].

J'attends avec impatience les premiers beaux jours pour me mettre en route et gagner Venise. À peine ai-je mis le petit bout de mon grand nez dans les salons que j'aspire à en ressortir ; je vis dérangée et non distraite.

---

1. Auguste-Théodore-Hilaire, baron Barchou de Penhoen (1801-1855), historien et publiciste français. Il avait publié la traduction de la *Destination de l'homme* de Fichte, en 1833, et la *Philosophie de Schelling*, l'année suivante. Il fit paraître ensuite diverses études sur la philosophie allemande. Il était légitimiste.

2. On retrouve l'écho de cette mésaventure dans le journal de la comtesse d'Agoult : « Rossini a passé l'hiver à Milan avec Mlle Pélissier qu'il a tenté d'imposer à la société, en donnant des concerts dont elle faisait les honneurs. Mais aucune femme de bonne compagnie n'y est allée. La Samoÿloff même sur laquelle il comptait beaucoup lui a tourné le dos et toutes les avances qu'il a faites n'ont abouti qu'à des rebuffades plus ou moins polies. A mon arrivée de Côme je pensais qu'il me la présenterait mais au lieu de cela ils se sont tenus coi [sic] tous deux et après une première visite de dix minutes Rossini n'a plus reparu chez moi. Dans une explication avec Liszt après une soirée où il ne m'avait pas salué [sic] il lui dit que Mlle Pélissier devait se tenir à part, que j'avais choisi une société où elle n'allait pas, que Milan était un mauvais terrain pour nous rencontrer, etc., etc. Au fond, je crois qu'ils avaient compté que je serais un *allié* et que me voyant peu empressée d'aller chez Mlle P[élissier] et invitée là où l'on n'avait pas voulu d'elle ils en ont été un peu piqués. »

Olympe-Louise-Alexandrine Descuilliers, dite Olympe Pélissier (1799-1878), ancienne demi-mondaine (on lui connaît notamment des liaisons avec Sue et Balzac), finit par épouser Rossini, en 1845.

Julie Pahlen, comtesse Samoïloff (1805-1875), ancienne maîtresse du tsar Nicolas 1er, vivait à Milan sur un pied fastueux.

Si vous saviez ce que c'est que la musique de la Scala !
Hier un *nommé* Ricci [3] a fait jouer un *Mariage de
Figaro* de sa composition. Il a fait fiasco. Ce que nous
avons de plus savant, de plus profond, de plus original,
c'est encore Mercadante [4]. Souvent je me représente
notre ami Berlioz aux prises avec le public milanais.
Certainement il serait bien et duement [sic] constaté
qu'il est fou, archi-fou et qu'il est dangereux de le laisser circuler dans les rues !

Adieu ma bonne chère Mignonne on me demande à
force de vos autographes ici. Moi je ne veux pas céder
une ligne de vos lettres. Envoyez-moi donc quelques
rognures de vos comptes de cuisine ou quelque note
de blanchisseuse pour que je me fasse des amis.

Adieu je vous bige du fond du cœur et vis avec vous

M.

3. *Le Nozze de Figaro* de Luigi Ricci (1805-1859) fut créé à la Scala
de Milan, le 13 février 1838, avec Cesare Badiali (Figaro), Marietta
Brambilla (Cherubino), Francesco Pedrazzi (Almaviva) et Marietta Sacchi
(la Comtesse). «La Brambilla qui remplit les rôles de contralto est une
jolie personne ; il y a dans sa voix de belles notes sinistres qu'elle gâte
souvent en les forçant ; sa méthode ou plutôt sa manière, est hésitante,
incertaine ; elle n'est pas maîtresse de son art», rapporte la *Lettre d'un
bachelier* sur la Scala.

Cette indication permet de dater avec précision la lettre de la comtesse d'Agoult.

4. Giuseppe-*Saverio*-Raffaele Mercadante (1795-1870), compositeur
important pour la musique lyrique italienne, au XIXe siècle.

Le jugement très dur que Liszt porta sur la musique italienne de son
temps, et qu'il publia dans la *Lettre d'un bachelier sur la Scala* (*Gazette
musicale*, 27 mai 1838), lui attira des ennuis qui faillirent le conduire à un
duel. Le milieu musical fut en émoi et il fallut l'intervention d'amis puissants, comme le comte Neipperg, pour que la polémique prît fin. Liszt
dut se rétracter dans une lettre publiée par le *Glissons*.

Du 24 février au 5 mars, George accueille à Nohant Balzac, avec lequel elle a été jadis en froid. Se trouvant alors dans le Berry, il lui avait adressé un billet aimable. Durant son séjour, fort avant dans la nuit selon une habitude chère à son hôtesse, il a de longues conversations avec elle, qu'il relate à Mme Hanska dans ses lettres. Pourquoi George lui parle-t-elle longuement de Liszt et de Mme d'Agoult, et cela d'une manière peu généreuse puisque son récit va vite inspirer à Balzac un roman au titre éloquent, les Galériens *? Ce roman raconte l'histoire de deux amants, la noble et froide Béatrix de Rochegude (nom d'un fief des d'Agoult, que Balzac transformera par prudence, in extremis, en Rochefide), déployant des trésors d'invention dans la pose, et un chanteur fat d'origine italienne, Gennaro Conti. Ces amants sont condamnés à traîner par orgueil les chaînes d'une liaison usée, par laquelle ils ont voulu braver la société. Mais leur amour est mort et ils n'éprouvent plus ensemble que de l'ennui. C'est une vision caricaturale du couple formé par Franz et Marie car il est en fait moins ébranlé que George ne le croit (et l'espère ?). S'il est certes moins enflammé qu'aux premiers jours, s'il se déchire dans ses aspirations et ses exigences, ce couple va encore tenir six ans, jusqu'en 1844, en affrontant victorieusement de longues périodes de séparation imposées par la carrière de Liszt. La correspondance en témoigne, la lassitude n'est pas encore installée et un nouvel enfant naîtra. Enfin, dans* Béatrix, *George apparaît sous les traits de Camille Maupin dans un très beau rôle, tout de dénégation et de sacrifice. Désabusée, cette grande âme se retire dans un couvent.*

Bien sûr, on ne saurait accuser George d'avoir dicté un roman à Balzac. Elle n'en reste pas moins l'inspiratrice d'un sujet qu'elle avoue ne pas oser traiter elle-même. On remarque aussi combien elle est allée loin dans la confidence puisque, dans le roman, apparaît jusqu'à la réminiscence de Charles Didier, qui s'était immiscé entre les deux femmes à Nohant. Devant l'auteur de la Comédie humaine, *George paraît enfin avoir réfuté le bruit qu'elle ait cherché à prendre Liszt à Marie. De fait, c'était une vieille idée de Balzac : il avait cru autrefois que la comtesse d'Agoult avait fui en Suisse pour soustraire son amant à la convoitise de George.*

Dès le 2 mars, l'écrivain écrit à sa future femme, Mme Hanska, en parlant de George : « C'est à propos de Listz [sic] et de Mme d'Agoult qu'elle m'a donné le sujet des *Galériens* ou des *Amours forcés* que je vais faire, car, dans sa position, elle ne le peut pas, gardez bien ce secret-là. »

Marie ne saurait imaginer ce qui se trame. Dans une lettre à Louis de Ronchaud, du 20 février, elle avoue simplement : « J'ai lu les deux premières parties de *la Dernière Aldini* ; c'est bien médiocre. » *Est-ce un tort ? Doit-on aimer toutes les œuvres de ses amis ? C'est la seule mention de George dans les lettres de cette époque, que nous connaissons. À Venise, alors que Franz l'a quittée pour plusieurs semaines afin de se rendre à Vienne et donner des concerts en faveur des Hongrois sinistrés à Pest par des inondations, elle tombe très gravement malade.*

Alors qu'elle commence tout juste sa célèbre liaison avec Chopin, George est la première, semble-t-il, à reprendre la plume. Sa lettre est perdue. Elle y annonce la publication d'un nouveau roman, Spiridion. *En fait celui-ci ne paraîtra que bien plus tard, à partir d'octobre dans la* Revue des Deux Mondes *et en volume l'année suivante. Marie lui répond de Gênes, où elle s'est installée avec Liszt.*

LETTRE N° 47

À George Sand

Gênes 4 juillet 1838

Cher Piffoël, d'un seul bond voici les Fellows du
Lido à la Corniche ; de Venise à Gênes ; de l'Adriatique
à la Méditerranée. Vous savez que Gênes est un lieu
superbe *à voir* (la 4ᵉ belle vue de mer selon Byron.
Constantinople, Lisbonne et Naples passent avant).
Mais vous ne savez peut-être pas, si vous n'avez fait
qu'y passer, qu'il n'en est guère de moins agréable à
habiter. Point de végétation ; point d'étendue, aucune
possibilité de promenade si ce n'est dans les flots de
poussière de la g[ran]de route ou par des petits chemins rocailleux grimpant à pic entre deux murailles
ardentes. A chaque pas la rencontre d'un mendiant,
d'un prêtre ou d'un forçat, admirable *trilogie* des gou-
vernements absolus ! Les palais sont beaux mais ils
étouffent ; ils n'ont pas d'air. Je ne saurais non plus
m'habituer à la bizarrerie des galeries de tableaux.
Après l'école vénitienne se présentant avec tous ses
enfants, après cette splendide variété dans l'unité je
sens que je ne m'intéresserai plus à aucune peinture
jusqu'à sa noble rivale, l'école de Florence. Je ne puis
souffrir voir isolément *un* Guerchin, un Rubens, un
Van Dyck. On n'apprend pas davantage à les connaître
ainsi, que l'on n'entre [sic] dans l'intimité d'un homme
avec lequel on cause une demi-heure. Il y a pourtant

au palais Durazzo de bien belles choses ; entr'autres le portrait en pied d'un Durazzo peint par Rubens qui ressemble à Chopin et que j'ai toujours *contemplé* en souvenir de ma *passion malheureuse* pour l'illustre pianiste.

Ce qui est charmant ici ce sont les illuminations presque continuelles, les feux d'artifice, etc., etc., qu'ils font en l'honneur de leurs saints. L'aspect de la ville vue de la mer par un de ces soirs de fête est vraiment féerique. Avant hier nous sommes allés à Chiavari (mi-chemin de Livourne) où l'on se réjouit trois jours durant pour célébrer la madonne [sic] del orto. L'église reste ouverte toute la nuit ; grande église assez simple pour une église d'Italie ; il faisait sombre quand j'y entrai. La balustrade du maître autel était d'un marbre si blanc, si pur que je m'y agenouillai involontairement et comme attirée par un secret aimant religieux. J'y confessai mon néant et j'élevai mon ardent désir de croire vers le Dieu incompréhensible. En sortant de l'église nous trouvâmes la promenade illuminée, on avait élevé un obélisque transparent sur lequel étaient les symboles des litanies : *la rosa mystica, turris eburnea, stella matitutina* ; etc, etc... Un feu d'artifice excessivement fantastique termina par un viva la madonna del orto et un viva Carlo Alberto [1] de toutes couleurs. De loin en loin au pied de madonnes [sic] ornées de fleurs de jeunes filles à demi cachées dans leurs voiles de mousseline chantaient en chœur :

Scende dal cielo
Madonna del orto

---

1. Charles-Albert (1798-1849), duc de Savoie et roi de Sardaigne de 1831 à 1849.

Per darci conforto
Nel nostro dolor.

Nous n'avons pas idée en France de ces fêtes religieuses au-dehors. Chez nous la population qui prie et
celle qui s'amuse sont séparées hostiles l'une à l'autre.
Ici la joie naît de la prière et la prière naît de la joie...
C'est-à-dire j'ai rêvé cela ainsi. Je me suis rappelé les
belles théories de mes amis les s[ain]ts-simoniens sur la
sanctification de la matière et j'ai songé à ce que pourrait devenir une société vraiment religieuse. Car n'allez
pas me croire assez niaise pour prendre au sérieux ce
que je vois ici de grimaces pieuses. Je sais très bien
que l'on s'ennivre [sic] en l'honneur de Marie, que
l'on blasphème en mémoire de s[ain]t Paul ; et que l'on
commet des adultères à la plus grande gloire de Dieu.
La réalité n'est jamais poëtique [sic] que par le sentiment qu'elle éveille en nous de ce qui *pourrait être*.
A minuit la ville rentra dans le silence, nous fûmes
nous asseoir sur la grève. La mer était irritée : la lune
innamorata (comme on dit à Venise). Franz se coucha
sur le sable au pied d'ombrage d'aloès et appuyant sa
tête sur mes genoux il s'endormit... Je restai ainsi
immobile de peur de l'éveiller une heure entière. Les
vagues de plus en plus courroucées se rapprochaient
de nous ; les étoiles s'agitaient comme tourmentées par
une force ennemie ; de gros nuages noirs passaient sur
la lune... Cela était beau mais d'une beauté sinistre. Je
n'aime point à voir la nature ainsi troublée. Quand je la
vois sereine, placide, je me dis que le mal vient de
l'homme seul ; qu'il a forfait à des lois équitables et
qu'il est justement puni. Mais quand la colère de Dieu
fait mugir les ondes, se tordre les arbres et gronder la
foudre, que dire alors ? Que penser ?
Vous me dites que vous croyez. Béni soit Leroux si
c'est lui qui a ouvert votre entendement au verbe

caché ! Vous serez plus calme, sinon plus heureuse et cela nous vaudra quelques belles pages tout inondées de rayons célestes... Pour moi je ne conçois même pas que l'on puisse *croire* que *l'on croit*... Vous voyez que je suis au dernier échelon des intelligences ; parmi les boiteux et les éclopés. Quand vous serez au haut de l'échelle jetez-moi une corde pour me hisser après vous. En attendant, je suis de ceux dont parle le poëte :

Heureux qui peut aimer et qui dans la nuit noire
Tout en cherchant la foi a rencontré l'amour
Il a du moins la lampe en attendant le jour
Heureux ce cœur ! aimer c'est la moitié de croire !

Impossible d'avoir ici *Spiridion*. Je me console avec mes chères vieilles *« Lettres d'un voyageur »*. C'est avec *Obermann* le livre que je relis toujours avec le plus de piété. Franz veut faire la musique de votre rêve. Vous savez, ces amis inconnus qui vous appèlent [sic] et vous chantent de si mystérieuses mélodies... Avez-vous ajourné vos projets dramatiques ou bien y avez-vous renoncé ? Qu'est-ce que le conte fantastique du Sourd ?

Paris élégant, journal stupide, rend compte ou *contre* de votre soupé chez M. de Custines [sic] [2], de la robe à ramages et des jabots de dentelles. Je crois que vous finirez par trouver assez amusant de voir tout [sic] espèce de gens. Si l'on pouvait se retirer avec les élus sur la montagne, bien – Mais comme la montagne est une taupinière et que les élus ne sont jamais deux

---

2. Astolphe, marquis de Custine (1790-1857), l'auteur célèbre des *Lettres de Russie*.
Le dîner fut plutôt un concert où Chopin improvisa devant une brillante assemblée, le 8 mai 1838. Compte rendu dans *Paris élégant* du 16 mai.

ensemble parce que chacun se croit et se veut seul élu, il vaut mieux rester dans la plaine et s'amuser des grotesques personnages qui s'y meuvent. – Je me réjouis que vous soyez réconciliée avec Didier. A cause de lui qui ne saurait vivre sans votre affection et à cause de vous parce qu'il est toujours triste de rompre avec ce qui a été de [sic] une partie de soi et de son passé – Je n'ai jamais brisé d'amitié sans regretter non pas les individus mais l'affection éteinte et la foi en mon propre cœur. Vous me faites plaisir en me disant du bien de Puzzy. Sans doute je ne regretterai jamais le bien que Franz lui a fait ni celui qu'il pourra lui faire encore mais j'aurais voulu que ce bien fût complet. Vous ne sauriez croire combien j'ai aimé Puzzy. Je faisais pour lui des rêves qui me paraissent fous aujourd'hui. Je croyais que Franz en ferait non seulement un artiste semblable à lui ce qui n'était pas impossible si ce malheureux enfant avait eu un peu de volonté, mais encore un fils selon son cœur. J'espérais que son développement moral et intellectuel pourrait s'accomplir par nous et avec nous... Il a rendu tout cela impossible. Il n'a pas compris. Je lui en ai voulu intérieurement de gâcher si bêtement des années qui devaient être si fécondes, mais à présent que j'ai oublié le Puzzy *idéal* j'aimerai le Puzzy réel et je tâcherai de lui être *grossement* utile en toute occasion.

Il me semble impossible que le climat d'Italie ne guérisse pas radicalement Maurice [3]. Il n'est malheureusement pas aussi certain que votre foie s'arrange du soleil de Rome. Mais avec quelques petits sacrifices de cigarres [sic] et de café vous apaiserez la colère d'Esculape... Oh ho ! De la mythologie ! Parlons plutôt encore de

3. Il s'agit de Maurice Dudevant, le fils de la romancière, qui était souffreteux depuis longtemps.

Venise. Je n'ai point vu P[agello] [4]. Je sais seulement par Mulazzani qui le connaît beaucoup qu'il est marié à Belluno avec une femme laide et bête *dont* il est parfaitement heureux ainsi que cela se pratique – Je suis allée au couvent des Arméniens. Le p[adre] Pasquale m'a donné une rose et m'a demandé s'il était vrai que l'abbé de la M[ennais] *était en compagnie* de Mme Sand. Il prétend que vous l'avez appelé Philippe au lieu de Pasquale ce qui prouve indubitablement que le récit des *Lettres d'un v*[oyageur] est erroné. – Sans doute Titien est le roi de l'école vénitienne mais le tableau le plus extraordinaire, le plus magique, le plus

4, Le médecin Pietro Pagello (1807-1898) devint l'amant de George Sand à la fin de février 1834, après qu'il l'eut soignée lors de son séjour à Venise en compagnie de Musset. Il la suivit à Paris. Cette liaison dura seulement quelques mois alors que la romancière se débattait dans une relation déchirante avec le poète. Ils allèrent ensemble au couvent des Arméniens, où ils inscrivirent leurs noms dans l'album des voyageurs. Dans sa *Lettre d'un voyageur* publiée le 15 septembre 1834 par la *Revue des Deux Mondes*, George Sand relate sa visite, en reconstituant une longue conversation qu'elle eut avec un certain frère Hiéronyme sur *les Paroles d'un croyant* de Lamennais, qui venait de paraître. Il s'agit sans doute de l'abbé Sukias de Somal (1776-1846).

Ce père Pasquale apparaît sous ce nom dans la *Lettre d'un bachelier* publiée par *L'Artiste,* le 4 août 1839 : « Le père Pasquale est un petit vieillard aux yeux noirs et perçants, à la barbe blanche, à la démarche alerte, au sourire intelligent. Il parle toutes les langues. [...] il en vint à me demander si je ne connaîtrais pas par hasard une jeune femme fort belle, venue il y a quelques années visiter le couvent, et qui avait écrit depuis, lui avait-on dit, une longue conversation dont il était un interlocuteur. Je lui appris que cette jeune dame était devenue le plus illustre écrivain de l'Europe. »

Émilio Mulazzani était un jeune patricien dont la comtesse d'Agoult fit la connaissance à Venise. En l'absence de Liszt, parti à Vienne pour donner des concerts en faveur des Hongrois sinistrés par une crue du Danube, il devint son chevalier servant et son soupirant. La comtesse d'Agoult tomba soudain gravement malade et il la soigna avec dévouement. Elle ne resta pas insensible à son charme et l'on peut en découvrir un très long portrait dans la *Lettre d'un bachelier* publiée par *L'Artiste* du 16 juin 1839 sous le pseudonyme d'Emilio : « Grec par sa mère, Vénitien par son père, il porte dignement cette double origine de grandeur et

inconcevable d'effet c'est le *soupé* [sic] *chez Lévi* de
Paolo. Ses personnages ont selon moi le défaut de trop
poser pour le spectateur tandis que ceux du Tintoret ne
s'en inquiètent pas le moins du monde mais quelle
transparence ! Que d'*air*, quelles perspectives et aussi
quelles belles *femmes blondes* ! Je ne suis pas enthousiaste de l'*Assomption* de Titien peut-être est-ce en
g[ran]de partie parce qu'elle est mal éclairée. Cette *moitié* de Père éternel qui reçoit la Vierge me gâte toute la
composition.

Je suis ravie des cancans de Paris très cher Piffoël
puisqu'ils m'ont valu de si bonnes et si affectueuses
paroles de vous – Je compte sur vous en toute circonstance et n'ai pas besoin de ce que vous me dites pour
bâtir sur votre amitié. Pourtant à la distance où nous
sommes quand on peut plus ni causer ni se deviner
d'un regard, une bonne parole est précieuse. Grâce au
ciel Piff[oël] ne sera pas encore contraint de se couper
en deux, l'existence des Fellow [sic] est plus unie que
jamais. Nous devenons bien monotones, n'est-il pas

---

d'infortune. Sur son triste et pâle visage, on voit l'empreinte de nobles
pensées comprimées, d'une énergie qui se ronge elle-même, d'une souffrance qui ne veut point se distraire. Deux grands yeux noirs un peu voilés l'éclairent d'une lumière vraiment divine ; de longs cheveux cendrés,
soyeux et fins, tombent en gracieuses ondulations des deux côtés de son
front, dont ils tempèrent la sévérité. Emilio parle peu. [...]. Une vive sympathie nous attira l'un vers l'autre. » Dans l'incessant débat – qui, de Liszt
ou de la comtesse d'Agoult, a écrit les *Lettres d'un bachelier* –, voilà un
passage qui ne devrait soulever aucun doute. Marie ne tomba pas pour
autant dans les bras du jeune comte. Lorsque, grisé par le succès, Liszt fut
de retour, il eut, semble-t-il, la tentation de lui accorder une permission
d'infidélité pour se dédouaner, car sa conduite à Vienne avait fait jaser.
En outre le choix de Mulazzani lui convenait. Marie sut résister et,
revoyant ce soupirant quelques mois plus tard, elle s'étonna elle-même
de son aveuglement, le trouvant « laid, commun, absolument dénué
d'idées, sans grâce, sans charme, sans mouvement, langoureux et
ennuyeux à périr ». Emilio Giovanni Paolo Mulazzani naquit le 17 mai
1813, et eut deux sœurs. Toutes les biographies de Liszt, tous les travaux
effectués jusqu'à ce jour, y compris les nôtres, écrivent : « Malazzoni ».
Nous corrigeons ici pour la première fois.

vrai ? Depuis Estelle et Némorin [5] on n'avait rien vu d'aussi fadasse. Que voulez-vous ? Nous avons le mauvais goût de nous trouver de plus en plus charmants, incomparables et quand nous essayons de nous séparer *pour voir l'effet que cela nous fera*, nous devenons spleenétiques. Je commence à croire que nous sommes condamnés à nous aimer à perpétuité. Si quelque chose de pareil à un *divorce* nous était entré dans la tête vous l'auriez su la première. On m'a prêté une amourette à Venise parce que dans ce bienheureux pays on ne conçoit que l'attrait physique entre individus de sexe différent et qu'un jeune homme ne saurait donner deux jours de suite le bras à une jeune femme sans être déclaré son amant. L'absence de Franz a été expliquée par de la jalousie. On lui donnait en même tems [sic] à Vienne mille aventures...C'est ainsi que le voisin compose notre histoire. Nous allons partir pour Lugano. Je pense que vous entrerez en Italie tout près de là. Comment ferez-vous ce voyage ? Quels sont ceux de vos vassaux qui vous suivent ? Mallefille vient-il ? Que fait-il comme dramaturge ?

Après Lugano où je compte vous revoir nous partons pour Naples mais en faisant un petit détour par Constantinople. Nous allons nous embarquer sur le Danube, traverser le Bosphore, voir Athènes et nous *r*eserons au commencement du printems en Italie. Franz fera ses tours devant le g[ran]d seigneur et achètera des pipes ; moi je vous écrirai quelques phrases ampoulées sur le Bosphore et... *schiavo* [sic]!

Adieu mon unique Piffoël. Voilà le Crétin qui veut vous écrire, comme s'il savait écrire ! – Vous avez bien raison de ne me parler pas de ses *succès*. C'est là le *point noir* de ma vie. La vie d'artiste est si misérablement

---

5. *Estelle et Némorin* (1788), pastorale de Florian.

agitée. Les rapports *directs* avec le public (même quand ils sont ce qu'on appelle des succès) si froissant, si irritant [sic]. Il y a longtemps qu'il aurait renoncé à son métier d'exécutant s'il ne voulait s'assurer au plutôt [sic] une complète indépendance et le pain de la progéniture. Dites-moi donc un mot de la vieille chanson que nous chantions à Nohant sur *le matin qui pleurait sur les bosquets*? Vous ai-je conté que le susdit Crétin était devenu d'une élégance *folle*. Il n'y a plus rien d'assez beau pour lui. Après avoir dépensé tant de paroles pour qu'il eut [sic] un chapeau sans trou et un gilet sans tache je me vois forcée à faire des harangues contre les *excès* du luxe et de la *parure*! Vous autres natures excessives on ne sait jamais où vous prendre, vous ne procédez que par zig-zag.

J'ai vu d'Arragon [sic] et sa femme. Il m'a paru très excellent garçon. Elle est distinguée et même simple [6] –

Une singulière coïncidence! J'ai reçu l'autre jour en même temps que votre lettre cachetée d'un *Parce que*, la lettre d'un de nos amis auquel j'ai donné un cachet avec ce mot : *Pourquoi*? Dites à Didier qu'il ne sait ce qu'il dit quand il prétend qu'il n'y a *pas de fruits* en Italie. Voilà une table couverte d'abricots, d'oranges, de figues, d'amandes, de prunes, sans parler des fruits rouges. Vous trouverez partout de très bonnes auberges (Milan excepté) mais très chères.

Dites à Carlota [7] que l'affaire de son mari ne va pas me sortir de la tête et que j'espère pouvoir en parler à des potentats.

La liaison de Chopin et de George Sand devient de notoriété publique.

---

6. Charles de Bancalis de Maurel, comte d'Aragon avait épousé en 1836 une demi-sœur de la princesse de Belgiojoso, Teresa Visconti d'Aragona.
7. C'est-à-dire Charlotte Marliani dont le mari, qui avait vécu autrefois à Milan, cherchait, semble-t-il, un emploi.

*George, qui a publié coup sur coup l'*Uscoque *et* Spiridion*, est tout occupée de son voyage aux îles Baléares. Elle quitte Paris le 18 octobre, embarque pour Palma le 7 novembre. Elle ne regagne Marseille que le 24 février après un mémorable hiver à Majorque. Charlotte Marliani écrit à Marie, le 24 octobre :* «George est partie avec ses deux enfants pour Barcelonne [sic] et Palma, on lui a vanté le climat des îles Baléares pour Maurice, qui n'est pas malade mais faible. [...] Chopin va la rejoindre [...]».

De façon soudaine, Marie, blessée du silence persistant de George mais ignorante encore de l'affaire Balzac, se met à multiplier des jugements acerbes sur son amie dans ses courriers à ses amis, depuis les différentes villes d'Italie où elle poursuit avec Franz son «pèlerinage». Il est probable que, sous le coup de la déception, l'aigreur emporte sa plume au-delà de sa pensée. Se sentant abandonnée, elle est humiliée dans son amour-propre et manie l'ironie grinçante avec une intelligence acide, dépouillée de tout sentiment, sans mesurer les risques qu'elle prend. Et ses jugements paraissent d'autant plus acerbes qu'ils sont fort bien écrits, dotés d'un remarquable sens de la synthèse ou de l'ellipse.

A Charlotte Marliani, l'amie dévouée de George, dont elle ne saurait suspecter l'amitié à son égard, elle confie imprudemment le 9 novembre 1838, de Florence : «Le voyage aux îles Baléares m'amuse. Je regrette qu'il n'ait pas eu lieu un an plus tôt. Quand G[eorge] se faisait saigner je lui disais toujours : *à votre place j'aimerais mieux Chopin.* Que de coups de lancettes épargnés ! Puis elle n'eût pas écrit les *Lettres à Marcie* ; puis elle n'eût pas pris Boccage [sic] et c'eût été tant mieux selon quelques bonnes gens. L'établissement aux îles Baléares doit-il être de longue durée ? À la façon dont je les connais l'un et l'autre ils doivent se prendre en grippe au bout d'un mois de cohabitation. Ce sont deux natures *antipodiques*. Mais n'importe c'est joli au possible et vous ne sauriez croire comme je m'en réjouis pour tous deux.

Et Mallefille, que devient-il dans tous ces conflits ? Va-t-il retremper sa *fierté castillanne* [sic] comme il disait, dans les eaux du Mançanarès ? Est-ce que par hazard [sic] George aurait eu raison de me certifier si souvent qu'il était outrageusement sot et ridicule ?

Je n'ai jamais été très alarmée de *l'état* de *santé* de Maurice. En tout cas ce serait un singulier remède pour des palpitations de cœur que le soleil d'Espagne. Vous avez bien raison d'aimer le talent de Chopin. C'est la délicieuse expression d'une nature exquise. C'est le seul pianiste que je puisse entendre non seulement sans ennui mais avec un profond recueillement. Donnez-moi des détails sur tout cela. Pansez-vous les plaies de Boccage ou l'avez-vous aussi disgracié ? En vérité je regrette de ne pas pouvoir jaser de tout cela avec vous. Je vous assure que c'est on ne peut plus drôle. » *Charlotte Marliani lui répond :* « N'attendez de moi aucuns détails [sic] sur toutes les choses dont vous me parlez. J'aime G[eorge] comme il faut l'aimer pour elle et non pour soi, jamais mon amitié ne lui faillira. » *Marie aurait dû tenir compte de cet avertissement. Mais qui ne se laisserait tromper par la fin de la lettre :* « Adieu encore, ne doutez jamais de l'attachement vrai et durable que je vous ai voué ; heureusement pour moi je suis en dehors de toutes les circonstances fatales qui rendent les femmes peu sincères. »

À Adolphe Pictet, le 26 novembre, Marie écrit, en portant un jugement bien différent sur Spiridion *(Adolphe Pictet n'a plus de lien avec George) :* « Je n'ai su aussi que par des tiers la nouvelle escapade Piffoël. Elle ne m'a rien écrit de ses amours pianistiques. Je crois qu'elle a un peu peur que Franz et moi nous ne prenions pas la chose assez au sérieux et que nous ne nous permettions à certains moments d'en rire. Décidément je me vante d'avoir mis les pianistes à la mode. George enlève Chopin. La p[rince]sse Belgiojoso accapare Döhler. Convenez que "Marie a choisi la meilleure part". Il est vrai que ces dames étaient bien un peu de mon avis, mais...

Que dites-vous des dernières productions de George ? Elle paraît attacher de l'importance à *Spiridion*. Quant à moi je n'aime guère cela non plus que *la Dernière Aldini*, non plus que *l'Uscoque* et tout ce qui nous est arrivé depuis les *Lettres à Marcie*. Belles très belles de sentiment et de style un peu *prématurées* seulement. Le major s'est trop hâté de proclamer le *volcan éteint*. Le volcan va encore lancer des flammes, des pierres, de la fumée, etc.»

A Louis de Ronchaud, son confident, le 3 décembre, toujours de Florence : «Contez-moi je vous prie très au long les détails de la rupture avec Boccage [sic] et la liaison avec Chopin. George ne m'écrit plus elle a peur que je ne prenne pas tout cela au sérieux et elle a raison. La Marliani me paraît déplorer silencieusement ce voyage. Franz prétend que j'ai mis les pianistes à la mode. Vous savez que la princesse Belg[iojoso] a pris Döhler. Je n'aime point *Spiridion*. La prétention de George à la philosophie est absurde. On voit clairement sous la belle phrase l'ignorance totale de ce dont elle parle. Je crains que ne voulant absolument pas travailler sérieusement et se contentant de se faire successivement l'écho de tout ce qui l'approche elle ne gâche une bien belle destinée d'écrivain. Quel rôle a donc joué Mallefille dans ce jeu de quatre coins ?»

De nouveau, à Adolphe Pictet, le 10 janvier 1839 : «A propos le pauvre Mallefille ! le voilà au lit, malade de vanité rentrée, à tout jamais *dés*abusé, *dés*illusionné, *dés*enchanté et tous les *dés* du monde devinez-vous

pourquoi ? Oh mais c'est une histoire impayable !
pourvu que v[ou]s ne la sachiez pas déjà ! Je reprends
comme Petit-Jean au déluge. Il y a 18 mois lorsque
j'étais à Nohant (immédiatement après les *Lettres à
Marcie*), passe en Berry Bocage, l'acteur de la P[orte]
S[aint]-M[artin], honnête créature, un peu bossue et
passablement bête au demeurant l'amant le plus ridicule de France à se donner. Cette idée sourit à George
elle prend Bocage... Mais par suite de cette honnêteté
dont je v[ou]s parlais l'acteur veut garder des ménage-
ments, tenir la liaison secrète et ne venir que lorsque
les prétextes seront plausibles. Voilà que l'absence
paraît trop longue à G[eorge], le secret trop lourd et
qu'elle quitte le bossu pour le borgne, l'acteur pour le
dramaturge, Boccage [sic] pour Mallefille ! On installe
le susdit Mallefille en qualité de précepteur des
mioches *pour l'amour du grec* on *l'embrasse* puis la
fantaisie prend à George de venir s'amuser à Paris.
M[allefille] reste à Nohant pour mettre ordre à des
affaires de fermier et pendant ce tems George s'empare
du tendre, rêveur et mélodique Chopin. Mallefille
arrive ; on ne lui dit rien ; on lui fait publier dans la
Gazette musicale une *ballade* en l'honneur de Chopin...
Enfin je ne sais par quel [sic] inspiration du démon il
conçoit des soupçons et va faire le guet à la porte de
Chopin où George se rendait toutes les nuits... Ici le
dramaturge devient dramatique il crie, il hurle, il est
féroce, il veut tuer. L'ami Grzymala se jette entre les
illustres rivaux, on calme Mallefille et George décampe
avec Chopin pour filer le parfait amour à l'ombre des
myrtes de Palma ! Convenez que voici une histoire
bien autrement jolie que celles qu'on invente ! – Ne
pensez pas néanmoins que je ne sois frappée que du
côté plaisant de tout cela. Le plus souvent lorsque ma
pensée se reporte sur celle [ou cette, sic] c'est avec

une tendresse pleine d'affliction et d'amertume. Cette intelligence si élevée, ce cœur qui pouvait être si noble se galvauder, s'abaisser ainsi à la plus misérable vie d'intrigues cela fait mal. Serait-il donc vrai que l'énergie et le génie ne sont point à leur place dans une femme et ne peuvent que l'égarer ?» *Corsetée dans la morale qu'elle s'est forgée, Marie souffre de ce qu'elle considère comme un dévoiement de son amie.*

Et, à nouveau à Charlotte Marliani, le 23 janvier, de Pise : «Sur quoi jugez-vous, s'il vous plaît, ma belle consulesse, du haut de votre sagesse *a priori*, que je suis incapable d'aimer et de comprendre mes amis ? et cela à propos de la personne au monde la plus facile à comprendre qui est notre pauvre Piffoël. Comment voulez-vous que je prenne au sérieux ce qu'elle ne peut pas prendre au sérieux elle-même si ce n'est dans ces courts instants où le génie poëtique s'empare d'elle et lui fait prendre des cailloux pour des diamants, des grenouilles pour des cygnes ? Je ne vous demande pas du tout de me parler d'elle autrement que pour me dire si elle est morte ou vivante. Lorsque je demeurais chez elle je faisais tout ce que je pouvais pour *ne pas savoir* certains détails de sa vie qui n'ont rien à faire avec les sentiments que je lui porte ; depuis c'est le public qui m'a informé [sic] : vous savez qu'il est habituellement vite instruit de ce qui ne le regarde pas ; d'ailleurs George le veut ainsi : la seule chose vraiment sérieuse pour moi et je le lui dirais si elle était là, c'est l'engourdissement de son talent. Depuis les *Lettres à Marcie* (qui ne peuvent pas compter puisqu'elles n'ont point été continuées et n'ont développé aucune des choses qu'elles indiquaient) elle n'a fait que des romans sans valeur. Il est évident que la période de l'émotion (période si magnifiquement révélée par *Lélia* et les *Lettres d'un voyageur*) est terminée.»

Lettre n° 48

À George Sand

[Albano, 5 juin 1839]

On a beau dire c'est une belle chose que de vivre dans un tems [sic] où il y a des bateaux à vapeur et des journaux. Sans les bateaux à vapeur vous n'auriez peut-être pas eu l'idée de venir à Gênes ; sans les journaux je ne l'aurais point su. Les astres Piffoëls et Fellows restaient indéfiniment séparés, errants [sic] dans des cieux divers. Sans reproche voici plus d'un an que v[ou]s ne m'avez donné signe de vie mais ce n'est pas de cela qu'il s'agit. Au lieu d'aller faire ma révérence au Grand Turc ainsi que j'en avais l'intention j'ai imaginé de mettre au monde un little Fellow de la plus grande espérance qui à l'heure qu'il est suce le lait de la plus belle femme de Palestrina [1]. Pour me reposer de ce haut fait je vais aller passer trois mois dans les environs de Lucques (prenez la carte de géographie et voyez la distance de Lucques à Gênes). Un de mes amis y a loué pour moi un casino où je vais faire préparer le quartier des Piffoëls ; le plat de macaroni sera en permanence sur le fourneau. Je me fais même fort de découvrir quelque voisin incommensurablement bête pour recevoir votre pantoufle à l'heure de la digestion. Je ne parle pas des improvisations du Crétin ; outre

---

1. Daniel Liszt, né le 9 mai 1839, à Rome. Palestrina est un village des environs.

qu'il devient mélancolique depuis qu'il se trouve père de *trois enfants en bas âge*, vous avez maintenant beaucoup mieux (veuillez présenter mes hommages à M. Frédéric Chopin). Bref je tâcherai de rentrer le plus possible dans mon rôle un peu oublié de princesse Mirabella et de vous rendre à Lucques un peu de vôtre châtelaine hospitalité de Nohant. Que pourriez-vous faire pendant ces trois mois de grandes chaleurs ? Le voyage devient plus pénible qu'agréable. D'ailleurs en prenant Lucques comme quartier général nous pourrions faire commodément et sans fatigue aucune des courses artistiques à Pise, à Florence et dans tous les environs. J'ai deux charmants chevaux qui seraient heureux de vous porter ou de vous traîner là où il vous plaira d'aller. Et mon excellent et indiscipliné baron de Solange m'a-t-il oublié ? Figurez [sic] que fille aînée [sic] que j'aurais l'honneur de vous présenter, est tout son portrait. Elle a sa taille, son teint, ses cheveux d'or filé, son imperturbable sérieux et ses rires immenses à propos on ne sait de quoi. Rien que pour les voir ensemble s'ébattre sur les vertes pelouses il faudrait venir nous trouver. Nous avons aussi par là quelques amis qui seront très empressés de devenir les vôtres et qui j'espère ne vous seront point désagréables. Venez donc il y aura non pas un *violon* mais deux *pianos*.

Tout à vous,

M.

Si ceci vous parvient écrivez-moi deux mots poste restante à Florence.

Albano 5 juin.
[Adresse :]
Madame George Sand
Aux soins de M. Pescio fils
à Gênes.

A la réception de cette lettre, George est perlexe.
Charlotte l'a informée d'un complot, mais rien dans la
lettre de Marie ne permet de le supposer. La publication
de Béatrix *l'embarrasse et l'oblige à écrire à Balzac, vers*
le 2 juillet : « On me dit que vous avez noirci terri-
blement dans ce livre une blanche personne de ma
connaissance et son co-associé à ce qu'il vous plaît
d'appeler les Galères. Elle aura trop d'esprit pour s'y
reconnaître, et je compte sur vous pour me disculper,
si jamais il lui vient à la pensée de m'accuser de déla-
tion malveillante. »

Ensuite vers le 21 juillet, elle demande à Lamennais,
informé des fameuses lettres de Marie par Charlotte,
quelle conduite adopter : « J'ai été très liée avec
Mme Dagout [sic]. Je l'ai beaucoup aimée la croyant
généreuse et bonne, puis je l'ai moins aimée, voyant
qu'elle n'était pas précisément telle que je l'avais
rêvée ; il ne m'est restée pour elle que cette estime particulière que l'on doit à une belle intelligence et cette
compassion qu'elle inspire quand elle se trompe dans
sa route. C'est encore une espèce d'amitié. – J'ai conti-
nué à lui écrire rarement, il est vrai ; puis, moins encore
parce que j'écris de moins en moins à tous mes amis,
n'en ayant vraiment pas le temps. Lorsque j'étais à
Mayorque, ma bonne Marliani m'écrivit que je ne
devais plus avoir aucune relation avec M[arie] D'A[goult]
pour des raisons graves qu'elle se réservait de me dire.
Elle m'indiquait seulement une *noire trahison générale-*
ment parlant. Elle aussi, cette bonne amie (qui fait
quelquefois un peu de *bruit pour rien*) elle avait découvert un *grand complot.* J'insistai pour avoir, non l'histoire du *crime*, j'aime beaucoup à ignorer ces sortes de
choses, mais quelque bonne raison à l'appui du conseil
qu'on me donnait de rompre (car c'est une sorte de
rupture qu'un silence par trop prolongé) la bonne
Charlotte m'écrivit qu'elle vous avait pris pour juge, en

vous racontant toute l'affaire, et qu'à sa question de savoir si je devais écrire à mon ancienne amie, vous aviez répondu positivement *non*. [...]. Mais il m'importe de savoir la vérité, Mme D'A[goult] m'écrit sur un ton d'amitié qui serait une insigne hypocrisie, si elle ne m'aimait pas au moins un peu. Je ne puis plus me dispenser de lui répondre sans une forte raison. »

De retour de Normandie, la bonne Charlotte remet les fameuses lettres à Lamennais. Cette trahison ne l'empêche nullement de continuer à écrire à Marie avec le même ton chaleureux qu'autrefois, en terminant ses lettres ainsi : «Adieu, ma chère Marie, nos amitiés à Liszt, conservez-nous tous deux vos sentimens [sic] de confiance et d'amitié» (8 août). *Voilà une rare hypocrisie à laquelle Marie continue de se laisser prendre.*

L'abbé est-il bien disposé envers Marie ? Il ne peut que lui porter des sentiments mitigés en se souvenant de son intervention auprès d'elle, en mai 1835, lorsqu'elle était sur le point de s'enfuir avec Liszt. Il avait en vain cherché à la persuader de renoncer à son projet. Ayant lu les lettres communiquées par Mme Marliani, il répond à George, le 22 août : «Maintenant je puis vous assurer qu'au mot près de *complot*, qui n'est pas le mot propre, Mme M[arliani] ne vous a rien dit de trop fort et qu'elle vous devait les conseils qu'elle vous avait donnés. Je n'avais pas idée d'une pareille corruption, ni d'une pareille ingratitude, d'une pareille âme enfin, si âme il y a, et cette révélation d'un côté de la nature humaine qui m'était inconnu, m'a profondément attristé. Il est bien heureux, à mon avis, que vous n'ayez pas répondu. »

George va donc persister dans son silence. Marie, incapable d'imaginer les dégâts qu'ont provoqués ses deux lettres, essaye une nouvelle intervention mais, ne sachant où atteindre George, elle envoie son pli à Charlotte Marliani en lui demandant de le faire suivre.

LETTRE N° 49

À George Sand

[Lucques, 20 août 1839]

Mon cher George, vous serez peut-être étonnée de ma persistance à vous écrire car votre silence absolu depuis environ dix-huit mois, le silence que vous paraissez avoir *imposé* à Carlota relativement à vous, et surtout votre *non répondre* [sic] à ma dernière lettre, dans laquelle je vous priais de venir passer l'été avec nous, disent assez que nos relations vous sont devenues incommodes. Mais ces relations ayant été pour moi chose sérieuse, certaines paroles ayant été échangées entre nous qui, *pour moi*, encore, avaient un sens inaltérable, il m'est impossible, ne fût-ce que par respect pour moi-même, de laisser ainsi se dénouer sans cause connue, un lien qui dans ma pensée devait durer autant que nous.

Je ne puis admettre que vous ayez à vous plaindre de moi car en ce cas, sans doute, vous vous seriez hâtée de me le dire afin qu'une explication cordiale mît au plus vite fin à un malentendu passager. Ceci est à la fois le plus simple et le plus rigoureux devoir de l'amitié. D'ailleurs j'ai beau fouiller dans les replis de ma conscience je n'y trouve pas *l'ombre* de *l'apparence* d'un tort. Franz aussi se demande comment il se fait que vos rapports intimes avec un homme qu'il se croit le droit de nommer son ami, ait [sic] eu pour résultat immédiat une cessation de communication entre nous ? À la vérité déjà une première fois votre intimité avec un autre de nos amis avait eu à peu près le même effet ; dès ce tems [sic] vous annonciez l'intention de m'écrire moins souvent. Ce que Franz vous dit à cette occasion vous fit *ajourner, différer* ce qui peut-être était déjà arrêté dans votre esprit : l'éloignement graduel et la cessation de nos rapports. Les explications que je pourrais me donner de ces étranges procédés je me refuse encore à les accepter. De fréquents avertissements et l'expérience décourageante de tant d'affections brisées dans votre passé ne me semblent pas jusqu'ici suffisants pour motiver ces tristes conclusions : que vous êtes incapable d'un sentiment durable ; que le premier caprice l'emportera toujours sur les affections éprouvées ; qu'il n'est point pour vous de parole qui *oblige* ; que vous livrez à tout vent de hazard [sic] les replis les plus profonds de votre âme, et qu'il n'est point dans votre cœur d'asyle [sic] où ceux qui vous ont été chers soient à l'abri de l'insulte du dernier venu.

J'espère encore, et laissez-moi vous le dire, je *désire sincèrement* une explication digne de vous et de moi qui mette fin à un état de choses affligeant et inacceptable. Si pourtant vous persistez dans le silence je saurai que vous avez *voulu* rompre. La même mobilité qui vous entraînerait jusqu'à trahir une amitié sainte vous aiderait probablement à l'oublier ; pour moi quoiqu'il arrive [sic], j'en garderai un religieux souvenir et j'ensevelirai dans le silence de mon cœur tout ce qui pourrait le ternir ou l'altérer.

Franz voulait vous écrire mais sa lettre ne pouvant guère que répéter la mienne je vous épargne ou un ennui ou un chagrin en lui ôtant la plume des mains. Car je vous le répète il m'est encore *impossible* de croire que vous renonciez de gayeté [sic] de cœur à deux amis à toute épreuve.

                                                  Marie.

Villa Massimiliano [sic], près Lucques, 20 août 1839.

[Adresse :]
Madame George Sand
aux soins de Mme de Marliani.

La bonne Charlotte ne sent plus le besoin de recourir aux lumières de Lamennais. Elle s'érige elle-même en juge, prête à jeter de l'huile sur le feu au nom de son amitié pour George et pour Marie. Elle prend donc connaissance de la lettre de Marie et la lui retourne, accompagnée de ses commentaires attentionnés : « Votre lettre du 22 m'est arrivée hier, renfermant celle que vous adressez à George ; comme elle était ouverte *[Charlotte ignore-t-elle donc les règles élémentaires de la politesse ?]* j'ai reconnu votre intention que j'en prisse lecture et je l'ai fait, vous ne serez donc point étonnée, j'espère, si je vous dis que je ne me charge pas d'envoyer cette lettre : je suis trop persuadée qu'elle aurait un effet diamétralement opposé à ce que vous désirez, pour en être l'intermédiaire. George est à Nohant et n'a aucun projet de voyage prochain [...]. Je vous embrasse en attendant le plaisir de vous revoir. »
Dans son grand élan de franchise, elle en oublie de dire qu'elle a communiqué les lettres à Lamennais. Marie renvoie donc son courrier directement à Nohant, accompagné de ce billet :

L<small>ETTRE</small> N° 50

À George Sand

Pise 8 7bre

Vous verrez à la date de cette lettre ci-incluse qu'elle a éprouvé un grand retard. Je l'avais envoyée à Carlota ignorant où vous étiez. Carlota me la renvoye en disant que *l'effet en sera diamètralement opposé à celui que je désire.*

Je comprends *de moins en moins.* En tous [sic] cas *l'effet* que je désire avant tout étant une *explication* franche et nette je vous envoie la lettre sans y rien changer. Il ne convient ni à vous ni à moi de rester dans *l'inexpliqué* et *l'inexplicable.* J'attends une réponse immédiate. Adressez à *Pise*, hôtel *delle Tre Donzelle.*

[Adresse :]   [Poste :]
Madame George Sand   Paris 18 Sept. 1839.
La Châtre   La Châtre 19 Sept. 1839.
Indre.

En recevant ce billet, George écrit longuement à Charlotte. Elle lui avoue : « Ce mot, et cette lettre sont si raides, si secs, si remplis de malveillance ; il y règne un tel sentiment d'orgueil et de dureté, il y perce enfin, un tel besoin d'accuser, de dénigrer et de maudire, que je suis absolument décidée à rompre toute relation amicale avec cette personne désagréable, ingrate et fausse. – Maintenant il s'agit de savoir comment s'opérera cette rupture, et jusqu'à quelle rigueur elle s'étendra. C'est sur quoi je veux vous consulter. »

George sait bien qu'il faudra une explication entre elles trois, sinon, craint-elle, Marie ferait un esclandre : « Elle est admirable dans les rôles de dignité, ce sera fort risible pour tout le monde. » *Mais la manœuvre est délicate, car George ne veut nullement entraîner par cette brouille celle de Liszt et de Chopin. A la fin de sa très longue missive, comme pour se reprendre sur le jugement très sévère qu'elle porte tout au long sur Marie et après avoir invité Charlotte à se montrer franche et ferme, elle ajoute :* « Du reste ménagez, je vous en supplie, auprès de vos autres amis, cette femme malheureuse. »

Marie, après de longues et âpres discussions, a convenu avec Franz qu'il lui valait mieux regagner Paris pour s'y refaire une position tandis que lui partirait en tournées afin de pouvoir subvenir aux besoins de leurs trois enfants. Ils se retrouveraient ensuite. Quant à George, qui a passé l'été à Nohant, elle a décidé de revenir en octobre à Paris, où on doit monter une pièce de théâtre qu'elle vient d'écrire. Le 15, elle emménage dans un appartement de la rue Pigalle, non loin de celui de Mme Liszt, la mère de Franz.

Devant l'inéluctable confrontation, Charlotte Marliani décide enfin de passer aux aveux. Le 1ᵉʳ octobre, elle écrit à Marie, qui achève son séjour à San Rossore, près de Pise, et s'apprête à embarquer à Livourne : « Ma chère Marie, il y a une explication que je vous dois, que je me dois à moi-même, et que j'ai toujours eu l'intention de vous donner de vive-voix [sic] à votre retour à Paris. Une circonstance particulière, celle de l'arrivée de mad[ame] Sand que j'attends bientôt, puis votre persistance à lui demander compte de son silence avec vous, enfin la lettre que vous me dites lui avoir envoyée *telle* que je l'aie lue, me décident à m'ouvrir à vous dès à présent avec une entière franchise. Vous vous rappelerez, je pense, les deux lettres que vous m'avez écrites le 9 novembre et le 23 janvier dernier, vous m'y parliez de mon amie avec une sécheresse, une froideur, et une légèreté amère qui me blessèrent profondément, ainsi que je vous le témoignai dans ma réponse, et ensuite par mon silence absolu sur ce sujet pénible. J'avais cru jusque-là à votre affection p[ou]r mad[ame] Sand, par qui j'avais eu le plaisir de vous connaître.

Convaincue désormais qu'elle n'avait point en vous une amie, je fis ce qui me semblait commandé par l'attachement profond que j'ai pour elle. George me parlant de vous et du retard qu'elle avait mis à vous répondre je lui écrivis que je pensais pas qu'elle dût compter sur votre amitié, que je croyais de mon devoir de l'en avertir mais qu'elle ne m'en demandât pas davantage parce que je ne lui répondrais pas. George ne m'a jamais fait une question, je ne lui ai jamais parlé de vos lettres, et je ne les lui montrerai jamais.

Que cet avertissement de ma part ait été une imprudence, que je me sois trompée sur ce que je devais à une personne qui m'est chère, cela se peut. Tout ce que je puis vous assurer, c'est que la démarche dont vous vous plaindrez peut-être, mais que d'après la manière dont je comprends et sens les devoirs d'une sincère amitié, je ne saurais cepend[an]t regreter [sic], n'a point eu d'autres motifs que ceux que je viens de vous dire.

Maintenant que vous savez, ma chère Marie, ce que vous avez ignoré jusqu'ici vous serez peut-être plus juste envers Mme Sand, dussiez-vous ne pas l'être p[our] moi. Si un avertissement que réclamait la vérité de mon affection pour George a pu avoir influencé sur votre silence, il cessera de vous étonner et vous n'apprendrez que par moi comment j'ai pu y contribuer, alors connaissant mieux notre position réciproque, il deviendra facile d'y proportionner nos relations, d'en écarter la gêne et les faux semblans [sic] qui les rendraient extrêmement pénibles et tout ce qui n'avait d'autre effet que d'exciter une curiosité moqueuse et de malignes observations.

Vous me saurez gré, j'espère, de cette explication nette et franche, si je juge de vous par moi-même. Elle n'aura qu'une influence heureuse sur nos rapports mutuels. Ils me seront toujours agréables et doux ; mais si ce que je ne crois pas avoir à craindre, ma sincérité, devait y apporter quelqu'altération, je me consolerais avec votre estime, car vous ne sauriez, j'en suis sûre, refuser celle-ci à la droiture de mon procédé !

Adieu

P. S. J'oubliais de vous dire encore qu'il y a longtemps que j'ai autorisé George à vous dire l'avertissement qu'elle avait reçu de moi. Je vois qu'elle s'en est abstenue par délicatesse. »

Charlotte ayant averti George de l'envoi de sa lettre, cette dernière lui répond : «Chère Bonne, Vous êtes excellente et admirable en tout. Vous vous êtes dévouée à la vérité. [...]. *Elle* sera furieuse, car elle n'a pas ce sentiment de justice qui ferait comprendre avec *le cœur* de pareilles résolutions» (*4 octobre*).

Le zèle de la bonne Charlotte devient sans limite. Charles Didier note dans son journal, au 25 septembre : «Je revois M[adam]e M[arliani] qui veut me faire prendre parti entre G[eorge] S[and] et Mad[ame] d'Agoult. »

Marie arrive à Paris, le 1er novembre. Elle revoit rapidement Charles Didier, dont le récent mariage apparaît comme un échec («Je porte cette folle sur les épaules», *confie-t-il élégamment à son journal en parlant de son épouse). Elle reprend avec lui ses confidences sur le même ton qu'à Nohant, époque où il faisait figure d'amant évincé*: «Soirée chez Marie qui me raconte les amours de G[eorge] S[and] avec Bocage après mon départ de Nohant et j'apprends que l'année précédente (1836) en revenant de Suisse elle eut une aventure de trois jours avec un inconnu dans une auberge», *note-t-il dans son journal, le 11 novembre.*

Le 12, première entrevue des anciennes amies chez Charlotte Marliani. Charles Didier note: «Mad[ame] d'Agoult était là. C'était sa première entrevue avec G[eorge] S[and]. Elles s'embrassent à la manière du théâtre puis ne se parlent plus.» *Le 18, autre entrevue, les langues se dénouent. Marie écrit à Liszt:* «Hier soir je suis allée chez Carlota. [...]. George y était. Nous nous sommes un peu parlé.» *De Vienne, celui-ci lui a envoyé son appui:* «Vous savez à l'avance que j'approuve extrêmement votre conduite à l'égard de Mme Sand. Persévérez et soyez convaincue qu'elle finira par avouer son tort.»

Il semble que, dans le petit cercle des amis communs aux deux femmes, on jase. Un bruit désagréable se répand, dont Charles Didier recueille l'écho dans son journal parce qu'on l'accuse un moment d'en être à l'origine. Ce bruit serait que George reconnaîtrait avoir autrefois tenté de ravir Franz à Marie. Une vieille histoire. Marie, assez étonnée, rapporte à son nouvel ami, le peintre Henri Lehmann, installé à Rome: «Je crois que nous allons à une rupture complète avec George. Ces deux femmes mentent à plaisir. Moi j'oppose à tout cela une fierté romaine. Elles commencent à se préoccuper de ce que *le monde* (le monde dans ces cas-là c'est 10 personnes) donne tort à George. On va même chercher des choses absurdes telles que *tentatives de m'enlever* Franz, de me brouiller avec lui, etc. » (*20 novembre*).

Elle se décide à adresser ce billet à George :

LETTRE N° 51

À *George Sand*

[25 novembre 1839]

Carlota sort d'ici !

George, encore une fois, une *dernière* fois ! Vous entrez dans un labyrinthe de cancans où je ne *veux pas* vous suivre. Au nom du ciel, ne laissez pas donc ainsi salir et traîner dans la boue notre vieille et sainte amitié ! Souvenez-vous des rapports officieux qui vous rendirent si injuste pour Franz. Croyez-moi, ne recommencez pas. Soyez droite et simple et franche avec moi. Ne laissez pas se briser si misérablement un passé que je n'ai jamais trahi et que vous ne devriez pas tant vous hâter de retrancher de votre vie.

Je suis et je reste ce que j'ai toujours été malgré la profonde blesssure que vous me faites.

M.

Lundi, 4 heures du soir.

[Adresse :]
Madame George Sand
Rue Pigale.

A la réception de ce billet, George prépare un long brouillon de réponse qui nous est parvenu. Georges

Lubin pense que le propre ne fut pas rédigé, aucun autographe n'ayant été jamais signalé. On y apprend que Charlotte a succombé à la tentation qui la démangeait depuis si longtemps : remettre à George les deux fameuses lettres de Marie, alors qu'elle s'était engagée à ne jamais le faire, dans sa lettre du 1er octobre. D'après ce brouillon, la communication de ces lettres aurait été demandée par Marie elle-même. Hypothèse peu probable puisque celle-ci ne va l'apprendre que quelques jours plus tard, si l'on en croit une lettre qu'elle adresse à Liszt. En marge de la lettre du 9 novembre à Charlotte Marliani, George jette ce commentaire : «Voilà comme on est jugé et arrangé par certaines *amies.*»

L'ETTRE N° 52

À Marie d'Agoult

[Paris, 26 novembre 1839]

Je ne sais pas au juste ce que Mme Marliani vous a dit dernièrement, Marie. Je ne me suis plaint de vous *qu'à elle* qui vous aime et vous excuse. Vous vous plaignez de moi à beaucoup d'autres qui me haïssent et me calomnient. Si je vis dans un monde de cancans, ce n'est pas moi qui en suis le créateur et je tâcherai de vous y suivre le moins possible. Je ne sais quel appel vous faites à notre passé. Je ne comprends pas bien. Vous savez que je me jetai dans votre amitié prévenante, avec abandon, avec enthousiasme même. L'engouement est un ridicule que vous raillez en moi et c'est peu charitable, au moment où vous détruisez celui que j'avais pour vous. Vous entendez l'amitié autrement que moi, et vous vous en vantez assez pour qu'on puisse vous le dire. Vous n'y portez pas la moindre illusion, pas la moindre indulgence. Il faudrait alors y porter une irréprochable loyauté, et avoir en face des gens que vous *jugez* la même sévérité que vous avez en parlant d'eux. On s'habituerait à cette manière d'être si peu aimable qu'elle fût, on pourrait du moins en profiter. Le pédantisme est toujours bon à quelque chose, la méchanceté n'est bonne à rien. Mais vous n'avez que de douces paroles, de tendres caresses, même des larmes d'effusion et de sympathie, avec les êtres qui vous aiment, puis, quand vous parlez d'eux, et surtout quand vous en écrivez, vous les traitez avec une sécheresse, un dédain, vous les raillez, vous les dénigrez, vous les rabaissez, vous les *calomniez* même, avec une grâce, et une légèreté charmantes. C'est un réveil un peu brusque et une surprise assez désagréable pour les gens que vous traitez ainsi, et il doit leur être permis d'en rester au moins pensifs, muets, et consternés pendant quelque temps. Ce que vous faites alors est alors inouï, inexplicable. Vous leur adressez des reproches : de ces reproches qui font orgueil et plaisir de la part des gens dont on se croit aimé, mais qui font chagrin et pitié de la part de ceux dont on se sait haï. Vous leur dites de ces injures qui dans l'amitié blessée, trahissent la douleur et le regret, mais qui dans d'autres cas ne trahissent que le dépit et la haine. Oui, la haine, ma pauvre Marie. N'essayez plus de vous faire illusion à vous-même. Vous me haïssez mortellement. Et comme il est impossible que cela vous soit venu sans motif depuis un an, je ne puis vous expliquer qu'en reconnaissant que vous m'avez toujours haïe. Pourquoi ? Je ne le sais pas. Je ne le soupçonne même pas. Mais il est des antipathies instinctives contre lesquelles on se débat en vain. Vous m'avez avoué souvent que vous aviez ressenti cette antipathie pour moi avant de me connaître. Or, voici comment j'explique votre conduite depuis lors ; car en tout, j'aime à voir le beau côté des choses, et c'est un travers dont je m'enorgueillis.

Dévouée à Liszt comme vous l'êtes avec raison, et voyant que son amitié pour moi était affligée par vos sarcasmes, vous avez voulu lui donner une noble preuve d'affection, vous avez tenté sur vous-même un immense effort. Vous lui avez persuadé que vous m'aimiez et vous vous l'êtes peut-être persuadé à vous-même. Peut-être aussi avez-vous été quelquefois vaincue par mon amitié que vous saviez bien que je vous portais (et que vous saviez bien être vraie !) mais retombant dans votre aversion lorsque je n'étais plus là, et que vous trouviez l'occasion de vous soulager d'un peu d'aigreur longtemps comprimée. Je crois que si vous descendez au fond de votre cœur vous y trouverez tout cela, et moi, c'est ainsi que je vous excuse et vous plains. Je vous admirerais peut-être, si je n'étais pas la victime de cette malheureuse tentative que vous avez faite. Mais il doit m'être permis de regretter l'erreur où j'avais eu l'imprudence et la précipitation de tomber. Il doit m'être permis surtout de regretter que vous n'ayez pas pu faire de deux choses l'une, ou me haïr franchement (comme je ne vous connaissais pas, cela ne m'eût fait aucun mal) ou m'aimer franchement, cela eût prouvé que vous n'aviez pas seulement des rêves et des intentions magnanimes, mais des facultés pour de tels sentiments.

C'est donc un rêve que j'ai fait ! J'en ai fait bien d'autres à ce que vous dites. Il est un peu cruel de me persifler tout en m'arrachant un de ceux qui m'étaient le plus chers. Maintenant vous êtes en colère contre moi. C'est dans l'ordre. Il y a un vieux mot de La Bruyère là-dessus. Mais calmez-vous, Marie, je ne vous en veux pas et je ne vous reproche rien. Vous avez fait ce que vous avez pu pour mettre avec moi votre cœur à la place de votre esprit. L'esprit a repris le dessus. Craignez d'en avoir trop, ma pauvre amie. Si l'excès de bienveillance mène comme je l'ai souvent éprouvé à se trouver un beau jour fort mal entouré, l'excès de clairvoyance mène à l'isolement et à la solitude. Et puisque nous sommes forcés d'être sur cette terre avec l'humanité, autant vaut peut-être vivre en guerre et en raccommodement perpétuel, que de se brouiller sans retour avec elle.

Je vous dis là des choses fort dures et qui me font mal à écrire. Je puis être violente et brutale avec ceux dont j'espère retrouver l'affection mais ordinairement je me tais avec ceux dont je n'espère plus rien. J'avais donc résolu d'éviter avec soin toute explication avec vous. Mme Marliani s'était sacrifiée généreusement pour vous épargner des reproches de ma part. Dans aucun cas je ne vous en aurais fait. Mais vous me forcez à vous répondre et je ne veux pas que vous preniez mon silence pour du mépris. Voilà donc ce que j'ai sur le cœur, personne ne m'a indisposée contre vous, *personne au monde*, et tant que je n'ai pas eu votre écriture sous les yeux, je me suis abstenue de juger vos lettres, je comptais vous demander pour toute explication en vous voyant de me les lire vous-même. Vous avez *prié* Mme Marliani de me les montrer. Elle l'a fait, et je ne comprends plus que vous ayez voulu à toute force savoir ce que j'en pense.

Reposez-vous de tout ceci, ma pauvre Marie, oubliez-moi comme un cauchemar que vous avez eu, et dont vous vous êtes enfin débarrassée.

Tâchez, non de m'aimer, vous ne le pourrez jamais, mais de vous guérir de cette haine qui vous fera du mal. Ce doit être une grande souffrance si j'en juge par la compassion qu'elle m'inspire. Ne vous donnez plus la peine d'imaginer d'étranges romans pour expliquer à ceux qui vous entourent notre froideur mutuelle. Je ne recevrais point Liszt lorsqu'il sera ici, afin de ne point donner prise à la singulière version que l'on a trouvée de le placer entre nous comme un objet *disputé*. Vous savez mieux que personne que je n'ai jamais eu *seulement une pensée* de ce genre [1] et je vous assure que, y

---

1. Ici se glisse une phrase biffée par George : « *C'est une idée qui n'est venue qu'à Balzac.* » Elle aurait été d'autant plus compromettante que *Béatrix* n'étant pas encore paru en volume, George se serait un peu trahie.

eût-il moyen de la réaliser (ce que je ne crois pas), aucun ressentiment ne pourrait me la suggérer. Il serait donc indigne de vous de le craindre, ou de le dire, et encore plus peut-être de le laisser dire. J'accepte avec un certain orgueil je l'avoue toutes vos moqueries, mais il est des insinuations que je repousserais fortement.

Revenez à vous-même, Marie, ces tristes choses sont indignes de vous, je vous connais bien, moi. Je sais qu'il y a dans votre intelligence un sentiment et un besoin de grandeur contre lesquels une petite inquiétude féminine se révolte perpertuellement. Vous voudriez avoir une conduite mâle et chevaleresque, mais vous ne pouvez pas renoncer à être une belle et spirituelle femme immolant et écrasant toutes les autres. C'est pour cela que vous ne faites pas difficulté de me louer comme un *bon garçon,* tandis que sous l'aspect femme, vous n'avez pas assez de fiel pour me barbouiller. Enfin vous avez deux orgueils. Un petit et un grand. Tâchez que le dernier l'emporte. Vous le pouvez, car Dieu vous a douée richement et vous aurez à lui rendre compte de la beauté, de l'intelligence et des séductions qu'il vous a départies.

Ceci est le premier et le dernier sermon que vous recevrez de moi. Veuillez me le pardonner comme je vous pardonne d'avoir fait des homélies sur moi sans m'en faire part.

Georges Lubin suggère que George n'envoie pas la lettre ci-dessus, mais rédige, à la place, ce billet :

LETTRE N° 53

À Marie d'Agoult

[Paris, 26 novembre 1839]

Vous désirez une explication. Il me semblait que vous ne pouviez pas en avoir besoin. Mais puisque vous l'exigez je suis prête à vous la donner quand vous voudrez. Je ne voudrais pas que vous prissiez mon silence pour autre chose que du chagrin, Marie. Je ne veux pas vous écrire une lettre de reproches, car vous savez bien que j'ai de graves reproches à vous faire. Mais je trouve que l'encre et le papier ont été inventés pour poétiser la vie, et non pour la disséquer. Ainsi quand vous serez disposée, indiquez-moi votre jour et votre heure, soit chez vous, soit chez moi, soit chez Mme Marliani, à votre gré.

Vous verrez que je n'ai point de ressentiment contre vous. Mais il me faudra bien vous dire que vous avez mis une douleur de plus dans ma vie et que c'est moi qui ai reçu la blessure dont vous vous plaignez.

George.

rue Pigale, 16.

De ce billet, Marie écrit à Liszt, le 27 novembre : « Ce matin billet de George (très doux). Elle ne croyait pas que j'avais besoin d'explication : je dois bien savoir que j'ai des torts graves, etc. pourtant elle est à mes ordres où et quand je voudrai pour me dire que j'ai mis un chagrin de plus dans sa vie.» *Elle demande donc un rendez-vous à George mais tient surtout à en écarter la bonne Charlotte :*

LETTRE N° 54

À *George Sand*

[28 novembre 1839]

Ma profonde aversion pour les tiers dans le cas présent me ferait préférer un rendez-vous chez moi où je serais parfaitement sûre que *personne* n'interviendra et ne saura même que vous y êtes. Dans le cas donc où il ne vous serait pas incommode de sortir je vous prierais de me faire savoir votre heure demain vendredi de 4 h 1/2 à 6 heures.

Si toutefois vous préférez que je vienne chez vous faites-le moi dire je m'y rendrais toujours demain à l'heure que vous m'indiqueriez dans l'après-midi.

Vous me trouverez *entièrement* sincère et sans l'ombre d'un mauvais vouloir je compte de votre côté sur les mêmes dispositions.

Marie.

Jeudi 4 heures.

[Adresse :]
M. George Sand
16 rue Pigale.

George, souffrant de rhumatismes, demande à son ancienne amie de venir chez elle. « On lui aura soufflé qu'il était plus convenable et plus digne de ne pas venir chez moi. Je viens de répondre un mot très amical », *écrit Marie à Liszt. Si le billet de George est perdu, voici celui de Marie :*

Lettre n° 55

À George Sand

[29 novembre 1839]

Je serai chez vous demain de trois à quatre cher George ; laissez-moi encore espérer que nos torts (car il ne serait pas impossible que vous n'eussiez aussi quelques torts) pesés dans la balance d'une amicale équité, seront trouvés légers. S'il en est autrement, si notre amitié doit mourir demain faisons-lui au moins un *enterrement* de *première classe* ; elle vaut bien cela, n'est-il pas vrai ?

Une prière : quelque [sic] soit le résultat de notre entrevue voulez-vous me promettre que les détails resteront *entre nous* et que vous n'en rendrez compte qu'en termes généraux à ceux qui ont ou qui se croient le droit de vous interroger ?

M.

Vendredi.

[Adresse :]
Madame Sand
16 r[ue] Pigale.

Avant de se rendre chez George, Marie a projeté de récupérer ses lettres chez Charlotte Marliani. Elle s'y rend le 28 et relate à Liszt sa surprise : «A 5 heures je suis allée chez Carlota lui dire : "Je dois voir Mme Sand demain. Puisqu'il paraît que le fond de notre explication doit rouler sur mes lettres, donnez-les moi afin que nous marchions phrase par phrase et mot par mot". »

Marie n'a donc nullement l'intention de nier ses torts. «Alors, *continue-t-elle,* elle m'avoue qu'elle les a remises à Mme Sand. Je lui réponds avec calme et indignation que ceci n'a *pas de nom,* que c'est tout bonnement une *trahison.* Le mari arrive. Il donne tous les torts à sa femme, me jure qu'il a fait tout au monde pour l'empêcher, ajoutant pourtant que j'ai écrit une lettre trop dure à George et qu'à sa place (à elle), il ne me reverrait pas. Carlota dit qu'elle regrette ce qu'elle a fait, que pourtant M. *de Lamennais* l'a *approuvée* et l'a autorisée à le citer !!! Nous nous sommes quittées très froidement. »

Compte rendu de l'entrevue dans une lettre de Marie à Liszt : «Je suis allée chez George à 3 heures. "Vous voyez au moins que je tiens à vous, lui dis-je en entrant ! Vous n'êtes pas *spontanée,* mon pauvre George, voilà un mois que nous aurions dû nous voir !" Elle prend la parole pour articuler mes torts, elle a l'intention d'être bien. Elle parle sans aucune colère, avec une g[ran]de *admiration* de mon caractère, de mon esprit, de ma *grandeur.* Elle n'a jamais aimé *personne* comme moi. Mais moi je ne l'ai jamais aimée. J'ai fait ce que j'ai pu pour vous (Franz), je me suis persuadée par moments que je l'aimais, mais ma nature a repris le dessus, je me suis cruellement moquée, j'ai jugé froidement et avec le public tandis qu'elle m'a aimée aveuglément et avec enthousiasme, etc., etc. Dès Nohant elle a su que je parlais mal d'elle, alors elle a commencé à m'écrire moins. Puis sont venues mes lettres à Carlota, mes liaisons avec ses *ennemis*

(S[ain]te-B[euve], Allart, Didier). Elle s'est amusée de mon esprit et de mes railleries tant qu'ils sont tombés sur d'autres, mais quand ils sont tombés sur elle cela lui a été amer, etc., etc.

Je *nie* absolument tout propos malveillant. Quant à mes lettres, elles ont été écrites avec colère (colère causée par votre silence, les cancanages Mallefille, la façon sotte dont Carlota intervenait entre nous, etc., etc.), il a pu y avoir des mots durs, c'est mon défaut ; je le déplore en cette occasion et je ne mets nulle mauvaise honte à vous en demander pardon (ici elle me tend la main, me dit qu'elle ne peut pas accorder de pardon à une femme comme moi, etc., etc.), mais ces quelques paroles ne sont point une trahison puisqu'elles ont été écrites à son amie intime et que dans aucun cas elles ne doivent effacer deux années d'intimité comme la nôtre (ici allusions délicates à ce que j'ai été pour elle ; réponse que c'est *tout cela* qu'elle a senti et qui l'avait immensément attachée à moi) [...]. Je dis que le malheur de son organisation est que chez elle une racine d'affection meurt tout à coup et qu'alors elle cherche des motifs, des prétextes à cela, qu'elle en trouve parce les affections les plus pures ne sont pas exemptes de taches, etc., etc. Elle dit : « Cela est peut-être vrai ». Nous concluons que nous nous verrons, que l'on ne parlera ni de ses amours, ni de ses amitiés, etc.,etc. Moi : « J'accepte ces termes parce que je suis convaincue qu'ils changeront. Le temps est un grand maître. Dans quelques mois ou dans quelques années v[ou]s me direz que v[ou]s avez eu tort. » = *Elle :* « Cela se peut. Je suis très accessible à la séduction et v[ou]s êtes très séduisante, Marie. » Elle *glisse* que Chopin ni Mallefille n'ont été pour rien là-dedans, paraît *très bien* disposée pour vous = Le résultat de cet entretien me paraît bon ; ce sera, j'espère, la fin des commérages [...]. En la quittant je lui ai baisé le front. Elle a fait énormément de *poésie* sur son amitié pour moi, elle a insinué que je me *faisais un rôle* parce que je le *trouvais beau,* etc., etc., qu'elle était une personne tout d'instinct, que moi, je ne *suivais pas assez* les miens, etc., etc. = Elle m'a paru exactement la même, pleine de poésie et de charme, mentant comme personne parce que, dans l'instant où elle ment, elle s'en doute à peine, flatteuse avec dignité, etc., etc. Au fond il y a quelque chose d'irréparable entre nous : je crois qu'elle a mis le doigt sur le point vrai en disant que notre liaison était *factice,* que j'avais cédé à mon amour pour vous, à mon désir de vous être agréable, de partager tous vos sentiments, etc., etc., mais que sa nature m'était antipathique [...]».

Compte rendu qu'on ne peut mettre en doute tant les propos rapportés de George coïncident avec le brouillon de lettre du 26 et parce que Marie y avoue ses torts en toute loyauté.

La nouvelle pièce de George, Cosima, *entre en répétition et les deux anciennes amies ont apparemment renoué. Mais comme Marie l'écrit au peintre Henri Lehmann, le 4 décembre :* «J'ai revu George chez elle. Il y a un *replâtrage* qui deviendra plus tard un raccommodement.»

Lettre n° 56

À *Marie d'Agoult*

[Paris, 4 décembre 1839]

Ma chère Marie, Vous me trouverez toujours chez moi et vous ne me dérangerez jamais. Quand je suivrai mes répétitions je vous dirai les heures où vous ne me trouverez pas [...]

George.

[Poste :]
Paris 4 décembre 1839.

Marie écrit encore à Henri Lehmann, le 14 décembre : « J'ai revu Mme Sand hier chez M. Marliani et ce matin chez moi. Nous échangeons beaucoup de choses flatteuses. Son *dernier* article dans la *Revue des deux Mondes* (essai sur le drame fantastique) est une chose superbe ». *Mais le replâtrage s'effrite assez vite lorsque Marie apprend que Franz est fort malade à Vienne. Très inquiète, elle s'étonne que Chopin, qui se prétend l'un de ses plus proches amis, ne vienne pas prendre de nouvelles. Alors qu'elle tombe malade à son tour, George accourt à son chevet. Elle en profite pour lui dire le fond de sa pensée. À Liszt, enfin remis, elle rapporte le 20 décembre :* « George me sachant malade est accourue, je lui ai dit nettement que Chopin était grossier. Qu'on n'allait pas cinq ans chez une femme pour ensuite tout à coup ne pas lui faire même une visite. Qu'à un autre point de vue cela était plus affligeant. Que Chopin que v[ou]s aviez la naïveté de regarder comme votre ami, vous sachant malade à la mort et sachant que moi seule à Paris avait de vos nouvelles n'était pas venu me voir. Elle s'est mal défendue. Elle *ne savait pas*. A Paris on ne se voit pas. Elle-même ne voit Chopin qu'*à dîner*. »

LETTRE N° 57

À *Marie d'Agoult*

[Paris, vers le 3 janvier 1840]

Chère Marie, j'accepte votre invitation pour dimanche si, comme je l'espère, je suis guérie de mon affreux rhumatisme ; car je fais la plus triste figure du monde dans ce moment-ci. Je me suis traînée jusqu'à votre porte pour avoir de vos nouvelles, j'étais inquiète de tout ce qu'on me disait. J'ai appris aujourd'hui que vous étiez mieux et votre billet me rassure tout à fait, quoique vous souffriez encore. Mais nous sommes au monde pour cela, et le rhumatisme fait partie, je crois, de la vie humaine comme la faim et la soif.

Guérissez-vous bien, et vite : c'est le meilleur souhait à vous faire, car vous avez tout le reste.

A vous.

George.

Ne sortez pas pour moi. J'ai des remords de votre dernière visite qui a dû contribuer à votre rechute.

[Adresse :]
Madame D'Agoult
rue N[eu]ve des Mathurins
6 (bis).

Lorsque Marie écrit à Franz, le 24 décembre: «Chaque jour j'apprends de George de nouvelles mesquineries», *fait-elle allusion à* Béatrix *qui est en train de paraître en volume? Voici le portrait de Béatrix de Rochefide, une caricature qui ne laisse aucun doute sur le modèle:* «[...] elle a de la grandeur d'âme, une fierté royale, des idées, une facilité merveilleuse à concevoir et à comprendre tout; elle parlera métaphysique et musique, théologie et peinture. [...] mais il y a chez elle un peu d'affection: elle a trop l'air de savoir les choses difficiles, le chinois ou l'hébreu, de se douter des hiéroglyphes ou de pouvoir expliquer les papyrus qui enveloppent les momies. Béatrix est une de ces blondes auprès desquelles la blonde Ève paraîtrait une négresse. Elle est mince et droite comme un cierge et blanche comme une hostie; elle a une figure longue et pointue, un teint assez journalier [...]. [...] elle a de la sévérité dans les lignes, elle est élégante et dure; elle a la figure d'un dessin sec, et l'on dirait que dans son âme il y a des ardeurs méridionales. Enfin ses yeux ont soif. C'est un angle qui flambe et se dessèche. Ce qu'elle a de mieux est la face; de profil, sa figure a l'air d'avoir été prise entre deux portes». *Lorsqu'elle rencontra le compositeur Gennaro Conti,* «la marquise conçut pour lui la plus folle des passions et me l'enleva». *Celle qui parle ainsi, dans le roman, s'appelle Camille Maupin et ressemble beaucoup à George Sand. Elle a le beau rôle tout au long du livre.*

Marie reste stoïque, les deux femmes continuent de se recevoir.

Lettre n° 58

À *Marie d'Agoult*

[Paris, début 1840]

Ma chère Marie, J'irai avec grand plaisir dîner avec vous mais je vous dirai avec la franchise qui doit *régner* entre nous que la Marbouty [1] m'ennuie à me faire tomber sous la table. Si vous l'avez mercredi j'aimerais mieux aller manger ses restes tête à tête avec vous le lendemain. Je vous demande pardon de ceci mais j'espère que vous en userez de même avec moi et que quand vous viendrez manger ma soupe vous mettrez à l'index qui vous voudrez.

Soignez-vous, je vous en prie. Je sais que ce n'est pas divertissant mais on ne gagne rien à brusquer le mal.

T[out] à v[ous]

George.

[Adresse :]
Madame D'Agoult
rue N[eu]ve des Mathurins
6 bis.

1. Caroline-Julie-Sophie Pétiniaud de Lacoste, Mme Jacques Marbouty (1803-1890), femme de lettres que ni Marie d'Agoult ni George Sand n'ont fréquentée beaucoup.

George doit se sentir mal à l'aise de la publication de Béatrix. *Balzac vole à son secours, le 18 janvier, par une lettre où il lui assure que ce qu'on pourrait insinuer sur la source de son inspiration serait pure calomnie. Ainsi George pourra-t-elle garder cette lettre à portée de main pour la montrer à Marie, si nécessaire. Cependant Balzac écrit à Mme Hanska, le mois suivant :* «Oui Béatrix est trop bien Mme d'Agoult. George en est au comble de la joie, elle prend une petite vengeance sur son amie ; sauf quelques variantes, *l'histoire est vraie.*»

À Paris cette histoire fait jaser. Marie, qui n'a pas rapporté l'existence de Béatrix *à Franz, et qui n'y fait jamais allusion dans sa correspondance avec ses amis, lui relate dignement, le 21 janvier :* «Il y a huit jours Potocki rencontre Balzac à l'Opéra. Eh bien ! j'ai brouillé les deux femelles, s'écrie Balzac. (Je ne vous ai pas dit qu'il y avait un roman de Balzac sous jeu, écrit après huit jours de tête à tête à Nohant) : "Pas tout à fait, dit Potocki, car j'ai rencontré hier Mme Sand chez Mme d'Agoult." Encore un motif pour ne pas se brouiller c'est l'amusement qu'en auraient certaines gens». *Quant à Lamennais, dont Marie sollicite l'avis, il lui conseille, embarrassé, d'adopter le mépris et de reprendre des relations distantes avec George.*

De fait, les deux amies dînent ensemble, le 6 février et le 11 mars chez Charlotte Marliani. Mais Marie, toujours lucide et implacable (y compris envers elle-même) sur la vérité des êtres, écrit à Adolphe Pictet, le 16 janvier : «Nous sommes à la *superficie* fort bien ensemble mais le *fond* [sic] est irrévocablement troublé. Nous ne nous convenons *plus* ou plutôt nous ne nous sommes jamais convenu. J'ai été séduite par son génie, elle par sa propre imagination... Elle est suivant moi dans une détestable voie».

Les apparences restent sauves...

Lettre n° 59

À Marie d'Agoult

[Paris, janvier 1840]

Rachel joue demain. On doit m'envoyer une loge. Vous sentez-vous assez forte pour y venir ? Je vous l'enverrais et vous iriez avec le cavalier *ad libitum*. Moi j'irais vous y rejoindre avec Marliani, car j'ai affaire jusqu'à 8 h et il faut que vous soyez à 7 précises si vous voulez voir la première entrée de Rachel en scène, qui est toujours la meilleure comme vous savez. Je désire bien que la loge soit tolérable. Je l'ai bien recommandé à Buloz, mais il n'est pas homme à m'en réserver une qui pourrait être louée cher. Ce que je désire, avant tout, c'est que vous vous portiez mieux.

A vous.

G.

Jeudi soir. Rachel est pour demain *vendredi.*

[Adresse :]
Madame D'Agoult
6 (*bis*) rue N[eu]ve des
Mathurins.

Franz, de retour d'une tournée qui l'a conduit en Autriche, en Hongrie, en Bohème et en Saxe, arrive à Paris au début d'avril. Les relations entre George et Marie, qui prenaient un rythme modéré, sont relancées. Au sortir d'une soirée, le 11 mars, chez Charlotte Marliani, Charles Didier note : « Mad[ame] d'A[goult] et G[eorge] S[and] étaient au mieux. » *George compte sur l'appui des «Fellows» pour la création de sa pièce* Cosima. *Dans le billet suivant, Marie sollicite une place pour la comtesse Samoïloff, qu'elle avait fréquentée à Milan. George lui répond.*

LETTRE N° 60

À Marie d'Agoult

[Paris, vers le 8 avril 1840]

Je ferai mon possible pour que Mme Samoyloff ait une loge. Je l'ai faite [sic] inscrire depuis longtemps. Mais je ne sais ce que feront les *pouvoirs* du Théâtre-Français à l'égard de mes prétentions. Par exemple s'il ne me restait que deux ou trois loges, je vous en offrirais une bien plutôt que de laisser louer à quelque princesse chinoise ou cosaque que ce fût. Comptez que vous aurez cette loge, et *après vous s'il en reste*, les autres s'arrangeront. Je ne m'occupe que de placer mes amis. Le grand tripotage ne me regarde d'ailleurs en aucune façon. Je n'y tremperai pas le bout du doigt. Je n'exclus personne. Il y a place pour tous... sous le lustre.

Franz est-il enfin de retour? Je le désire bien pour vous et pour nous tous. Ses soins vous rendront la santé. Je n'ai pas pu aller vous dire bonjour depuis des siècles. Je suis fatiguée à mourir de ces répétitions, du froid de la salle vide que ma pièce ne remplira ni ne réchauffera.

A vous.

George.

LETTRE N° 61

À Marie d'Agoult

[Paris, 15 avril 1840]

J'ai oublié de vous dire ce que j'allais exprès pour vous dire. C'est que si malgré les lenteurs de mes répétitions, j'arrive enfin à la grande soirée des pommes cuites, je compte sur vous pour me soutenir un peu, ne fût-ce que du regard. Je vous ai donc gardé une loge, car déjà on m'a fait la part de celles dont je puis disposer pour mes amis. Aurez-vous la bonté de dire à Mr Potocki que sur ma provision, je lui ai gardé 2 stalles. Mais que pour une loge, je ne crois plus qu'il soit possible d'en louer. Il en faut réserver beaucoup pour les journaux.

A vous.

George.

A ce soir, si Maurice n'est pas plus malade. Ayez la bonté de me renvoyer une montre et un étui à cigares que j'ai laissés chez vous.

[Adresse :]
Madame Dagoult
rue N[eu]ve des Mathurins, 10.

La première de Cosima *approche. Il semble que Franz ne puisse venir, Marie demande sans doute à George de lui conserver la loge prévue. George l'en assure.*

LETTRE N° 62

À *Marie d'Agoult*

[Paris, 20 avril 1840]

Si fait vous aurez une loge, et des meilleures encore. Il y a quinze jours déjà qu'elle est retenue. Vous y garderez la place de Franz et vous y bâillerez à l'unisson car je crains que la pièce ne soit fort ennuyeuse. Maurice va mieux. Mille fois merci. Hier soir j'ai été malade. Sans cela je vous aurais vue chez Charlotte.

T[out] à vous.

G. S.

A la place de Liszt, Marie suggère la possibilité de venir avec un mystérieux B., sans doute, comme le suggère Georges Lubin, Henry Bulwer-Lytton (1801-1872), secrétaire de l'ambassade de Grande-Bretagne, qui courtise alors Marie en vain. George n'est pas favorable.

LETTRE N° 63

À *Marie d'Agoult*

[Paris, vers le 22 avril 1840]

J'allais vous prier de ne pas mettre en rapport avec Mr B ——, non que j'aie aucune prévention contre lui, mais tout simplement parce que ne voulant pas faire de nouvelles connaissances sans un *puissant attrait*, je lui avais fait un peu froide mine malgré moi chez Mme Marliani. Maintenant, changez si vous voulez dix fois encore de cavalier. Je vous donne toute latitude depuis le blond jusqu'au gris inclusivement en passant même par le brun, le châtain et le rouge. Je vous enverrai la loge dès que je l'aurai et vous m'y garderez une place.

Merci pour les jolies écharpes. J'ai partagé avec Solange qui vous remercie aussi. Nous sommes malades toutes les deux. M[ais] il n'en faut pas moins que je coure. Ma *Romaine* se soigne pour deux.

[Adresse :]
M[ada]me d'Agoult
rue N[eu]ve des Mathurins, 6 *(bis)*.

Marie prend acte de la réponse de George et lui laisse le soin de choisir qui occupera la place de Franz.

LETTRE N° 64

À George Sand

[Vers le 22 avril 1840]

Veuillez bien regarder ma proposition relativement au compagnon de loge comme absolument non avenue et m'en désigner un autre depuis Puzzy jusqu'à...

[Adresse :]
Madame Sand.

Marie reçoit les billets de sa « petite » loge :

LETTRE N° 65

À Marie d'Agoult

[Paris vers le 28 avril 1840]

Bien petite, et, je le crains, pas très bonne, *quoi qu'on die* [sic] au théâtre de l'excellence des loges qu'on m'accorde. Mais vous pardonnerez ; ce n'est pas ma faute ; envoyez-moi je vous prie Ronchaud, Mr Potocki, Pictet ou leurs adresses.
à vous.

George.

Marie se sent-elle indisposée à la veille de la première de Cosima *? Plaçons ici ce billet, faute d'indice suffisant pour le dater avec précision. Le tutoiement entre les deux femmes n'était plus employé depuis bien longtemps...*

LETTRE N° 66

À George Sand

[Avril 1840]

Franz ne sait ce qu'il dit, il se mêle de ce qui ne le regarde pas, il reste crétin comme devant; morte ou vive je me ferai porter à *Cosima* aussi ne me frustrez pas de ma loge.

Il y a un siècle que je ne t'ai vue je ne suis ni des vivants ni des morts mais quelque chose d'entredeux que je commence à trouver insupportable.

Bonjour cher George

A vous.

Première de Cosima *avec Marie Dorval, le 29 avril. Sifflets, buées, c'est un échec. La pièce est retirée de l'affiche après sept représentations. Franz parti pour une série de concerts en Angleterre le 5 mai, les deux amies ne rompent pas tout lien. Le 27 mai, Marie écrit à Franz :* «J'ai vu hier Piffoël chez la Marliani.» *Lorsque la seconde édition d'*Une course à Chamounix *paraît (Paris, Benjamin Duprat), où Adolphe Pictet relate l'excursion dans les Alpes qu'il fit en compagnie de George, Marie et Franz (racontée aussi par George dans l'une de ses* Lettres d'un voyageur*), Marie demande à George de faire jouer ses relations pour obtenir un peu de presse.*

LETTRE N° 67

À *Marie d'Agoult*

[Paris vers le 5 juin 1840]

Je ferai tout ce que vous voudrez, ma chère Marie, quoique je sois fort embarrassée de recommander un opuscule où je suis déifiée, avec tant de poésie. J'ai l'air de vouloir faire tirer à cent mille exemplaires un prétendu portrait de moi, où je suis flattée, rajeunie, idéalisée. Je ne comprends pas que le bon sacré major n'ait pas compris, que sans faire aucune grimace de modestie, j'étais la dernière personne qui pût aider à la publicité de son conte. Cependant j'en parlerai à S[ain]te-Beuve parce que lui saura bien que ce n'est pas en vue de *moi*, mais de l'œuvre et de l'écrivain que je le sollicite. Envoyez-moi l'exemplaire, ou envoyez-le lui. Je dîne avec lui, je crois dimanche. Je lui parlerai.

Sortez-vous ? Peut-on vous trouver chez vous le jour ou le soir ? Je suis écrasée de travail. Je voudrais vous aller voir et non vous mettre une carte. Vous ne me dites rien de votre santé.

A vous.

George.

[Adresse :]
Madame d'Agoult
r[ue] Neuve des Mathurins, 10.

C'est le dernier billet que nous possédons de cette époque entre les deux anciennes amies. Si l'on peut attester d'une ou de deux rencontres en septembre 1840, les relations cessent définitivement ensuite. Le 5 janvier 1841, elles se rencontrent par hasard au Collège de France où elles sont venues écouter le cours de Mickiewicz : « [...] je me suis trouvée à côté de Mme Sand et de Chopin. Elle m'a fait une mine des plus dignes et des plus revêches », *écrit Marie à Franz. Cette mine n'a rien d'étonnant si l'on se réfère au journal de George. En effet, deux jours plus tard, le 17 janvier, cette dernière rédige des propos peu amènes sur la façon dont Marie se comporte envers ses enfants. Après avoir évoqué Hortense Allart, elle ajoute :* « [...] l'autre [Marie] les abandonne, les oublie, les fait élever dans un taudis, tout en vivant dans le velours et l'hermine, ni plus ni moins qu'une femme entretenue et ne s'occupe de sa progéniture, non plus que d'une portée de chats », *ce qui est calomnieux, comme en témoignent la correspondance et les journaux.*

Au même moment, sous l'impulsion d'Émile de Girardin, le puissant patron de la Presse, *Marie s'apprête à concrétiser son vieux rêve : publier. En attendant de trouver un nom de plume, elle fait ses premières armes sous le pseudonyme, usité dans le journal, d'*Un inconnu. *Elle rédige une critique du* Compagnon du Tour de France, *le nouveau roman de George. Un livre un peu confus et naïf, bourré de bavardages sur les théories du compagnonnage, illustrant l'accession subite des couches populaires à la connaissance. Dans son article qui paraît le 9 janvier 1841, Marie constate le déclin d'un talent. L'avenir la détrompera.*

Il n'y a donc rien d'étonnant à ce qu'elle écrive à Henri Lehmann, le 21 avril 1841 : « Mme Sand me hait. Nous ne nous voyons plus. » *Un mois plus tard, le*

18 mai, elle ajoute : « Figurez-vous qu'elle est à tel point *enragée* contre moi qu'elle a été jusqu'a dire à Fr[anz] que vous avez été mon amant !

Il lui a répondu avec tout plein d'esprit comme il sait le faire. La haine n'en sera que plus profonde. »

George assène un nouveau coup indirect à Marie lorsqu'elle la peint sous les traits de la peu sympathique vicomtesse de Chailly, dans son roman Horace, *qui paraît en feuilleton dans la* Revue indépendante, *à partir du 1ᵉʳ novembre 1841.* « La vicomtesse de Chailly n'avait jamais été belle ; mais elle voulait absolument le paraître, et à force d'art elle se faisait passer pour belle. Du moins elle en avait tous les airs, tout l'aplomb, toutes les allures et tous les privilèges.[...]. Sa maigreur était effrayante et ses dents problématiques ; mais elle avait des cheveux superbes, toujours arrangés avec un soin et un goût remarquables. Sa main était longue et sèche, mais blanche comme l'albâtre [...]. Enfin elle avait ce qu'on peut appeler une beauté artificielle. La vicomtesse de Chailly n'avait jamais eu d'esprit ; mais elle voulait absolument en avoir, et elle faisait croire qu'elle en avait. [...]. Froide et moqueuse, elle jouait l'enthousiasme et la sympathie avec assez d'art pour captiver de bons esprits accessibles à un peu de vanité. Elle se piquait de savoir, d'érudition et d'excentricité [...]. La vicomtesse de Chailly était issue d'une famille de financiers [...]. Enfin, elle avait une noblesse artificielle, comme tout le reste, comme ses dents, comme son sein, et comme son cœur. » *Après* Béatrix, *quel acharnement ! Au cas où Marie aurait encore eu un doute sur le modèle de ce personnage, Liszt la détrompe :* « Il n'est pas douteux que ce soit votre portrait que Mme Sand ait prétendu faire en peignant l'esprit artificiel, la beauté artificielle, la noblesse artificielle de Mme de Chailly » (*18 décembre 1841*).

*Si George a bien tourné la page, Marie, elle, reste hantée par cette «*amitié brisée*». C'est la dédicace qu'elle publie en tête de sa nouvelle* Julien, *qui paraît dans la* Presse, *en février et mars 1843. Cette dédicace sonne comme un lointain écho à celle de* Simon *:*

«A une amitié brisée.

Je devais écrire votre nom en tête de cette petite esquisse. Je me l'étais promis dans un temps irrévocablement passé. Aujourd'hui, Madame, vous ne devinerez même pas ce nom que je tais et qui me fut si cher. La vie se passe en vains efforts et en plus vains regrets.

Nous avions voulu nous aimer.»

Ses journaux intimes, ses lettres avec leur amie commune, Hortense Allart, témoignent de l'attention incessante qu'elle continue de porter à George : une fascination pour sa vitalité extraordinaire, de la désolation pour ses œuvres parfois écrites trop vite et sans rigueur. Elle en aime certaines (À François Ponsard, 1844 : «Mme Sand a fait un roman que j'aime beaucoup, qui n'a eu qu'un demi-succès [*Jeanne*] »). *Ailleurs son jugement peut devenir très dur. Les deux femmes se rencontrent inopinément au Louvre, au Salon de mars 1847, devant le portrait de Liszt par Lehmann. Se saluent-elles ?*

Lorsque la révolution de 1848 éclate, George Sand et Daniel Stern prêchent avec vigueur leurs sentiments républicains. La première dans le Bulletin de la République, *la seconde dans le* Courrier français. *La première, immergée dans les masses populaires et militant pour une république sociale, la seconde, assise dans son salon, ou courant les séances de la Chambre. Sur l'élection du président de la République au suffrage universel, que prône Lamennais dans un projet de Constitution, leurs opinions s'opposent directement. George condamne un système qui pourrait vite laisser la place à un tyran, Marie le défend car les contre-pouvoirs (la liberté de la presse, la brièveté du mandat, l'Assemblée nationale) lui semblent suffisants pour empêcher toute confiscation du régime. Si, après la sanglante répression de juin 1848, George crie son horreur d'une république qui tue ses enfants, Marie préfère voir dans le général Cavaignac celui qui a sauvé la République de l'anarchie, et implorer dans une lettre publique la mansuétude des vainqueurs pour les insurgés. Lorsqu'elle rédige un peu plus tard sa rigoureuse* Histoire de la Révolution de 1848, *elle sait étouffer le dépit dû à son amitié brisée pour retracer l'action de George avec objectivité.*

C'est à elle que revient l'initiative de tenter une réconciliation, en 1850. Marie utilise, pour justifier son geste, des paroles de leur ami commun, le comédien Pierre Bocage.

LETTRE N° 68

À *George Sand*

[11 octobre 1850]

Un de nos amis communs me dit de votre part (mais est-ce bien de votre part ?) des paroles qui me vont au cœur. Je n'ose encore m'abandonner à toute la joie qu'elles me causent. Si vous étiez seule je partirais à l'instant pour aller savoir de vous même [sic] si en effet notre belle amitié brisée vous a laissé quelque regret et si vous sentez comme moi qu'elle était de nature immortelle et ne pouvait point être remplacée.

Le public prétend savoir que nous avons eu de graves torts l'une envers l'autre. Je suis prête à confesser les miens si vous m'en trouvez mais à vrai dire je crois que, toutes deux, nous n'avons à nous reprocher qu'une chose : notre jeunesse. Nous étions jeunes, c'est-à-dire crédules, exigeantes, emportées. Nous avions cru naïvement des rapports perfides, ou tout au moins inconsidérés. Notre vive tendresse qui s'est crue trahie s'est exhalée en paroles violentes mais j'ai gardé une conviction que personne ne saurait m'ôter : c'est que si à toute heure, à toute minute, pendant ces tristes années, nous avions pu lire dans l'âme l'une de l'autre nous n'y eussions trouvé, sous tout ce bruit de colère, qu'une affection vraie, profonde, indestructible.

J'hésitais cependant, tout à l'heure, à prendre la plume. Cette affection que je vous ai gardée aura-t-elle encore pour vous quelque charme ? Hélas ! les années qui m'ont rendue peut-être un peu meilleure m'ont rendue beaucoup moins aimable. La blonde Péri a laissé ses ailes on ne sait où ; la princesse fantastique a dépouillé sa robe d'azur ; le rayon divin a quitté le front d'Arabella ; de toutes ces visions de votre génie il ne reste qu'une femme plus courageuse que forte, qui marche lentement dans un chemin solitaire en menant un long, bien long deuil : celui de ses espérances mortes. – Vous m'estimerez peut-être davantage mais je vous plairai moins... quoiqu'il en soit [sic], à tous risques, je vous écris. Vous sentirez que ceci est une parole sérieuse et sincère ; je la devais à tout ce que vous avez été pour moi ; George, en traçant ce nom si cher, il me semble que ma jeunesse revit en moi ; tous mes doutes se dissipent. Une voix me dit que notre amitié renaîtra aussi tendre et plus forte. Je n'ai jamais rien souhaité plus ardemment ; et vous, George, et vous ?

Paris 11 8bre 1850.

Réponse de George, pleine d'onctuosité, qui charge Marie de tous les torts dans leur brouille. Béatrix, Horace, *sont bien oubliés. Marie a malheureusement mutilé la lettre à coups de ciseaux.*

LETTRE N° 69

À *Marie d'Agoult*

[Nohant, 16 (?) octobre 1850]

Nous n'avons pas d'explication nouvelle [à nous] demander, ma chère Marie [...] Nous nous [sommes] to[ut] dit rue Pigalle dans ma pe[tite cham]bre toute noire. Je vous ai montré les lettres que vous écriviez contre *moi*, des lettres qui de la part de toute autre que vous, m'eussent été indifférentes. Mais elles marquaient une absence d'amitié, un dénigrement, une amertume qui m'avaient frappée d'un coup inattendu. J'avais beau chercher dans mes souvenirs, j'ai beau y chercher encore, je ne peux pas trouver pourquoi vous avez cessé de m'aimer, moi qui vous aimais tant. Il est vrai que depuis votre départ de Nohant, des paroles, des riens, des *cancans* peut-être m'avaient jeté[e] dans un doute qui rendait mes lettres plus rares et plus froides. Mais je ne disais pas de mal de vous, mais je ne vous tournais pas en ridicule, mais je vous prenais toujours au sérieux. J'attendais à vous voir pour éclaircir mes soupçons, et pour répondre à ceux qui me disaient : «Elle vous déchire» : *Vous en avez menti.* Pouvais-je vous écrire, *on m'a dit,* il *m'est revenu,* etc. – Non, je ne pouvais que causer avec vous et vous demander compte de vos sentiments, à notre première entrevue. Nous approchions de ce moment, quand on m'envoie ces fatales lettres, avec une lettre de Mr Lamennais qui avait *conseillé* cette révélation et qui me reprochait à moi, ma confiance en vous. J'ai été étourdie, anéantie. J'ai été quinze jours sans vouloir lire ces lettres. Enfin je les ai lues, et je vous ai tout dit. Vous m'avez [...] J'ai tout pardonné, j'ai voulu tout oublier. Vous avez été malade, j'ai été chez vous. Et pendant ces quelques semaines d'une amitié ébranlée, flétrie, mais que je cherchais de bonne foi à retrouver dans mon cœur, les paroles redites, les propos blessants, douloureux, allaient toujours et venaient chaque jour me causer une tristesse, un étonnement, un chagrin nouveaux. Avais-je trop présumé de mes forces, en croyant que j'oublierais ces lettres ? oui, probablement, puisque j'accueillais plus facilement que je ne l'eusse fait auparavant les accusations contre vous : mais il me semblait que tout les confirmait, votre entourage, vos relations intimes avec des personnes qui me haïssaient et me calomniaient affreusement, et ces mêmes personnes redisaient tout ce que vous disiez contre moi et s'arrangeaient pour me le faire savoir. Enfin, je me sentais des ennemis dont vous étiez le centre et la proie. Il eût fallu chaque jour de nouvelles explications ; mais à quoi bon quand le doute est entré dans l'âme. On ne saisit jamais les propos dans leur source, c'est petit, c'est mesquin, c'est impossible pour moi de les poursuivre et de mettre la main dessus pour les étouffer. Je n'ai qu'une arme contre eux, la foi, et je ne l'avais plus. Etait-ce ma faute ? Je savais bien que ma pauvre Marliani exagérait tout. Mais elle n'était pas menteuse. Elle m'avait montré les lettres précisément parce que je l'accusais d'être injuste envers vous et coupable envers moi dans ses insinuations. Elle me tourmentait, elle me faisait du mal, mais elle m'aimait. Je le savais, je le sentais. Vous étiez charmante et gracieuse avec moi. Mais vous ne m'aimiez pas, je le sentais aussi. Mon cœur soutenait une lutte que je trouvais indigne de lui. J'éprouvais alors un besoin invincible de vous oublier et je disparus. Vous étiez riche, entourée, luxueuse, guérie, *princesse* plus que jamais. Il me sembla que vous n'aviez plus besoin de moi. Je commençais à être sauvage et mysanthrope [sic] tout de bon, après l'avoir été *par accès du temps de Lélia*. Je crois bien que le brisement de notre amitié et vos fatales lettres y ont contribué pour beaucoup. Je me retirai dans ma coquille, je rendis plus étroit le cercle de mes amitiés et de mes relations, et peu à peu je suis arrivée à la vie de famille et d'intimité que je mène aujourd'hui et où j'ai trouvé le calme, l'âge aidant. Il m'avait semblé que mon absence ne vous laisserait aucun vide. J'avais pris le parti de garder un silence absolu sur votre compte. Quelques personnes venaient me dire que vous regrettiez, je ne le croyais pas, et que voulez-vous que je vous dise, j'ai encore grand'peine à le croire ; que voulez-vous, Marie, je n'ai jamais pu comprendre vos larmes en me quittant à Nohant, et vos lettres si gaies et si railleuses sur mon compte au bout de quelques mois. Vous parlez de jeunesse, de violence, d'émotions fortes. Eh bien oui, j'étais jeune et emportée aussi. Mes amitiés étaient passionnées. Mais je ne m'étais jamais trouvée ni sentie en lutte avec vous sur quoi que ce soit. Etes-vous jalouse comme *notre ami* le suppose, en jetant un coup d'œil rétrospectif sur les causes de notre rupture ? Non, je ne vous ai jamais cru dissimulée, vous ne pouviez pas être jalouse de moi, qui n'ai jamais senti le moindre *attrait* (en dehors de *l'amitié* qui nous unissait alors tous trois) pour l'homme que vous aimiez.

L'avez-vous été depuis, lorsque par dépit, je crois, contre vous, il affectait de *vouloir paraître* aussi lié avec moi que par le passé. N'avez-vous pas su que je me suis refusée à ces apparences, que je n'ai pas voulu aller à des soupers, même avec mon pauvre Chopin, que j'en ai dit et écrit la raison, qu'enfin j'ai à peine revu votre ancien ami, du moment qu'il n'a plus été le vôtre, et qu'en lui avouant que je ne vous aimais plus, je lui ai fait connaître très carrément que je ne voulais point faire cause commune avec lui contre vous ? Tout ce qui a même l'apparence d'une vengeance m'est si odieux ! Enfin je me sens si loyale avec vous d'un bout à l'autre de cette époque de ma vie, que je suis encore abasourdie des reproches que vous avez cru pouvoir me faire. Il y a donc eu quelque chose que je n'ai point su qui vous a irritée contre moi ? Sans doute Mme Didier et compagnie me déchiraient auprès de vous. Mais quelles preuves pouvait-on fournir ? Et puis, ces gens-là, je ne les voyais plus. Ils ne me connaissaient pas, ils ne m'ont jamais connue. Je les ai oubliés comme s'ils n'avaient jamais existé. Sont-ils encore autour de vous ? je l'ignore, je ne l'ai pas demandé, je ne m'en occupe point.

Oui, Marie, je vous avais oubliée aussi, je le confesse, car je veux être franche avec vous jusqu'à la rudesse. Ce n'était pas le même genre d'oubli, car il avait été long et douloureux à se faire, et il n'y entrait aucune nuance de dédain comme vous pouvez bien le croire.

Je ne voulais plus y penser du tout. Je ne voulais pas lire vos livres, je ne les ai pas lus [1]. Quelques articles de journaux bêtes et méchants contre vous me sont tombés sous les yeux, avec des citations. J'ai trouvé

---

1. En 1850, outre de nombreux articles, Daniel Stern a publié un roman, *Nélida* (1846), des nouvelles, *Essai sur la liberté* (1847), *Lettres républicaines* (1848), *Esquisses morales et politiques* (1849). Au printemps de 1850, était paru le premier volume de son *Histoire de la Révolution de 1848*.

beaux et vrais ces fragments cités ; j'ai trouvé ignobles, les injures, stupide et sournoisement méchante l'accusation de vouloir *me copier*. Quand vous l'auriez voulu certes c'eût été un honneur pour moi. Mais vous ne pouviez pas le vouloir, car je crois que dans votre genre de talent, vous êtes très supérieure à ce que je serais si j'en voulais essayer. J'ai dit tout cela à quiconque m'en a parlé. En cela je n'étais que juste. Je me le rappelle ici pour bien constater vis-à-vis de moi que je n'ai pas été mauvaise pour vous, car je tâte mon cœur à deux mains en vous écrivant, et si j'y découvrais quelque chose de plus que ce que je vous avoue, je voudrais vous le confesser tout de suite.

Eh bien à mon dernier voyage à Paris, je causais avec Bocage de je ne sais quoi. Il me prononce votre nom, il me dit que vous êtes heureuse, calme, bien entourée, en famille, respectée, j'ai senti de la joie, une vraie joie comme si cette nouvelle allégeait mes peines personnelles et complétait quelque chose dans ma vie. Puis il m'a dit que vous m'aimiez encore, j'ai dit *non*, elle ne m'a jamais aimée sérieusement. Elle vivait par l'imagination elle avait des engouements suivis de haine et de dégoût – Mais non, disait Bocage, la croyez-vous méchante, fausse ? – Non, je ne dis ni ne pense de mal d'elle, vous le savez. Mais d'elle à moi, il y a quelque chose qui n'est pas bien, qui n'est pas bon, qui n'est pas juste. Admettons que ce soit la seule mauvaise action de sa vie, je le veux bien, mais c'est moi qui en ai souffert, et quand on me le rappelle, on me fait du mal, n'en parlons plus.

Si fait, disait-il, parlons-en, et alors je me suis laissé faire et il m'a dit mille choses excellentes qui ne m'ont pas touchée. Et puis il lui est venu quelques paroles qui ont percé la cuirasse. « Quand elle prononce votre nom, elle pleure m'a-t-il dit. Elle pleure de vraies larmes qu'elle ne montre pas, qu'elle ne cache pas, qu'elle ne sent même pas couler, qu'elle n'essuie pas [...] égard pendant un temps. A l'heure qu'il est, elle a un profond chagrin de ne plus être aimée de vous.» Je n'ai rien répondu. J'étais attendrie. Cela m'est revenu souvent depuis un mois que j'ai quitté Paris, et enfin je lui ai écrit, sans être provoquée par lui, mais à propos d'un nouvel article contre vous que je n'ai pas lu, quelque chose comme ceci : «Si en la voyant, si en lui disant, ce qui est vrai, que je ne lui en veux pas, je peux lui ôter ce chagrin dont je suis la cause, me voilà prête, dites-le lui.»

Je crois que voilà tout, Marie. Je ne serais pas sincère si j'étais plus aimable, plus tendre et plus polie que la vérité. Vous avez une grande fierté qui se blessera peut-être de ce peu d'ardeur dans ma réponse à une lettre excellente de tous points ; mais vous avez une grande intelligence pour lire dans le cœur qui s'ouvre à vous sans ménagement. Vous devez comprendre que ce cœur a été troublé et froissé longtemps et qu'il ne vient pas avec enthousiasme à la passion de l'amitié. Il est pourtant aussi jeune qu'il y a 15 ans, malgré sa mysanthropie [sic]. Il aime moins de personnes, mais il aime peut-être [plus] celles qui lui sont restées [fidèles (?)] Il va vers vous très franchement [...] et sans arrière-pensée [...] mais [...] meurtri un peu, et comme [... ent] la perte de l'habitude de vous aimer. Peut-être qu'en votre présence, il se réveillera comme au premier jour. Peut-être qu'il ne se ranimera pas beaucoup. Je n'en sais rien. Il ne vous a plus connue du moment que votre conduite a été une énygme [sic] pour lui. Et à présent...

La fin manque.

Au lieu de refuser d'entrer dans le rappel d'un passé désormais trop lointain et trop noué, Marie s'empêtre dans des explications qui ne convainquent pas vraiment. Si elle s'abstient avec dignité d'évoquer Béatrix *et* Horace, *elle revient bizarrement sur Liszt. Il est certain qu'à l'époque de son séjour en Italie, circulaient des bruits sur des liens plus qu'amicaux entre George et le musicien.* « Beaucoup de gens disent à Paris et en province que ce n'est pas Mme D'[Agoult] qui est à Genève avec vous, mais moi », *avait écrit George à Franz, le 15 mai 1836. D'ailleurs, lorsque Marie était revenue de Genève en octobre suivant, un compagnon de route l'avait prise pour la romancière dans la diligence. Ces bruits ont-ils donc été assez forts et incisifs pour jeter le trouble dans son esprit ? La publication de* Béatrix *où Camille Maupin, alias George Sand, aurait été la maîtresse de Gennaro, alias Liszt, avant Béatrix, alias Marie, aurait-elle à ce point semé le doute en elle ? Il est possible que, ébranlée par ces racontars, la complicité de George et de Liszt à Nohant ne lui soit plus apparue uniquement comme une communion artistique, ainsi qu'elle avait voulu s'en convaincre. Rappelons que, dès le début de leur liaison, Marie avait été jalouse du passé donjuanesque de Liszt. Il reste que s'il est certain que celui-ci n'a pas été l'amant de George au cours de sa liaison avec Marie, rien ne prouve que la romancière n'ait pas esquissé à Nohant, ou avant, quelques pas vers le musicien.*

LETTRE N° 70

À *George Sand*

[Paris, 23 octobre 1850]

Pourquoi me forcez-vous, mon cher George, à énoncer des griefs, à rappeler, à préciser des souvenirs amers, quand je ne voulais qu'effacer, dans un serrement de mains, jusqu'à la dernière trace de nos torts mutuels ?

Pourquoi insister sur ce que vous appelez *l'énigme* de ma conduite envers vous ? Ne pouviez-vous donc avoir *a priori* la certitude qu'une personne fière, habituée à dominer son cœur, n'eût pas été au-devant de vous si elle ne s'était sentie aussi autorisée à *pardonner* que vous pouviez l'être ?

J'éprouve une répugnance presque invincible à revenir dans cette voie d'accusation que vous rouvrez, parce que je sens qu'elle nous éloigne au lieu de nous rapprocher ; mais enfin puisque vous ne vous êtes expliqué ni ma colère, ni mon silence, force m'est donc d'en indiquer au moins le principal motif.

Une personne qui exerçait alors sur moi un très grand empire m'avait fait *jurer* de ne jamais vous parler d'elle. Elle apparaissait redouter le jour où vous et moi nous traiterions à cœur ouvert certaines questions délicates. J'avais cru généreux à son égard de faire cette promesse ; je l'ai tenue quoiqu'il [sic] m'en ait coûté.

Des accusations très graves, très précises et circonstanciées auxquelles l'opinion du public, de tous mes amis et même de quelques-uns des vôtres, donnèrent du poids, soulevèrent, en Italie, ces premières colères dont l'expression se teignit d'une ironie qui n'était pas *mienne*, qui contrastait avec la nature de mes sentiments, et dont je n'ai pas hésité à reconnaître l'injustice. A mon retour à Paris, dans le tems [sic] même où nous tentions de nous rapprocher, une lettre de vous à Liszt me fut communiquée par lui. Je l'ai gardée ; elle existe q[uel]q[ue] part, je ne sais où [1] ; je ne voudrais pas la relire. Cette lettre me traitait avec une sévérité cruelle, et, pardonnez le mot, perfide ; car elle s'adressait à un homme passionnément aimé de moi et tendait à m'enlever son amour et son estime... mais encore une fois, à quoi bon revenir sur ce douloureux passé ?

Votre lettre me prouve que nous ne sommes pas dans la même disposition d'âme. Vous m'avez oubliée, dites-vous, moi je ne vous ai point oubliée ; vous viendrez à moi pour *me faire du bien* ; je ne saurais rien accepter que je ne me sente la faculté de rendre à usure ; vous semblez inspirée d'un esprit aristocratique, je dirais presque, passez-moi le mot, *sacerdotal*. Vous voulez bien prononcer sur moi *« L'absolvo te »* et voyez, moi qui ai été, qui vais encore tous les jours à l'école du XVIIIe siècle et de la Révolution française, je suis devenue *égalitaire* à un point dont vous ne sauriez vous faire l'idée.

---

1. De quelle lettre s'agit-il ? De la lettre de George datée de décembre 1837, que nous avons reproduite ici au n° 44 ? Il semble en effet, que bien qu'elle ait été adressée au couple, Liszt ne l'ait pas montrée d'emblée à sa compagne. « Je ne veux point affliger Marie de tristesses (peut-être fantasques ou injustes) que la lecture de votre lettre m'a fait éprouver », rétorque-t-il à George en lui demandant d'adresser sa réponse chez l'éditeur Ricordi, à Milan, donc à l'insu de Marie. Dans cette lettre, nous rappelons que George annonçait son intention d'écrire à Marie moins souvent en invoquant des raisons oiseuses. S'il s'agit d'une autre lettre, elle a disparu, et c'est très évidemment très dommage.

Je ne reconnais à personne le droit d'absolution, le privilège de l'aumône. Je ne voyais, après les journées de juin, de possible qu'une *amnistie mutuelle*. Elle ne paraît pas possible entre nous parce que vous ne vous sentez aucun tort et que d'ailleurs aucun élan ne vous entraîne plus vers moi... alors que faire ?

Vous avez peut-être raison et je regrette aujourd'hui d'avoir donné trop de créance à des amis pleins d'illusions bienveillantes. Ils me disaient que vous me regrettiez et j'avais la naïveté de trouver cela tout simple. Ils me rappelaient la cordialité, la bonne grâce parfaite avec laquelle jadis George, l'artiste, avait tendu la main à la *princesse* fugitive. J'en concluais que c'était à moi aujourd'hui à prendre les devants, et, comme je vous le disais tout à l'heure, cette avance ne coûtait pas à ma fierté car je vous croyais la conscience un peu chargée à mon endroit et je vous connaissais des peines différentes, mais aussi profondes que les miennes. Et voici que je suis venue troubler, inoportunément [sic] votre retraite par un élan hors de saison d'abord, puis aujourd'hui par une récrimination maussade.

« *Quoiqu'il en soit* [sic] Dieu est bon », dit la Bible. Espérons qu'il fera sortir de ce malentendu quelque chose de meilleur que nous ne l'imaginons nousmêmes.

M.

Paris 23 8bre 1850.

La réponse de George a disparu. Marie reprend la plume.

L<small>ETTRE</small> N° 71

À *George Sand*

[Paris, 28 octobre 1850]

Décidément vous êtes *meilleure femme* que moi ! Vous ne vous fâchez pas d'une lettre qui, à votre place, m'aurait probablement irritée et vous me rendez, avec la simplicité et la franchise qui conviennent entre nous, la possibilité de vous revoir en toute joie et confiance.

Il ne serait pas *rigoureusement exact* de dire que j'ai *cru* à un rôle double joué par vous, entre L[iszt] et moi. Toute autre femme, à ma place, j'en suis persuadée, n'aurait pas eu mes hésitations (et vous en conviendrez quand je vous conterai un bon soir de laisser aller en tête à tête au coin de votre feu ou du mien, cette longue histoire).

Moi, je croyais un jour, je doutais l'autre ; j'étais en amitié ce que j'ai été si longtems [sic] en amour, admettant et rejetant dans la même heure, les *certitudes* les plus opposées et les plus inconciliables. Mes deux lettres ont été écrites dans un moment où votre situation entre B[ocage], M[allefille] et Chopin qui m'était dépeinte sous les couleurs les plus odieuses, faisait pencher tout mon esprit du côté de la *trahison*. Cela ne les excuse pas cela les explique. Je n'ai été ni capricieuse, ni bizarre ; je n'ai même pas eu l'envie de vous nuire car je savais très bien que je m'adressais à une personne qui vous chérissait (pour rien dans l'univers je n'aurais parlé ainsi à vos ennemis) j'étais blessée, je me soulageais inconsidérément, ces lettres ne valaient que d'être jetées au feu. L'autorité de M. de L[amennais] évoquée contre moi a si complètement *tourné* depuis, il s'est si bien *confié* plus tard à cette personne à laquelle *il ne fallait pas se confier*, il a si complètement rompu avec cette pauvre femme qu'il conseillait, que je n'y saurais voir un sujet d'alarme pour ma conscience.

Je crois qu'en mettant entre vos mains le fil qui, à partir de notre première entrevue, en 1835, conduit à travers un véritable labyrinthe d'intrigues, de malenten- dus, d'équivoques, vous sentirez et jugerez les choses comme je les sens moi-même. Et si notre amitié ne doit pas renaître ce ne sera pas le passé qu'il faudra en accuser, mais le présent et l'avenir.

J'en touchais dernièrement un mot à notre *réconci- liateur*, à cet égard, je ne suis pas sans appréhensions. Il y a entre nous de grandes analogies et les plus belles. Je crois que notre *idéal* ne diffère que peu. Mais dans la pratique, dans le terre à terre de la vie, dans nos goûts, nos habitudes, dans nos opinions *secondaires,* dans notre entourage, il surgit des contrastes auxquels je crois vous attachez beaucoup plus d'importance que moi. Si vous rencontrez chez moi quelqu'un dont *l'air* vous déplaise, si vous appercevez [sic] sur quel- ques cuillers d'argent des armoiries que je n'aurai pas fait enlever par indifférence, par économie, ou par horreur de ce qui pourrait sembler une lâcheté, si je n'approuve pas les *voies* et *moyens* de certains de vos amis politiques, etc., etc., vous serez choquée ; si l'on dit chez moi des sottises vous m'en rendrez respon- sable ; enfin si une longue habitude de solitude et de concentration me rend moins expansive que je ne le voudrais, vous supposerez que je suis défiante et calculée.

Voilà, mon cher George, ce qui me rend un peu craintive pas assez cependant pour ne pas vouloir tenter la conquête de la terre promise.

A vous,

Marie.

Lorsque Marie écrit à l'un de ses amis, le docteur Guépin, le 28 octobre, qu'elle vient de recevoir de George Sand « une lettre qui réconcilie », *elle s'illusionne sans doute. Car, malgré ses bonnes paroles, George n'a aucune intention de renouer. Elle refuse à Pierre Bocage, qui s'est entremis, l'autorisation de lire sa nouvelle pièce,* Claudie, *dans le salon de son ancienne Arabella. Elle écrit en décembre à son fils Maurice, qui cherche à rencontrer des jeunes filles :* « Il y a eu des paroles de paix entre nous, quoique je ne veuille pas la fréquenter beaucoup, tu peux la voir, elle te recevra à bras ouverts, car elle grille de se rapatrier. Bocage t'y conduira. Elle a des filles, elle doit recevoir du jeune monde. »

Dès la fin de 1847, George a signé un contrat pour rédiger ses mémoires. Ils ne verront le jour qu'en 1854. Qui rapporte à Marie une mauvaise information ? Celle-ci note avec anxiété dans son journal, le 10 juillet 1852 : « Mme Sand me traite très mal dans ses mémoires. Que faire ? Par qui lui faire parler ? » *Émile de Girardin tente à nouveau une réconciliation, en 1856. Les deux anciennes amies dînent chez lui, parmi d'autres convives, le 23 janvier. Mais lorsqu'il lance à George une nouvelle invitation, quelques jours plus tard, celle-ci prend soin de préciser :* « N'ayez pas la Comtesse aux cheveux blancs, hein ? Elle m'a embrassé[e] avec ses nerfs et non avec son cœur, à preuve qu'elle m'a cogné le nez, ce qui n'est pas de bon augure » *(25 janvier*

*1856). Cela n'est pas très aimable et sous cette bonho-
mie feinte, ne perce-t-il pas une pointe de méchanceté ?*

*En 1858, Marie invite dans son salon une jeune
femme, Juliette Lamessine, future Juliette Adam et égérie
de la troisième république, dont elle vient de remarquer
le livre* Idées anti-proudhoniennes sur l'amour, la
femme et le mariage. *Juliette apprécie vite la conversation de son hôtesse et des grands hommes qui animent
son salon. Dans ses mémoires,* Mes premières armes littéraires et politiques, *elle évoquera longuement cet
aréopage et rapportera aussi les propos moins indul-
gents que Marie, par dépit, avait repris sur son
ancienne amie.* « Sachant que j'avais mis plus que ma
vie dans mon amour pour Liszt, elle a voulu me le
prendre. [...]. Ma chère enfant, laissez-moi vous donner
un conseil. Ne connaissez jamais Mme Sand. Vous per-
driez sur elle toute illusion. Comme *femme*, pardon !
comme *homme*, elle est insignifiante. Aucune conversation. C'est un ruminant, elle le reconnaît elle-même.
Elle en a le regard, d'ailleurs fort beau. Ce que je lui
reproche, [...] c'est ce mélange de bourgeoisisme et
d'excentricités morales, ce besoin qu'elle a de ramener
à leur plus simple expression ses plus folles passions.
[...]. Et ce que je ne lui pardonne pas, à elle qui a de la
race, c'est son manque de tenue, la façon dont elle
s'habille, ses grosses farces de Nohant, et, à son âge,
ses manières de rapin. » *Juliette est-elle fiable ? Elle rapportera encore qu'ayant manifesté à George son désir
de la rencontrer, celle-ci lui fit répondre par un tiers
qu'elle mettait au préalable la cessation de tout lien
avec Marie. Juliette préféra attendre. Un jour enfin, elle
se brouille avec Daniel Stern. L'ambitieuse court aussitôt chez George pour en déclarer vite la supériorité.*

*Lorsque le prince Napoléon sollicite de son amie
George un avis sur Mme d'Agoult, qu'il s'apprête à*

rencontrer, cette dernière lui répond : « La dame dont vous me parlez est moins bonne *et moins sûre.* Mais elle a beaucoup d'instruction, de talent, d'esprit, et de bonnes idées. Il faut pardonner beaucoup à ceux qui ont des tendances élevées. Je crois que ses livres sérieux vous intéresseront. Elle sait écrire et raisonner. Je l'ai trop perdue de vue pour savoir de quel monde elle est entourée à présent. Je l'ai connue charmante, aimable, séduisante au possible, - et puis soupçonneuse et vindicative. Elle est très exigeante. Si vous la froissez, elle vous abîmera. Vous voilà averti. En prenant vos précautions, vous n'aurez affaire qu'à ses qualités » *(29 décembre 1861).*

Ainsi averti mais nullement effrayé, le prince fréquenta avec plaisir le salon de Daniel Stern et entretint avec elle, jusqu'après la chute de l'Empire, des relations de profonde estime.

Certains jours, Marie est accablée par l'injustice qui semble s'obstiner sur elle. Toute à son dépit, elle note dans son journal, le 15 mai 1862, à propos d'une conversation qu'elle vient d'avoir avec son éternel soupirant, Louis de Ronchaud : « Il est marri qu'avec ce talent grandissant, cette beauté persistante, mes manières nobles et élégantes je n'obtiens pas des résultats plus grands. Et je sens que la moindre faute me perdrait ; qu'on ne me passerait rien. Mme Sand aujourd'hui incontestée malgré *l'Histoire de ma vie,* malgré les chutes au théâtre, malgré le 15 mai [*1848, jour où une insurrection populaire, à laquelle participèrent Barbès, Blanqui et George Sand, fut réprimée, conduisant à l'arrestation des principaux chefs de la gauche*] et le p[rin]ce Napoléon ! malgré une obésité et une *matérialité* croissantes. Où est le secret de cette différence ? Dans la grande fécondité (l'un des signes du génie), dans cette faculté d'être ce que L[iszt] appelait *bonne fille* dans *l'expansion* .» *Deux jours plus tard, le 17 mai 1862, Maurice Sand épouse Lina Calamatta à Nohant. Marie reçoit le faire-part et sent renaître en elle l'espoir de renouer. Elle note dans son journal intime :* «Mercredi 4 juin. Je reçois une lettre de part de mariage de Monsieur Sand, timbrée de La Châtre et dont la suscription serait de la main de Mme Sand. Je considère cela comme une avance (inspirée par Ferri-Pisani [1], le p[rin]ce Napoléon ?). Je me demande si je dois répondre. Et j'écris ceci.» *Elle recopie alors sur son carnet la lettre qui suit. Elle l'envoie, en précisant dans son journal :* «J'adresse en suivant l'indication de la lettre de part à *Madame Dudevant* (George Sand).»

---

1. Marcel-Victor-Paul-Camille, vicomte Ferri-Pisani (1819-1893) était aide de camp du prince Napoléon.

LETTRE N° 72

À *George Sand*

Paris 5 juin 1862

Je reçois, Madame et regrettée amie, la lettre de part qui m'annonce un mariage dont vous éprouvez, me dit-on, le plus grand contentement. C'est avec empressement que je saisis cette occasion heureuse de vous féliciter, et de vous assurer que le temps n'a rien changé à mes sentiments pour vous, et que je demeure plus que jamais.

Votre très sincèrement affectionnée

Marie d'Agoult.

LETTRE N° 73

À *Marie d'Agoult*

[Nohant, 7 juin 1862]

Merci de votre bon petit mot, ma chère Marie. C'est bon et aimable à vous de vouloir que ces heureux jours qui me viennent soient complétés par un souvenir et une félicitation de votre part. Quand on s'est franchement aimés, je crois qu'on s'aime toujours, même pendant le temps où l'on croit s'être oubliés. Moi, je ne sais plus trop ce qui s'est passé. La vie est toujours pour moi l'heure présente. Cette heure est telle aujourd'hui que vous pourriez lire dans mon cœur sans rien y trouver qui vous afflige et vous inquiète.
Donc à vous toujours.

George.

Nohant 7 juin 62.

Le 11 septembre 1862, Blandine Liszt meurt brutalement des suites de ses couches à Saint-Tropez. Elle avait épousé l'avocat et homme politique Émile Ollivier, qui formera le dernier gouvernement de Napoléon III. Bien qu'elle soit brouillée avec sa fille, Marie est bouleversée. Après Louise (1828-1834), Daniel (1839-1859), c'est le troisième enfant qu'elle perd. Ne lui restent que deux filles, Claire, comtesse puis marquise de Chanarcé, et Cosima, qui vit en Allemagne. Son journal exprime son désarroi. Au fil de ses notes de lecture, elle glisse au début d'octobre : «Le Figaro *sur Mme Sand me paraît dire vrai. Sa gloire déclinera et son caractère ne laissera qu'une impression fâcheuse.»*

A la fin du mois, George se manifeste soudain.

LETTRE N° 74

À Marie d'Agoult

[Nohant, 23 octobre 1862]

Chère Marie, J'ai appris bien tard le malheur affreux qui vous a frappée. Je le ressens vivement, et qu'il soit tard ou non pour vous le dire, je veux que vous me comptiez au nombre de ceux que vos douleurs affecteront toujours profondément. C'est dans ces tristes ébranlements de la vie que l'on sent la durée des chaînes de l'affection et comme le réveil de tout ce que le cœur avait mis en commun de joies et de peines. Vous me félicitiez récemment d'avoir acquis une fille charmante, et vous en perdez une accomplie. Croyez que l'égoïsme naturel au bonheur s'arrête ici et que je souffre de votre mal. Et puis qu'est-ce que le bonheur quand un jour imprévu nous le brise ? Qui peut compter sur le soleil de demain ? Votre âme si élevée, votre esprit, qui a touché aux plus hautes solutions de la pensée, a sans doute puisé des forces suprêmes dans l'espoir confiant d'une vie meilleure. Je n'ai donc rien à vous dire pour vous consoler que vous ne sachiez mieux que moi.

Ce que je vous apporte, c'est un grand respect pour vos larmes et une grande tendresse pour vos déchirements.

George.

Nohant 23 8bre 62.

Les années passent. George vieillit doucement à Nohant, entourée de Maurice et de sa femme, puis de leurs deux petites filles, qu'elle vénère. Elle est désormais la bonne dame de Nohant. Elle écrit, comme elle dit, son petit roman annuel et, malgré une santé déclinante, elle n'a pas renoncé à ses bains dans l'Indre. Les invités continuent de défiler, Maurice a installé un théâtre de marionnettes. Avec Solange, les relations sont tendues.

De son côté Marie souffre davantage. Des revers de fortune l'obligent à réduire beaucoup son train de vie. A Henry Harrisse, George écrit le 25 novembre 1867 : « Je plains Mme d'Agoult, on la dit ruinée. Pour elle, ce doit être un vrai malheur. Je l'ai vue jeune encore, éprise et vaillante, s'accommodant de tout et belle d'insouciance. Mais l'amour et la jeunesse partis il a fallu de l'aisance dorée, et la perdre aujourd'hui ne doit pas être facile. Je crois pourtant qu'elle triomphera parce qu'elle a une grande aspiration à être plus qu'elle-même. Je sais ses mauvais côtés, mais je sais aussi les bons et sans vouloir me lier de nouveau avec elle, je désire qu'elle sache devenir heureuse. Elle a trop cherché un rôle dans le monde, elle n'en avait pas besoin étant par elle-même au-dessus de ce qu'elle rêvait. » *En outre, de plus en plus souvent, Marie succombe à de graves crises de spleen qui la laissent prostrée pendant de longs mois. Lorsque sa santé revient, elle se remet au travail, s'absentant de Paris pour de longs séjours dans le Jura ou les Deux-Sèvres. En 1869, une crise de folie l'assaille. Il faut la revêtir de la camisole de force et l'interner dans la clinique du docteur Blanche, à Passy. George apprend la nouvelle et écrit à son fils :* « Mme d'Agoult est chez le Dr Blanche, folle furieuse, c'est affreux » *(28 avril 1869). Une nouvelle fois, Marie guérit.*

Depuis longtemps, elle rédige ses souvenirs. Elle a déjà achevé un volume, qu'elle hésite toujours à publier. De George Sand, elle a écrit : « Je n'eus jamais sa confiance, mais elle m'encouragea beaucoup aussi à écrire. "Vous avez envie d'écrire, m'écrivait-elle, eh bien ! écrivez." Elle développa en moi l'amour de la nature et le sens poétique des choses, et par ses louanges, m'ôta une partie de la défiance que j'avais de moi-même. Elle me fit connaître ses amis républicains. Elle me fit scruter, sonder beaucoup plus que je n'avais fait les mystères de mon propre cœur ; elle m'aida à me connaître moi-même, à m'analyser. [...]. J'écrivis tout un roman : *Nélida*. Pourquoi prenais-je cette forme du roman ? Je n'avais guère les qualités du romancier ; c'était une sottise de paraître vouloir suivre les traces de Mme Sand, quand je n'avais rien de son génie. »

Pour rédiger ses mémoires avec autant d'exactitude que possible, Marie demande à ses amis de lui restituer ses lettres. Beaucoup s'exécutent en lui adressant les originaux ou des copies. Mais la bonne dame de Nohant, semble-t-il, s'y refuse. Si la demande de Marie n'a pas été conservée, la réponse de George subsiste. Elle est déconcertante (une lettre précédente, envoyée quelques jours auparavant, paraît perdue). Pourquoi George emprunte-t-elle ce ton aussi affectueux, pourquoi exprime-t-elle des regrets sur un ton dont n'importe qui serait dupe ? Avec un aplomb époustouflant, elle assure à Marie qu'elle a brûlé elle-même les lettres. Pour mentir, rien ne l'obligeait à jouer à ce point la comédie du dévouement. A la lumière de cette ultime tromperie, comment ne pas douter de la loyauté dont elle s'est toujours prévalue auprès de son ancienne Arabella avec une rare force de conviction ?

LETTRE N° 75

À *Marie d'Agoult*

[Nohant, 18 juin 1875]

Chère Marie, quand les Prussiens n'étaient plus qu'à une journée de marche de Nohant, nous avons brûlé tous les papiers, toutes les lettres qui avaient un caractère de confidence ou d'intimité. Je dis nous, Maurice et moi. J'ai tenu dans mes mains toutes vos lettres et toutes celles des personnes qui nous entouraient à l'époque où vous les écriviez. Je ne sais si elles pourraient être de quelque importance pour vous, le temps manquait pour les relire. Tout a été brûlé avec bien d'autres choses que je regrettais aussi de détruire. Mais je ne voulais pas abandonner tout cela à la profanation de la conquête. Les Prussiens ne sont pas venus. Je regrette doublement vos lettres, puisqu'il vous serait agréable de les ravoir maintenant. Si, par hasard, j'en retrouvais le moindre fragment dans mes cartons, je vous le renverrais fidèlement ; mais ce n'est pas probable, car tout était bien rangé et étiqueté et j'ai brûlé moi-même.

C'est un chagrin pour ne pouvoir vous rendre un si petit service quand je voudrais trouver l'occasion de vous en rendre un grand.

A vous toujours.

G. Sand.

Nohant 18 juin 75.

Le 5 mars 1876, Marie est emportée rapidement par une fluxion de poitrine. Trois mois plus tard, le 8 juin 1876, George la suit dans la tombe.

Sources

Bibliothèque municipale de La Châtre (copies et photo-
copies) : lettres n° 1, 3, 5, 6, 9, 11, 12, 14, 17, 18, 22 A,
22 B, 24, 26, 28, 30, 33, 35, 36, 39, 43, 47, 48, 66, 72.
Ces copies, parfois fautives, ont été rectifiées dans la
mesure du possible à la lumière des extraits publiés
par Samuel Rocheblave (*Une amitié romanesque*, in
la Revue de Paris, 15 décembre 1894), Thérèse
Marix-Spire (*les Romantiques et la Musique – le cas
George Sand*, Paris, Nouvelles Éditions Latines, 1954)
et Jaques Vier (*la Comtesse d'Agoult et son temps*,
Paris, Armand Colin, 1955-1963, six volumes) qui
ont, à leur époque, consulté les originaux alors en
possession de la famille Ollivier. Ceux-ci appartiennent probablement aujourd'hui à une collection privée. Par ailleurs nous avons rectifié, une ou deux
fois, des erreurs manifestes de transcription sur des
noms propres.

Bibliothèque de l'Institut, fonds Spoelberch de Lovenjoul
(originaux) : lettres n° 41, 42, 46, 49, 50, 54, 55, 64,
68, 70, 71.

Correspondance de George Sand, édition de Georges
Lubin, Paris, Garnier.

Volume III (1967) : lettres n° 2 (pp. 43-46), 4 (pp. 222-230), 7 (pp 289-291), 8 (pp. 396-403), 10 (pp. 473-480), 13 (pp. 537-538), 16 (pp. 553-557), 19 (p. 626), 20 (p. 654), 21 (pp. 664-665), 23 (pp. 722-723), 25 (pp. 763-766), 27 (pp. 769-771), 29 (p. 779), 31 (pp.802-808), 32 (pp. 811-814).

Volume IV (1968) : lettres n° 33 (pp. 153-155), 37 (pp. 176-179), 38 (pp. 189-191), 40 (pp. 235-237), 44 (pp. 290-293), 45 (p. 315), 52 (pp. 798-803), 53 (pp. 804-805), 57 (pp. 842-843), 59 (p. 856).

Volume V (1969) : lettres n° 60 (p. 18), 61 (pp. 21-22), 62 (p. 29), 63 (pp. 29-30), 65 (pp. 40-41), 67 (pp. 65-66).

Volume IX (1972) : lettre n° 69 (pp. 753-758).

Volume XVII (1983) : lettres n° 73 (pp. 123-124), 74 (pp. 259-260).

Volume XXIV (1990) : lettre n° 75 (p. 312).

Volume XXV (1991) : lettres n° 56 (p. 342), 58 (pp. 344-345).

La lettre n° 72 est passée en vente à Paris-Drouot-Richelieu, le 10 novembre 1998.

Charles F. Dupêchez remercie Mme Sylvie Goguel de l'attention avec laquelle elle a accepté de collationner certaines lettres.

Index

Achevé d'imprimer en mai 2001
sur système Variquik
par l'Imprimerie Sagim
à Courtry
pour les Éditions Bartillat

Composition – Mise en pages
DV Arts Graphiques à Chartres

Imprimé en France

Dépôt légal : mai 2001
N° d'impression : 4962
ISBN 2.84100.258-6